EXCITADX

Histórias curiosas sobre
como os hormônios controlam
praticamente tudo

Randi Hutter Epstein

EXCITADX

1ª edição: Abril 2021

Direitos reservados desta edição: CDG Edições e Publicações

O conteúdo desta obra é de total responsabilidade do autor e não reflete necessariamente a opinião da editora.

Autora:
Randi Hutter Epstein

Tradução:
Nathalia Ferrante

Revisão:
Pamela Oliveira

Preparação de texto:
Bárbara Parente

Capa e Diagramação:
Jéssica Wendy

DADOS INTERNACIONAIS DE CATALOGAÇÃO NA PUBLICAÇÃO (CIP)

Epstein, Randi Hutter

    Excitadx: histórias curiosas sobre como os hormônios controlam praticamente tudo / Randi Hutter Epstein. -- Porto Alegre : CDG, 2021.

    280 p.

    ISBN: 978-65-5047-040-1
    Título original: Aroused

    1. Hormônios - História 2. Hormônios - Fisiologia I. Título

20-1844   CDD 612.405

Angélica Ilacqua - Bibliotecária - CRB-8/7057

Produção editorial e distribuição:

contato@citadel.com.br
www.citadel.com.br

Sumário

Introdução 5
1 A Noiva Gorda 11
2 Hormônios... ou como podemos chamá-los 23
3 Cérebros em conserva 41
4 Hormônios assassinos 61
5 A vasectomia viril 77
6 Almas gêmeas em hormônios sexuais 93
7 Criando o gênero 105
8 Crescendo 127
9 Medindo o incomensurável 147
10 Dores de crescimento 159
11 Cabeça quente: os mistérios da menopausa 171
12 Empreendedores de testosterona 189
13 Ocitocina: aquele sentimento de amor 207
14 Transição 221
15 Insaciável: o hipotálamo e a obesidade 235
Epílogo 245
Agradecimentos 249
Notas 253

Para Stuart,

Jack, Martha, Joey e Eliza.

Introdução

No verão de 1968, eu passei muito tempo na piscina da casa de minha avó, no clube de campo Sprain Brook em Yonkers, Nova York. Minha avó Martha e suas três amigas (sempre o mesmo quarteto) ficavam sentadas à sombra, jogando canastra, tomando café quente e fumando cigarros Kent.

Eu nadava com meus irmão e irmã mais velhos, mas costumava ficar com minha irmã tomando banho de sol; nossos corpos besuntados de óleo de bebê da Johnson, nossas cabeças no meio de uma capa de álbum velha que havíamos enrolado em papel alumínio, na tentativa de capturar os raios de sol.

No caminho de volta para casa, minha irmã e eu colocávamos nossos braços lado a lado. Ela sempre ficava com um bronzeado decente; eu, sendo ruiva, ficava da cor de um tomate maduro, aquele tipo de queimadura que descasca no dia seguinte. Mas a vovó Martha ficava incrivelmente bronzeada. Ela parecia absorver a radiação solar da melhor forma, sem esforço algum.

Cinco anos mais tarde, descobrimos que a nossa avó não tinha uma aptidão especial para se bronzear. Na verdade, ela tinha um problema hormonal: a doença de Addison. Seu corpo não estava produzindo cortisol suficiente, um hormônio que ajuda a manter uma pressão sanguínea saudável e fortalece o sistema imunológico. Pessoas com doença de Addison sofrem de fadiga extrema, náuseas e baixa pressão arterial, às vezes, perigosamente baixa. Essa doença também causa o escurecimento da pele. Uma vez que o diagnóstico foi confirmado, o tratamento foi fácil. Ela tomava comprimidos diários de cortisona, que contêm um hormônio quimicamente semelhante ao cortisol, aquele que faltava em seu organismo.

Quando minha avó nasceu em 1900, a palavra "hormônio" não existia. O termo foi cunhado em 1905. Quando ficou doente, na década de 1970, os cientistas tinham uma maneira de detectar sua deficiência hormonal, medindo a taxa de hormônios em até um bilionésimo de grama e prescrevendo comprimidos que mantinham a doença sob controle.

Em 1855, Claude Bernard, um renomado fisiologista, suspeitou que o fígado tinha algo a ver com a prevenção de variações dos níveis de açúcar no sangue. Ele estudava os mecanismos da digestão e já havia descoberto que o pâncreas é responsável pela liberação de fluidos que quebram os alimentos. Para testar essa hipótese, Bernard alimentou um cão com uma dieta à base de carne e sem açúcar. Então ele o matou, e imediatamente removeu seu fígado e testou o órgão ainda quente em relação ao açúcar, alguns minutos depois e de novo várias horas depois disso. Para sua alegria, o nível de açúcar no fígado do cão começou praticamente em zero, mas continuou a subir. (Mesmo que o cão estivesse morto, o fígado – assim como outros órgãos – continuou funcionando por alguns dias; é por isso que os transplantes funcionam.)

Bernard anunciou a seus colegas que o fígado deve conter alguma substância que armazena e produz açúcar. Mas também proclamou que todos os órgãos, não apenas o fígado e o pâncreas, liberam substâncias que mantêm o corpo funcionando sem problemas. Ele chamou esses produtos químicos de "secreções internas". Era uma nova maneira de reflexão sobre o corpo humano. Muitos historiadores consideram Bernard o pai da endocrinologia.

Eu não. Os verdadeiros pioneiros reconheceram que essas substâncias químicas não são apenas secreções internas. Elas desempenham um papel mais importante. Elas despertam. Elas estimulam os receptores nas células-alvo, acionando interruptores que fazem tudo funcionar.

Eu mergulhei na história dos hormônios porque o último século foi um período de descobertas incríveis, mas também de reivindicações absurdas. Na década de 1920, a descoberta da insulina e seu uso como tratamento transformaram o diabetes de uma sentença de morte para uma doença crônica. Na década de 1970, um teste para o hormônio da tireoide em recém-nascidos impediu que milhares de crianças crescessem com deficiência intelectual. Ao mesmo tempo, foram cometidos erros terríveis. As vasectomias foram difundidas como um tratamento para rejuvenescer homens idosos, uma moda que durou quase uma década, começando em meados da década de 1920. Pouco tempo depois, um médico que tratou os intelectuais afirmou que podia detectar doenças hormonais estudando o rosto das pessoas e prescrevendo remédios baseados em hormônios. Era uma espécie de abracadabra combinado com tratamentos poderosos e potencialmente perigosos.

Excitadx conta as histórias de cientistas ousados e também de pais desesperados. No período anterior às sofisticadas técnicas de imagem, um neurocirurgião do início do século 20 realizou operações cerebrais para remover fragmentos de uma glândula, o que, segundo ele, impediria doenças causadas por uma overdose de hormônios. Na década de 1960, um casal vasculhou laboratórios de patologia e necrotérios na esperança de obter hormônio do crescimento para o filho com baixa estatura. *Excitadx* também se refere a consumidores curiosos que morrem (às vezes literalmente) de vontade de aproveitar a moda hormonal para viver um pouco mais ou se sentir um pouco melhor. A jornada tem início com médicos no final do século 19, investigando as glândulas de cadáveres, alguns deles roubados de cemitérios. Mais adiante, culminaremos com os cientistas rastreando os caminhos hormonais até os genes que os produzem.

Como descobrimos que o hormônio do crescimento não é apenas para crescer? Quando soubemos que testículos e ovários são controlados por um hormônio no cérebro? O recém-descoberto hormônio da fome significa que não é realmente minha falta de força de vontade, mas a própria química cerebral que está me incentivando a comer de forma compulsiva? E em caso positivo, existe de fato uma diferença entre os dois? Afinal de contas, sou definida pela minha química cerebral. E o que os estudos mais recentes dizem sobre os hormônios em uso hoje: os géis de testosterona populares entre os homens idosos e a terapia de reposição hormonal para mulheres na menopausa?

Excitadx revisita os primórdios das descobertas hormonais, quando os médicos do século 19 começaram a observar as glândulas secretoras espalhadas por todo o corpo. Essa pesquisa remonta ao conceito de hormônios no início dos anos 1900. Na década de 1920, a endocrinologia passou de ciência obscura para uma das especialidades médicas mais amplamente discutidas. Além da descoberta da insulina, o estrogênio e a progesterona foram isolados.

Ao mesmo tempo, surgiram livros de recomendações promovendo todos os tipos de remédios malucos.

Se na década de 1920 vimos a festa de inauguração da endocrinologia, época em que ganhou popularidade tanto por curas reais quanto falsas, na década de 1930 a endocrinologia consolidou seu papel como uma ciência séria. Três avanços cruciais na área da bioquímica desmascararam os dogmas dos anos anteriores. Pensava-se que o estrogênio e a testosterona eram substâncias muito diferentes, mas os pesquisadores dessa década descobriram que diferem em apenas um grupo hidroxila: são apenas um átomo de hidrogênio e um átomo de oxigênio. Estrogênio e testosterona são basicamente gêmeos fraternos em roupas diferentes. Em segundo lugar, quando o estrogênio foi por fim isolado a partir da urina de cavalos, ele não veio das fêmeas, mas das excreções de garanhões. Os cientistas acreditavam que os ovários produziam estrogênio e os testículos produziam testosterona; essa descoberta levou-os a perceber que ambos produzem os dois hormônios. E, por fim, os pesquisadores pensavam que estrogênio e testosterona eram substâncias químicas antagônicas: como crianças em uma gangorra, a ascensão de uma empurrava a outra para baixo. Mas, na verdade, essas duas substâncias não são antagonistas, mas parceiras que trabalham em conjunto.

Essas descobertas deram origem a uma visão mais complexa dos hormônios. Os cientistas não estavam mais estudando um de cada vez, mas examinando como estavam conectados.

A segunda metade do século 20 começou com triunfo. Os cientistas descobriram como medir a taxa hormonal, algo considerado impossível na época. Isso porque, apesar de seu poder, os hormônios vêm em pequenos pacotes. Antes, eram considerados muito escassos para que fosse possível medi-los. Pouco tempo depois, a pílula anticoncepcional foi aprovada; um teste rápido de gravidez em casa substituiu métodos mais antigos e mais lentos; e hormônios engarrafados foram vendidos para reprimir os sintomas da menopausa. Mas a alegria não durou muito. À medida que as drogas hormonais se tornaram imensamente populares, começaram a surgir efeitos colaterais. A dose inicial da pílula estava ligada a ataques cardíacos mortais. A terapia de reposição hormonal, uma vez vista como a prevenção de todos os tipos de doenças crônicas da velhice, foi considerada eficaz, mas não a maravilha da cura que havia sido divulgada. Hoje, estamos adotando uma abordagem mais criteriosa às terapias hormonais, mas ainda há muito a ser descoberto.

Como podemos mensurar os benefícios e os riscos potenciais? O objetivo aqui não é criar uma maneira de permanecer jovem para sempre (que é uma história antiga e que continua sendo reescrita), nem promover que todas as coisas devem ser naturais (afinal, somos feitos de hormônios; eles são nossa química natural). Em vez disso, *Excitadx* ajuda os leitores a apreciar as complexas interações que os hormônios mantêm entre si em nossos corpos e as relações que temos com os hormônios aos quais estamos expostos.

Foi só recentemente que minha mãe me contou que, nas semanas que antecederam o diagnóstico da vovó Martha, as mulheres que jogavam cartas disseram que ela estava totalmente exausta. Adormecia durante os jogos. Então, na segunda-feira antes do Dia de Ação de Graças em 1974, ela apareceu em nossa casa em Nova Jersey e sentou-se com calma. Em vez de mergulhar uma colher na sopa, enrugar o nariz e murmurar baixinho que precisava de mais sal, ela descansou em um sofá. Esta não era a vovó Martha que conhecíamos. (Saberíamos logo depois que o desejo por sal era outro sinal da doença de Addison). Vovó Marta não fazia fofocas, não reclamava. Ela nem tinha energia para sair para a varanda dos fundos e fumar um cigarro. Minha mãe ficou assustada e ligou para um médico.

Ele não conseguiu encontrar nada errado, mas, dada a estranha mudança de personalidade, ele encaminhou minha avó ao hospital para fazer exames extras. Quando minha avó foi levada para seu leito, estava fraca demais para levantar um garfo, então minha mãe teve que alimentá-la. Foi nesse momento que minha mãe percebeu que a língua da minha avó estava escura como breu. (Em retrospecto, minha mãe não tem certeza se o médico sequer a examinou. Como ele não percebeu os sintomas?)

Meu pai, um patologista, acabou ligando os pontos – língua negra, pele bronzeada, fadiga extrema – e suspeitou da doença de Addison. Ele insistiu que fossem realizados testes hormonais. O que acabou revelando a falta de cortisol.

Naquela época, eu não sabia muito sobre a doença dela, exceto que John F. Kennedy tinha a mesma coisa, o que fez parecer uma coisa muito presidencial para se ter. Em minha infância, lembro-me da minha mãe dizendo: "Mãe, não se esqueça de tomar sua pílula de cortisona". Era uma pílula de manhã e outra à tarde. Eu nem tenho certeza se sabia que Addison era uma doença hormonal. Para mim, os hormônios eram peitos, menstruações e sexo. Simples assim.

Mas os hormônios são muito mais que isso. São as substâncias químicas potentes que controlam o metabolismo, o comportamento, o sono, as mudanças de humor, o sistema imunológico, a luta, a fuga – não apenas a puberdade e o sexo. Então, em certo sentido, essa é uma história da bioquímica dos seres vivos, que respiram e possuem emoções. A história dos hormônios também é uma história de descoberta, mudanças erradas, persistência e esperança. Levando em conta as duas coisas – a ciência básica e as pessoas que a moldaram –, *Excitadx* se refere àquilo que nos torna humanos, de dentro para fora.

1
A Noiva Gorda

Nem mesmo um dia se passara desde que a Noiva Gorda estava morta e enterrada antes que sequestradores tentassem desenterrá-la e levá-la aos cientistas. A primeira tentativa de exumação ocorreu por volta da meia-noite de 27 de outubro de 1883, no cemitério Mount Olivet, em Baltimore. O vigia noturno do cemitério disparou sua arma, assustando os vândalos, que fugiram com suas pás e enxadas. Uma hora depois, tiros espantaram outro grupo, que correu do mesmo túmulo. Os jornais publicavam histórias conflitantes. Alguns disseram que as balas atingiram dois ladrões de túmulos. Outros disseram que ninguém se machucou. De qualquer forma, todos sobreviveram. Exceto, é claro, a noiva.

É incrível que alguém pensou ser possível exumar todos os 234 quilos de Blanche Gray, também conhecida como a Noiva Gorda. Para começar, foram necessários uma dúzia de homens corpulentos para amarrar o corpo a uma prancha de madeira, carregá-lo por três lances de escada, erguê-lo na carroça do agente funerário e plantá-lo a sete palmos de profundidade. Exigiria pelo menos a mesma quantidade de homens para tirá-la da cova. Em segundo lugar, seu corpo era uma mercadoria médica muito cobiçada, por isso o guarda-noturno estava particularmente atento naquela noite, vigiando da janela do segundo andar de sua casa, nos terrenos do cemitério, a uma curta distância do local. Um colega de trabalho ajudava; e juntos, revezavam-se olhando pela janela com as armas prontas para disparar.

Ressurreicionistas, da Coleção Healy, Academia de Medicina de Nova York. Cortesia da Biblioteca da Academia de Medicina de Nova York.

Pobre Blanche Grey. Ela nasceu em Detroit, um bebê enorme, com cerca de 5,4 quilos, que chegou a 113 quilos quando completou doze anos. Sua mãe morreu alguns dias após o nascimento; seu pai e os dois irmãos imaginaram que ninguém se casaria com ela e que ficaria em casa para sempre. Grey pensou o contrário. Ela estava decidida a se afastar o máximo possível e começar uma nova vida longe do olhar crítico de sua família e da curiosidade dos médicos. Grey acabou escolhendo uma profissão que a colocou no centro das atenções de qualquer maneira.

Aos dezessete anos, Grey embarcou em um ônibus com destino a Manhattan para conseguir um emprego em um show de horrores. Ela achava que poderia estrear um show como a Mulher Gorda, ao lado de outros considerados "anormais" – as mulheres barbadas, os anões, os gigantes e outros. Às vezes, o grupo se apresentava em uma sala cavernosa; às vezes, eram empurrados para os fundos de uma montanha-russa em um parque de diversões. Empresários experientes promoviam esses shows voyeurísticos como entretenimento educacional.

A exibição de tamanha variação humana amontoada em um só lugar não apenas divertia o público lascivo, mas alimentava a curiosidade de uma equipe eclética de fisiologistas, neurocientistas e bioquímicos. Esses estudiosos pretendiam provar que essas pessoas tinham aquela aparência por causa de um defeito físico, não por uma falha moral ou punição divina, como em geral se pensava. Se pudessem descobrir o que tornava essas pessoas perigosamente diferentes, poderiam descobrir o que tornava o resto de nós tão maravilhosamente normal.

Se Grey tivesse nascido cem anos depois, vivendo na segunda metade do século 20, em vez do século 19, os médicos poderiam ter realizado vários exames para detectar problemas hormonais relacionados à obesidade – problemas, talvez, com os níveis de tireoide e hormônios do crescimento. Se ela tivesse nascido perto de 2000, há uma boa chance de ter visitado endocrinologistas que poderiam ter analisado seus níveis de leptina e grelina. Os médicos que a examinaram ao nascer podem ter suspeitado de que sua mãe sofria de diabetes, uma doença hormonal que, entre outras coisas, aumenta as chances de ter um bebê obeso. Eles saberiam o suficiente sobre problemas hormonais para verificar outras condições também. O não tratamento das deficiências nos hormônios da tireoide no nascimento, por exemplo, levam não apenas ao ganho de peso, mas também a deficiências cognitivas e pele seca.

Mas Grey viveu do lado errado da descoberta científica.

Havia pistas. Quarenta anos antes da morte de Grey, em 1840, a autópsia de uma mulher morta com a chamada obesidade fatal revelou um tumor invadindo uma glândula cerebral. Pouco tempo depois, o cadáver de uma criança obesa de dez anos de idade com atraso no desenvolvimento foi encontrado sem a glândula na garganta. Será que uma doença nas glândulas matou Grey?

Assim que Grey chegou à cidade de Nova York, já ganhava 25 dólares por semana como a Mulher Gorda em um museu na rua Bowery, número 210. (O museu mais tarde se tornaria o Monroe Hotel para pessoas marginalizadas na década de 1930 e, em seguida, um arranha-céus de luxo em 2012.) Logo, Grey chamou a atenção de David Moses, o tomador de ingressos, que recebia um salário relativamente escasso de cinco dólares por semana. Depois de alguns encontros, Moses propôs se tornar seu marido e agente. Ela disse que sim para as duas coisas. Grey tinha dezessete anos, mas disse que tinha dezoito. Ele tinha vinte e cinco anos. Moses vendeu ingressos para seu casamento no Museu Dime de Nova York. Uma enorme faixa foi colocada na entrada: "Blanche Grey, a garota mais gorda do mundo se casará no palco hoje à noite, às 21h!". Moses publicou artigos em jornais locais para garantir que os ingressos se esgotassem. Os anúncios saudavam Blanche como a "maravilha do século 19".

"Uma noiva da pesada", disse o *Baltimore Sun*. "Mais do que uma cara-metade", disse o *New York Times*. Blanche Grey "inclinou a balança em 234 quilos; portanto, era natural, em concordância com as leis da gravitação, que um corpo menor fosse atraído pelo maior". O *Times* a chamou de "monstruosidade adiposa".

Logo após a cerimônia, Moses fez outra proposta: mudar o nome artístico de Grey de "Mulher Gorda" para "Noiva Gorda". Ele disse que isso daria a ela uma vantagem em um campo cada vez mais concorrido. Afinal, meninas e mulheres gordas eram algo genérico. Noivas gordas eram raras. Moses garantiu aos expositores uma multidão de espectadores pagantes, já que o noivado e o casamento de Blanche haviam sido uma sensação na mídia. Ele emplacou uma série de espetáculos para sua lua de mel a trabalho. Na manhã seguinte à festa, a nova Sra. Moses se apresentou no movimentado calçadão de Coney Island, em Nova York. De lá, seu marido reservou o museu Dime de Baltimore e o cassino Hagar & Campbell da Filadélfia.

A princípio, tudo parecia estar correndo muito bem. O museu Dime, em Baltimore, oferecia quartos gratuitos em uma pensão, não apenas para os noivos, mas também para os convidados do casamento: o Anão Sem Braço, a Mulher Barbada e o Mouro Branco. (Os habitantes da região chamavam o local de "a pensão dos estranhos".) O único porém era a suíte da lua de mel: Blanche teve problemas para conseguir subir ao terceiro andar. O museu concordou em içá-la para cima – com a ajuda de homens e um guindaste. Moses sugeriu que vendessem ingressos para aquela viagem vertical.

Após alguns dias, estranhos sinais começaram a aparecer. O público reclamou que a Noiva Gorda estava com dificuldade de manter os olhos abertos. A Mulher Barbada ficou preocupada porque a pele de Blanche parecia manchada e roxa. Seu marido diria mais tarde que estava de olho nela, mas não havia percebido o quão doente ela estava. Apesar das aparências externas, o *Baltimore Sun* relatou que Blanche estava "alegre e feliz" e até "encorajou a piscadela do esqueleto vivo no museu, para o desgosto do marido, que ficou com ciúmes".

Dias mais tarde, ela morreu. Moses ficou atordoado. Ele dormiu a noite toda, acordando por volta das sete horas porque sua esposa havia se mexido. Grey estava respirando pesadamente, então ele a beijou e voltou a dormir. Uma hora depois, ele acordou com uma batida na porta. Era o gerente. Antes de se levantar, segundo ele, parou para olhar a esposa e percebeu que ela estava morta.

Sua morte tornou-se manchete, assim como havia sido o casamento: "A noiva mais gorda do mundo está morta", relatou o *Baltimore Sun*. "A gordura a matou" foi a manchete do *Chicago Daily Tribune*. Sua morte foi noticiada até mesmo pelo *Irish Times*: "Morte súbita de uma mulher gorda".

Multidões se reuniram quando Blanche Grey foi levada ao cemitério. As mulheres que voltavam para casa das compras largaram suas sacolas e ficaram observando. As meninas jovens empurravam a multidão para assistir na primeira fila. Meninos subiram em postes telegráficos. Os vizinhos se inclinavam para fora das janelas. Enquanto observavam a obesa sendo transportada do "hotel dos estranhos", puderam espiar gratuitamente a chorosa mulher de um braço só, a mulher barbada e os outros personagens do circo que caminhavam ao lado dela. "A multidão na calçada parecia considerar a tristeza dos amigos da pobre mulher morta como um espetáculo a ser visto", relatou o *Baltimore Sun*. "As pessoas riam e cutucavam-se umas às outras."

A história trágica de Grey simbolizou a Era Dourada dos Estados Unidos: os shows de aberrações, um desprezo pelo anormal (ainda que capitalizando sobre ele) e a imprensa sensacionalista. Segundo relatos, Moses tentou lucrar com a morte de Grey, vendendo fotos de seu corpo por um centavo cada.

Apesar de uma série de artigos que parecem mais parábolas que jornalismo, ninguém se deu ao trabalho de dizer que a morte de Grey foi exatamente como sua vida: uma balbúrdia midiática que não mostrou respeito algum por sua pessoa. Ao que parece, Grey foi apenas um artifício para a imprensa e seu público bisbilhoteiro.

Mas a história de Blanche Grey é mais do que um conto de fama fugaz e fortuna mínima. Os relatos iluminam fatos sobre a medicina do final do século 19. Blanche morreu no momento em que os cientistas estavam começando a desvendar os mistérios de nosso sistema endócrino, as substâncias secretadas pelos órgãos internos: os nossos hormônios. Por que algumas pessoas eram gordas demais? Peludas demais? Grandes demais? Pequenas demais? A descoberta de hormônios, apenas alguns anos após seu enterro, traria respostas. E com o tempo, a compreensão dos hormônios levaria a tratamentos que salvariam vidas, como a insulina para diabetes.

A pesquisa também nos ajudaria a decodificar a base química do que nos faz ser como somos. Não apenas nosso desenvolvimento físico, mas também nosso desenvolvimento psíquico. O que provoca a raiva? O que promove o vínculo materno? Nossa química interna pode explicar o ódio, o amor ou a luxúria? Talvez nenhum outro campo da medicina atinja um território tão vasto como a endocrinologia, o estudo dos hormônios.

Quimicamente falando, os hormônios são cadeias volumosas de aminoácidos ou anéis de átomos de carbono com pedaços pendentes nas laterais. Mas pensar neles apenas em termos estruturais é como descrever o futebol como sendo uma massa elíptica de couro sendo jogada ao redor de um retângulo de noventa metros de comprimento. Não expressa como uma massa relativamente pequena desencadeia tamanho poder e complexidade impressionantes.

Se considerar seu corpo uma vasta via de informações – uma série de mensagens sendo enviadas nessa direção e na outra –, seu sistema nervoso funciona como o antigo quadro de distribuição de uma operadora de telefonia. Ele contém fios que precisam ser conectados à fonte e ao alvo para transmitir sinais. Você pode seguir o caminho de um nervo de um extremo ao outro. Os hormônios são uma história completamente diferente. A coisa mais notável sobre eles – em oposição a todas as outras substâncias em seu corpo – é sua maneira aparentemente mágica de trabalhar. Os hormônios são enviados de uma célula em uma parte do corpo e atingem alvos distantes – as conexões não são necessárias. Eles são sua rede sem fio. Uma célula cerebral, por exemplo, emite um hormônio, apenas uma gotícula, e desencadeia uma resposta nos testículos ou ovários. (Outros produtos químicos percorrem longas jornadas, como o oxigênio, que também viaja por meio da corrente sanguínea. Mas o oxigênio não é liberado por uma glândula e direcionado para um alvo específico, como os hormônios.)

As nove glândulas principais do corpo, da cabeça aos órgãos genitais, são o hipotálamo, pineal e hipófise no cérebro; tireoide e paratireoides na garganta; ilhotas de Langerhans no pâncreas; suprarrenais, cobrindo os rins; e ovários e testículos. Os cientistas descobriram no início de 1900 que, quando removiam uma glândula hormonal do cérebro de um cão, podiam injetar as substâncias produzidas por ela em qualquer outro lugar do corpo e tudo voltava ao normal. De fato, surpreendente. Os cientistas também descobriram que cada uma de nossas células possui marcadores, como roteadores de computadores, que direcionam os sinais hormonais exatamente para onde precisam ir.

Eles também perceberiam que os hormônios raramente funcionam sozinhos. Um declínio nas taxas de um hormônio interfere na quantidade de outros hormônios e, como uma cadeia de dominós, desequilibra uma série de funções corporais. Todas essas emissões das glândulas produtoras de hormônios são, em alguns aspectos, diferentes e iguais. Relacionadas. Como irmãs. Ou talvez mais como primas.

O trabalho da glândula é simples: secretar hormônios. O trabalho do hormônio é mais complicado: manter o corpo equilibrado.

Os hormônios controlam o crescimento, o metabolismo, o comportamento, o sono, a lactação, o estresse, as mudanças de humor, os ciclos sono-vigília, o sistema imunológico, a reprodução, a luta, a fuga, a puberdade, a paternidade e o sexo. Eles buscam nos colocar de volta ao normal quando as coisas estão fora de controle. E eles também podem ser causa de confusão.

A endocrinologia só surgiu no século 19, muito depois de outras descobertas médicas substanciais. No final do século 17, os cientistas haviam reconhecido que o sangue circula pelo corpo, em vez de balançar para a frente e para trás, e já tinham uma imagem muito boa da anatomia humana. A descoberta de hormônios foi adiada até o nascimento da fisiologia e da química, em meados do século 19, o que criou uma nova maneira de estudar o corpo. Os pesquisadores não se aproximaram mais do corpo simplesmente explorando o terreno, como cartógrafos se aventurando em novas terras. Tampouco se limitaram a examinar as rotas de sangue e nervos. Eles começaram a lidar com as substâncias químicas do corpo e a teorizar sobre seu impacto na saúde e na doença. A medicina se tornou mais científica. Em 1894, William Osler, considerado o pai da medicina moderna, declarou que "o médico sem fisiologia e química fica desnorteado, sem um objetivo, sendo incapaz de obter uma concepção precisa da doença, praticando uma espécie de farmácia de armas de fogo".

Nos últimos anos do século 20, aprenderíamos que os hormônios dependem de células imunes e de mensageiros químicos do cérebro – e vice-versa. Nossas células de defesa e os mensageiros das células cerebrais dependem de hormônios para funcionar corretamente. Esse sistema complexo acabaria se tornando ainda mais complicado do que se imaginava. E ainda não o entendemos completamente.

Na época de Blanche Grey, os pesquisadores começaram a sair do nevoeiro. Naquele período, a medicina estava na adolescência – ousada, arrogante, ingênua. Livre de conselhos de ética, do consentimento dos pacientes e todas as outras coisas que reformulariam a pesquisa médica no final do século 20, os detetives científicos prosperaram em uma comunidade de exploração, descobrindo em seus próprios termos, com suas próprias ideias sobre onde ir e o que fazer. Seus caminhos audaciosos permitiram que a ciência progredisse mais depressa do que aconteceria hoje, quando precauções são tomadas para garantir que os direitos dos pacientes não sejam violados.

Ainda assim, se os experimentos progridem ou tropeçam pelo caminho, novas ideias raramente surgem. Elas ficam em espera, às vezes por décadas. A teoria da evolução foi discutida por anos antes de Charles Darwin publicá-la em 1859. A teoria dos germes causadores de doenças surgiu nos laboratórios da Europa antes de Robert Koch reunir provas definitivas e publicá-las na década de 1880. O mesmo pode ser dito para a descoberta dos hormônios. (Provavelmente, não é de surpreender que a teoria dos hormônios tenha surgido ao mesmo tempo que a teoria dos germes; trata-se de especialidades muito diferentes, mas ambas se concentram em pequenas coisas com uma força poderosa.)

Durante séculos, os curandeiros notaram os poderes das secreções ovarianas e testiculares. Eles se perguntaram sobre a glândula tireoide no pescoço e as glândulas suprarrenais que repousam sobre os rins. Decerto elas deveriam servir a algum propósito. Mas o quê, exatamente?

O primeiro experimento genuinamente científico com hormônios foi realizado em 2 de agosto de 1848. Arnold Berthold, um médico, executou um experimento com seis galos do seu quintal em Göttingen, na Alemanha. Muitos cientistas tinham grande curiosidade a respeito dos testículos: se continham secreções vitais e como trabalhavam. Será que um testículo poderia fazer seu trabalho se fosse colocado em algum outro lugar no corpo? Berthold retirou um único testículo de dois dos galos. Retirou ambos os testículos de outros dois galos. Nos dois galos restantes, ele fez uma troca estranha de testículos, removendo ambos os testículos e reinserindo um na barriga do outro galo. Cada um deles acabou ficando com o testículo de outra ave, reinseridos no lugar errado.

Aqui está o que Berthold descobriu: os galos que ficaram sem testículos começaram a engordar e tornaram-se preguiçosos e covardes. Segundo Berthold, eles passaram a agir como galinhas. Suas cristas vermelhas e brilhantes perderam a cor e encolheram. Eles pararam de perseguir aves domésticas fêmeas. Os galos com apenas um testículo eram os machos, ou melhor, os galos que sempre foram. Eles ciscavam, inchavam o peito e cobiçavam as galinhas. Durante a autópsia, ele percebeu que o testículo solitário estava inchado. Berthold percebeu que o testículo havia inchado para compensar a falta daquele que havia sido retirado.

Mas a descoberta mais impressionante de todas, a descoberta que deve ter chocado o mundo da pesquisa de testículos, foi o resultado da troca das gônadas. Berthold se perguntava se os testículos poderiam funcionar de qualquer lugar do corpo. Sim, eles funcionavam. Ele havia implantado um testículo entre as alças intestinais de uma ave gorda, preguiçosa e castrada – o jovem galo, com apenas três meses de idade, não tinha nada entre as pernas, a não ser um testículo solitário em seu intestino –, e ele voltou a ser um ávido caçador de galinhas, com crista vermelha e tudo mais. Berthold repetiu a troca de testículo para barriga com outra ave e a mesma coisa aconteceu. "Os galos cantavam luxuriosamente, muitas vezes travando batalhas entre si e com outros galos, e mostraram a reação usual às galinhas", escreveu ele.

Berthold supôs que, quando investigasse suas aves, encontraria uma rede de nervos conectando os testículos deslocados ao corpo. Em vez disso, descobriu que os testículos estavam cercados por vasos sanguíneos. Em seu relatório científico de quatro páginas, Berthold explicou pela primeira vez como os hormônios funcionam, escrevendo que seu experimento mostrou que os testículos liberavam uma substância no sangue que era transportada para o resto do corpo e chegava a um destino específico. Ele estava certo: os hormônios são liberados em uma parte do corpo e atingem um alvo específico, como a flecha bem direcionada de um arco. (Ele não usou a palavra "hormônio", porque ela não seria inventada por mais meio século.) Ninguém deu ouvidos a ele. A ciência hormonal como uma especialidade médica poderia ter surgido naquele momento. Mas isso não aconteceu.

Ciência não é apenas fazer o experimento. É também sobre buscar vestígios. É sobre ver as pistas. Compreender o significado. Martelar vários palpites. O experimento do galo no quintal de Berthold poderia ter sido a experiência que traria uma mudança no paradigma, transformando a maneira como os cientistas viam as secreções internas. Ele publicou seus *insights* nos Arquivos Mueller de Anatomia e Fisiologia, sob o título de "Transplantation der Hoden" (*hoden* é testículos em alemão). Então, sem alarde, ele passou para outros projetos. Como Albert P. Maisel escreveu em *The Hormone Quest* (A busca hormonal), foi como se Colombo descobrisse a América e depois voltasse para casa para passar o resto da vida estudando as ruas de Madri.

Depois de Berthold, houve outros pesquisadores que plantaram sementes que um dia floresceriam em um campo chamado endocrinologia: Thomas Blizard Curling, cirurgião de Londres, autopsiou duas meninas obesas e com problemas intelectuais (uma morreu aos seis anos de idade e a outra aos dez) para ver se encontrava algum tipo de defeito físico. Ele descobriu que nenhuma das duas possuía a glândula tireoide, o que o levou a publicar um artigo ligando uma tireoide defeituosa à deficiência mental. Thomas Addison, outro londrino, relacionou glândulas suprarrenais defeituosas a uma síndrome que incluía estranhas manchas marrons e fadiga. Com o tempo, essa síndrome seria nomeada em sua homenagem: a doença de Addison. George Oliver, um médico do norte da Inglaterra, alimentou o filho com glândulas suprarrenais de ovelhas e vacas que pegava no açougue, só para ver o que poderia acontecer. A pressão sanguínea do garoto disparou. Satisfeito com sua descoberta, ele se uniu a um cientista de Londres e conduziu estudos com cães que confirmaram a descoberta humana. A misteriosa secreção da glândula adrenal seria chamada de "adrenalina".

Apesar desses experimentos variados, ninguém no século 19 conseguiu ver a coisa de forma abrangente; eles não perceberam que essas diferentes glândulas secretoras de substâncias químicas compartilhavam características semelhantes. Portanto, não havia um campo unificado, apenas uma série de cientistas trabalhando isoladamente em glândulas individuais. O pessoal das adrenais não estava conversando com a galera dos testículos, que não se comunicavam com os caras da tireoide.

Seria necessário ter muita perspicácia e trabalhar em parceria para reunir esses diversos estudos em uma categoria, descobrir um modo de ação em comum e batizá-los com um nome. Seriam necessárias mais pesquisas sobre homens e mulheres como Blanche Grey, muitos dos quais seriam desenterrados e levados para laboratórios científicos em Baltimore, Nova York, Boston e Londres. Fisiologistas, neurocientistas e químicos precisavam de pacientes, mortos e vivos, para examinar as glândulas e estudar as substâncias que excretavam. E eles precisavam criar um campo de estudo unificado: um grupo de cientistas e médicos compartilhando ideias e descobertas, testando tratamentos que trariam ajuda e, às vezes, cura para as pessoas necessitadas. Isso aconteceria no início do século 20.

Quanto a Blanche, ela acabou permanecendo enterrada a sete palmos, jamais sendo exumada por um laboratório de Baltimore – apesar das várias tentativas dos ladrões de corpos. Se eles a tivessem pegado, eis o que teriam encontrado: glóbulos dourados de gordura, como pilhas de folhas amarelas e volumosas no outono, cobrindo seus órgãos. Um investigador curioso poderia tê-los retirado e removido a glândula hipófise do cérebro ou a tireoide do pescoço. Eles poderiam ter observado se a glândula parecia muito grande ou muito pequena. Ela provavelmente se tornaria uma curiosidade científica ao lado do esqueleto de uma pessoa extraordinariamente alta, provendo material para estudos posteriores, mas sem fornecer muitas respostas.

2
Hormônios...
ou como podemos chamá-los

Em 20 de novembro de 1907, um grupo de estudantes de medicina britânicos se dirigiu a Battersea para destruir a estátua de um cachorro. Era uma noite particularmente nebulosa, mesmo para os padrões de Londres, então pensaram que poderiam se safar.

O monumento, com mais de dois metros de altura, também era uma fonte de água, com um bico alto para as pessoas e um bico baixo para animais de estimação. **Um terrier marrom de bronze** ficava empoleirado em uma base alta de granito. Foi a inscrição no rodapé que irritou os alunos:

> "Em memória do **cachorro terrier** marrom morto nos laboratórios da Universidade College, em fevereiro de 1903, depois de ter sofrido uma vivissecção por mais de dois meses e ter sido transferido de um pesquisador para outro, até que a morte veio libertá-lo. Também em memória dos 232 cães que foram usados como cobaias no mesmo local durante o ano de 1902. Homens e mulheres da Inglaterra, por quanto tempo essas coisas continuarão acontecendo?"

Ativistas dos direitos dos animais da virada do século erigiram a estátua, intitulada "O Cachorro Marrom", para simbolizar sua ira contra a experimentação animal. O que causou polêmica entre os estudantes de medicina foi que, embora a estátua não citasse nomes, eles sabiam que era um ataque a dois médicos, seus professores na Universidade College London. William Bayliss e Ernest Starling haviam feito experimentos em um terrier marrom.

Centenas de colegas de classe deveriam aparecer para a demolição da estátua, mas no último minuto a maioria acabou desistindo. Sete jovens partiram da universidade, no centro de Londres, do outro lado do Tâmisa, até Battersea, um bairro da classe trabalhadora. "Um lugar a ser evitado se você puder evitar", observou um historiador.

Eles chegaram à região sul de Londres deslocando-se escondidos em direção à estátua; mas, quanto mais se aproximavam do local, mais temiam a missão, preocupando-se com o fato de os vizinhos ou a polícia virem atrás deles. Então, quando chegaram ao "Cachorro Marrom", amoitaram-se atrás de bancos e arbustos. Adolf MacGillicuddy, um dos estudantes, saltou dos arbustos, olhou em volta para se certificar de que não havia pessoas de fora assistindo, pegou um pé de cabra, estendeu a mão o mais alto que pôde e pulou até a pata do cachorro. Assim que conseguiu subir, MacGillicuddy ouviu passos. Era a polícia! E correu para fora do parque.

Foi quando um segundo grupo de vinte e cinco estudantes de medicina, aqueles que haviam desistido, chegou a Battersea. Lugar certo; momento errado. O primeiro grupo entrou furtivamente da maneira mais silenciosa possível. O novo grupo era indisciplinado. Poderia ter anunciado sua chegada com um megafone. Duncan Jones, um dos membros da segunda quadrilha, bateu com o martelo no cachorro e, assim que voltou a bater na estátua, dois policiais à paisana o agarraram. Nove estudantes seguiram atrás dele até a delegacia, na esperança de pagar a multa. A polícia jogou todos eles nas celas.

A Universidade pagou a fiança e, na manhã seguinte, os meninos assumiram a culpa por danificar intencionalmente um monumento público, mas não antes de se defenderem: estavam protegendo a reputação de sua estimada Universidade College London. A intenção da inscrição da estátua era clara: retratar os pesquisadores como torturadores de animais. Como David Grimm colocou em seu livro *Citizen Canine* (Cidadão Canino), "séculos de angústia pelas almas de gatos e cães haviam chegado à consciência".

Estátua original do Cachorro Marrom em Latchmere Garden Estates. Cortesia da Biblioteca Wellcome, Londres.

Mesmo aqueles que apoiavam os experimentos com cães não toleraram o vandalismo dos estudantes à propriedade pública. "Não pode haver um padrão de conduta para o indivíduo comum e outro para aqueles cujos pais são ricos o suficiente para pagar as mensalidades da faculdade de medicina", escreveu um jornal local. Os meninos foram multados em cinco libras cada e ameaçados com dois meses de prisão e trabalho duro, caso danificassem o Cachorro Marrom novamente. O monumento permaneceu intacto: alto e ocupado por um cão orgulhoso e com ar de presunção.

O fiasco não anulou a cruzada dos estudantes. Apenas aumentou a fúria deles. Naquela noite, uma horda de jovens invadiu a praça Trafalgar gritando: "Abaixo o Cachorro Marrom!". Eles marcharam pelo centro de Londres brandindo imagens caninas. Desta vez, não houve problema em recrutar colegas de classe. Multidões vieram de outras escolas de medicina, incluindo o Charing Cross Hospital, o Guy's Hospital, o King's College London e o Middlesex Hospital.

Um homem idoso que passeava pelo centro de Londres disse que sentiu algo roçar seu ombro, virou-se e percebeu que havia sido cutucado por um cachorro de pelúcia pendurado por um graveto. Então, ele viu uma multidão enfurecida carregando bichos de pelúcia. O que estava acontecendo?

"São apenas os cachorros marrons, senhor", disse um policial. "Eles ficaram irritados porque seu professor fez algo com um cachorro, algo que se chama vivissecção. Algumas senhoras criaram um monumento ao cachorro em Battersea, e afirmam que ele foi torturado e que o professor violou a lei, mas os jovens dizem que isso é uma vergonha, e agora o caldo entornou, senhor."

O alvoroço poderia ter sido facilmente confundido como apenas mais uma revolta socialista colocando o povo contra o Sistema. Mas, desde então, os historiadores perceberam que o chamado "Caso do cachorro marrom" teve um impacto maior na ciência do que se imaginava na época.

No início do século 20, William Bayliss e Ernest Starling demonstraram o que ninguém havia percebido: que as glândulas – aglomerados de células espalhadas pelo corpo – trabalhavam todas segundo um mesmo mecanismo. O pâncreas, as suprarrenais, a tireoide, os ovários, os testículos e a hipófise não devem, eles disseram, ser tratados como entidades diferentes. Pelo contrário, são partes de um grande sistema. Para testar suas ideias, Bayliss e Starling realizaram o que muitos cientistas fizeram na época: experimentos em cães. Em uma tarde no ano de 1903, eles usaram em seus experimentos um cãozinho da raça terrier – o filhote que serviria como inspiração para a estátua. E foi assim que, em uma estranha confluência de eventos, uma estátua criada para simbolizar tudo o que havia de errado com a ciência, sem querer, acabou imortalizando uma importante descoberta científica. Esses dois homens desafiaram o ativismo contra a experimentação animal, mas também ajudaram a criar o campo incipiente da endocrinologia. A estátua de bronze representava um cão de verdade usado em uma demonstração em sala de aula, que deveria ensinar os alunos sobre uma nova teoria e uma nova palavra científica: hormônio.

Starling e Bayliss trabalharam bem juntos, mas eram bastante diferentes. Starling havia sido criado em uma família da classe trabalhadora, enquanto Bayliss era rico. Starling tinha aparência de estrela de cinema: uma cabeleira loira abundante, feições esculpidas e penetrantes olhos azuis. Bayliss parecia um vagabundo, com roupas desarrumadas, rosto comprido e estreito e barba desalinhada. (Seu filho alegou que o pai nunca se barbeava.) Starling era otimista, extrovertido e impulsivo. Ele atingiu ótimos resultados. Bayliss era cauteloso, introvertido e detalhista. E gostava do processo. Dizem que Bayliss estava tão comprometido com seu trabalho que, inicialmente, recusou um convite para ser nomeado cavaleiro no Palácio de Buckingham, porque a data estava em conflito com uma reunião de fisiologia. Os dois cientistas eram até parentes; Bayliss se casou com a irmã de Starling, Gertrude, que era tão deslumbrante quanto o irmão. Starling casou-se pensando no dinheiro, desposando Florence Wooldridge, a viúva rica de seu ex-mentor, Leonard Wooldridge.

Starling e Bayliss eram fisiologistas de destaque muito antes da realização dos fatídicos estudos hormonais. A dupla investigou os mecanismos do coração, reunindo evidências do que mais tarde chamaram de Lei de Starling, ligando a força de contração do órgão à força de expansão. Eles haviam explorado como as células imunológicas viajam pelo corpo. Também examinaram as propulsões ondulatórias que conduzem os alimentos através do intestino e o apelidaram de movimentos peristálticos – *peri*, do grego, com o significado de "em torno de", e *stalse*, que quer dizer "espremer".

Inspirados por Ivan Pavlov, um colega na Rússia, os dois fisiologistas deixaram de explorar as forças do corpo para investigar suas secreções. Foi isso que os levou ao trabalho endócrino, ao experimento com cães, sua demonstração subsequente e, por fim, a um processo judicial. Starling e Bayliss queriam testar algo que Pavlov havia recentemente teorizado: que os nervos enviam mensagens do intestino para o pâncreas, provocando a liberação de substâncias químicas.

Em 16 de janeiro de 1902, Starling e Bayliss conduziram um experimento absurdamente simples. Depois de anestesiarem um cachorro, eles separaram os nervos próximos do intestino. Será que o pâncreas ainda liberaria seu suco digestivo? Nesse caso, isso significaria que as mensagens enviadas pelo intestino ao pâncreas deveriam ser transportadas por algo diferente de nervos. Se o pâncreas não liberasse suas secreções, Pavlov estava certo: as mensagens viajavam pelos nervos.

Bayliss e Starling alimentaram o cão com uma porção de mingau ácido para imitar os alimentos digeridos. Apesar da falta de conexões nervosas, o pâncreas produziu seus sucos. Eles concluíram que algum produto químico misterioso enviou um sinal para o pâncreas. Não era um nervo.

Em seguida, eles cortaram um pedaço do intestino do cão e misturaram-no com ácido. Como antes, isso também era a simulação de um alimento digerido. Mas desta vez, em vez de manter o intestino em sua localização normal, eles injetaram aquela mistura na veia. O objetivo era colocar a mistura longe de qualquer nervo próximo ao pâncreas.

Vitória! Funcionou exatamente como eles esperavam. Eles confirmaram seu experimento inicial e insistiram que também haviam isolado uma substância específica do intestino, produzida como um estimulante do pâncreas. A dupla afirmou que o processo pelo qual o pâncreas liberava suas secreções não tinha nenhuma ligação com os nervos, mas era, sim, um "reflexo químico". Starling nomeou a secreção intestinal de "secretina".

A secretina seria um dia reconhecida como o primeiro hormônio a ser isolado.

Pavlov, em seguida, conduziu um experimento semelhante ao da equipe britânica. Ele também arrancou os nervos, com o objetivo de confirmar sua especulação inicial. Mas quando o pâncreas liberou sua secreção, ele concluiu que devia ter deixado alguns nervos para trás. Os sinais, ele insistia, estavam viajando ao longo de nervos escondidos, pequenos demais para serem vistos por ele. O mesmo estudo. Com o mesmo resultado. Interpretações contrastantes.

Como a maioria dos pesquisadores, Pavlov não conseguiu renunciar à crença de longa data de que os sinais dentro do corpo devem viajar pelos nervos, independentemente dos dados que mostrem o contrário. Ele tinha razão ao afirmar que o intestino sinalizava o pâncreas e estava errado ao dizer que o sinal saía do ponto A ao ponto B apenas por meio dos nervos, mas, no entanto, recebeu o Prêmio Nobel de Fisiologia ou Medicina de 1904 por suas pesquisas sobre digestão. Pavlov também fazia os cães salivarem ao som de um sino – a resposta pavloviana, uma descoberta que lhe rendeu o reconhecimento duradouro de seu nome, embora não tenha sido premiado por isso.

Starling e Bayliss anunciaram suas novas ideias aos colegas da Royal Society em 1902. Eles relataram que "até agora falharam em obter um efeito secretor no pâncreas por estimulação do vago", o nervo que desce serpenteando da garganta à barriga, acrescentando que eles estavam "portanto, bastante céticos em relação à suposta presença de fibras secreto-motoras do pâncreas nesses nervos".

Céticos em relação a Pavlov? Essa foi uma bela repreensão ao respeitado colega russo. A transmissão nervosa de sinais químicos era uma teoria aceita. Se não os nervos, o que transmitia as mensagens? Os outros membros da Sociedade não conseguiam compreender que uma química misteriosa pudesse transmitir uma mensagem sem utilizar os caminhos dos nervos. Você poderia ter dito a Paul Revere que um dia ele poderia alertar as massas por e-mail. Os céticos imaginavam que deveriam existir fios de nervos minúsculos transmitindo mensagens, da mesma forma que os operários passam peças ao longo de uma linha de montagem, mão a mão, em estreita conexão. Esse tipo de imagem da Revolução Industrial estava mais de acordo com a maneira como os cientistas da virada do século 20 imaginavam as coisas.

Pavlov ficou surpreso por suas ideias terem sido desacreditadas, mas aceitou as da equipe britânica cordialmente. "É claro que eles estão certos", Pavlov teria dito quando soube das afirmações da equipe britânica. "Está claro que não registramos uma patente exclusiva para a descoberta da verdade." Ainda assim, ele não mencionou em seu discurso ao receber o prêmio Nobel que Starling e Bayliss haviam reformulado sua teoria.

Como Bayliss esclareceu em um artigo para a revista médica *Lancet*, os nervos não provocam a secreção pancreática, nem o ácido, como outros haviam sugerido antes. "A secreção deve, portanto, ser causada por alguma substância produzida na mucosa intestinal sob a influência do ácido, e transportada pela corrente sanguínea para a glândula." Com o tempo, o debate se tornaria infrutífero, pois os cientistas perceberam que não se tratava de nervos *versus* substâncias químicas, mas de um fluxo complexo entre os dois que controla as respostas corporais. Até a glândula salivar, conhecida desde os dias dos experimentos com o cão na Universidade College London como ativada pelos nervos, foi recentemente considerada como sob a influência de hormônios também. Alguns estudos do século 21, por exemplo, sugerem que os declínios de estrogênio e progesterona pós-menopausa provocam a sensação de boca seca.

Bayliss e Starling apresentaram sua teoria antes da especialidade chamada endocrinologia existir. Suas ideias eram ousadas, quase imprudentes. Eles estavam desmantelando o dogma, derrubando a teoria dos nervos que existia há décadas. Olhando para trás, e examinando suas notáveis percepções sob uma perspectiva do século 21, o Dr. Irvin Modlin, gastroenterologista de Yale, escreveu que de uma só vez esses dois homens criaram uma disciplina. O que eles descreveram há mais de cem anos ainda é aceito hoje. Os cientistas sabem que a secretina, um hormônio, neutraliza o ácido que sai do estômago quando a comida é digerida; precisamente, a secretina impede a liberação de ácido gástrico pelo estômago e promove a liberação de bicarbonato no pâncreas. Em 2007, os cientistas descobriram que a secretina também regula os eletrólitos que entram e saem da corrente sanguínea. Para simplificar: a secretina é um hormônio que ajuda na digestão.

Starling e Bayliss sabiam que, apesar daqueles que se opunham ao trabalho, os dois haviam descoberto um novo conceito que poderia mudar a maneira como os cientistas percebem o corpo humano. Durante anos, um pequeno grupo de médicos se perguntou sobre como ocorre a comunicação química entre partes distantes do corpo. Por exemplo, os médicos notaram que, quando as mães começam a amamentar, o útero se contrai. O experimento intestinal forneceu algumas das evidências que faltavam. Ou, como Bayliss disse à Royal Society em 1902: "Uma ligação química entre diferentes órgãos tem sido reconhecida, como, por exemplo, entre o útero e as glândulas mamárias, mas acreditamos que este seja o primeiro caso em que conseguimos uma prova experimental direta de tal conexão".

Suas investigações fundamentais foram concluídas pouco antes do discurso na Royal Society. Mas a demonstração que inspirou a estátua ocorreu um ano depois, em 2 de fevereiro de 1903, quando Bayliss usou um cachorro para explicar sua teoria a sessenta estudantes da Universidade College London.

Bayliss não sabia que dois ativistas contra o uso de animais em experimentos haviam se infiltrado em sua palestra. Lizzy Lind af Hageby e Leisa Katherina Schartau haviam se mudado da Suécia para a Inglaterra para se matricularem como estudantes de meio período em uma faculdade feminina nas proximidades. Elas queriam aprender um pouco de fisiologia, mas principalmente queriam reunir argumentos para o movimento contra a vivissecção. A faculdade de mulheres não permitia experimentos com animais vivos; se um aluno quisesse acompanhar um, tinha que obter permissão dos professores na faculdade masculina. Como as mulheres explicariam mais tarde no tribunal, haviam se matriculado como estudantes de medicina para se diferenciar da grande maioria dos ativistas de direitos dos animais, que protestavam de um ponto de vista ignorante. Elas desejavam aprender a linguagem dos cientistas e usá-la contra eles.

As mulheres estavam na linha de frente de um movimento que fervilhava desde meados do século 19, coincidindo com o surgimento da medicina laboratorial. Quanto mais experiências eram realizadas, mais cientistas faziam uso de cães e gatos. E quanto mais faziam uso de animais, mais eles perturbavam os amantes dos animais. Graças, em parte, aos gritos dos ativistas dos direitos dos animais, a Inglaterra se tornou o primeiro país a promulgar uma lei que restringia a experimentação animal. A emenda de 1876 para alterar a Lei Relativa à Crueldade com Animais (aprovada 27 anos antes da manifestação canina contra os professores) estipulava três coisas: que apenas profissionais com licenças especiais podiam realizar experimentos com animais vivos, que um animal só podia ser usado uma vez e que o animal precisaria receber analgésicos, a menos que o medicamento interferisse no estudo. Os ativistas reclamavam que a lei não era abrangente o suficiente.

As mulheres foram à Universidade College London especificamente para causar confusão, mas acabaram sendo espectadoras de uma das demonstrações endocrinológicas mais importantes de todos os tempos. Para começar a aula naquele dia, o assistente de Bayliss, Henry Dale, trouxe o terrier vira-lata marrom e amarrou-o de barriga para cima, com as pernas abertas, em uma mesa preta de laboratório de frente para o auditório. Eles escolheram um cachorro que havia sido usado em um experimento com o pâncreas alguns meses antes – uma escolha que voltaria para assombrá-los no tribunal.

Como o pâncreas do cachorro havia sido destruído, Bayliss se concentrou na glândula salivar. A questão era a mesma: demonstrar a química do trato digestivo. Bayliss se inclinou sobre o cachorro, cortou a garganta e afastou a pele, onde a glândula salivar envolvia o maxilar. Ele deslizou a faca em direção ao pomo de adão do cachorro. Cortou um dos nervos linguais semelhantes a fios conectados à glândula salivar e conectou uma ponta solta a um eletrodo. Zap. Buzz. Zap.

Por quase trinta minutos, o professor deu choques no nervo. Os alunos espiaram mais de perto. Nada. De novo. Zap. Buzz. Zap. Nada. Como todo pesquisador sabe, às vezes até os melhores planos dão errado. O nervo eletricamente estimulado deveria sacudir a glândula salivar para fazê-la liberar suas secreções. Essas substâncias, ou secreções internas, ativariam as glândulas da digestão. As glândulas então faziam o seu trabalho – estimulando a digestão sem viajar pelos nervos. Mas nada aconteceu. Eventualmente, Bayliss acenou com a cabeça para Dale, que carregou o cachorro para fora da sala de aula, removeu o pâncreas para que pudesse ser inspecionado no microscópio para checar se havia recebido os sinais químicos. Por fim, Dale enfiou uma faca no coração do cão para acabar com aquele martírio. Mais tarde, Bayliss e Starling examinaram o pâncreas em busca de nervos minúsculos, esperando não encontrar nenhum – o que apoiaria sua teoria química.

A demonstração em sala de aula pode ter sido um fracasso, já que a glândula salivar não fez o que deveria fazer, mas era exatamente o que Lind af Hageby e Schartau precisavam. Elas logo começaram a escrever um livro contra a vivissecção, descrevendo o que viram. A obra foi intitulada de *Shambles of Science: Extracts from the Diary of Two Students of Physiology* (A carnificina da ciência: extratos do diário de duas estudantes de Fisiologia). Dando um aceno à pesquisa inovadora conduzida por Bayliss e Starling, elas escreveram que suas intenções eram "duplas, primeiro investigar o *modus operandi* de experimentos em animais e depois estudar profundamente os princípios e teorias subjacentes à fisiologia moderna". Ao "investigar o *modus operandi*", elas falavam em obter evidências de que os cientistas estavam infringindo a lei da vivissecção. Elas relataram que viram uma ferida aberta na barriga do cão, prova de que ele havia sido usado em um experimento anterior. Usar o mesmo animal pela segunda vez era ilegal.

Um primeiro golpe contra os pesquisadores que faziam vivissecção.

As mulheres também viram o cachorro recuar, um sinal de que estava sentindo dor. De acordo com a lei, os animais de laboratório devem receber analgésicos.

Golpe número dois.

Em primeiro lugar, elas questionaram onde Bayliss e Starling haviam obtido o terrier. Dizia-se que os cientistas roubavam cães de seus donos, vasculhando os parques à procura de animais em fuga. "Seu dono pode tê-lo perdido esta manhã", escreveram as mulheres, "mas nenhuma propaganda e nenhuma recompensa trarão esse cachorro de volta." Tais histórias, sejam elas reais ou inventadas, adicionavam mais cores à estranha aura da medicina laboratorial.

As mulheres também alegaram que, durante a aula, Bayliss pegou o filhote, agarrou um pedaço de seu intestino e disse aos alunos que precisava tomar cuidado para que a coisa toda não se despedaçasse. Segundo as duas moças, os estudantes do sexo masculino, riram e aplaudiram. Elas originalmente intitularam esse capítulo de "Diversão", mas seu editor, também um ativista pelos direitos dos animais, exigiu que mudassem para um tom menos sarcástico.

No final do semestre, Lind af Hageby e Schartau entregaram seu livro, bem como suas anotações de todas as aulas, a Stephen Coleridge, advogado e presidente da Sociedade Nacional Contra a Vivissecção. Foi nesse momento que a confusão da estátua de cachorro começou.

As mulheres queriam que Coleridge processasse os cientistas, mas ele acreditava que teriam poucas chances nos tribunais. Os juízes tinham uma tendência a simpatizar com a corporação médica. Além disso, os casos de abuso de animais deveriam ser apresentados dentro de seis meses e o tempo estava se esgotando. Por fim, para entrar com uma ação, eles precisariam obter a aprovação de um administrador legal de alto escalão, que – como os juízes – era conhecido por apoiar os cientistas. Em resumo, Coleridge sugeriu que evitassem as vias legais. Ele teve outra ideia: uma manifestação.

Em vez de batalhar dentro do sistema, ele sugeriu que apelassem para as massas e jogassem o público a seu favor. Assim, em 1º de maio de 1903, Coleridge e sua organização mobilizaram mais de três mil pessoas para assistir a um discurso na Igreja de St. James, em Piccadilly, no centro de Londres. Lá, ele apresentou o livro sobre a carnificina e discursou de maneira fervorosa sobre os abusos contra os animais na ciência.

Ele chamou o trabalho de Bayliss e Starling de um ato "covarde, imoral e detestável". Ele leu testemunhos antivivissecção de renomados escritores ingleses, incluindo Rudyard Kipling, Thomas Hardy e Jerome K. Jerome. "Se isso não é tortura, deixe que Bayliss e seus amigos ... digam-nos em nome de Deus o que é tortura", proclamou.

A multidão gritou em polvorosa. Um tabloide de Battersea, o *Daily News*, publicou na íntegra o discurso de Coleridge. A imprensa nacional noticiou os fatos.

Bayliss, que evitava a publicidade, preferiu ignorar tudo isso. Starling, porém, perdeu a paciência e pediu que Bayliss confrontasse a multidão que zombava de seu sério projeto científico. Confiante de que o judiciário estaria do lado deles, convenceu Bayliss a processar Coleridge por difamação. Na esperança de diminuir aquele alvoroço, Bayliss primeiro exigiu que Coleridge fizesse um pedido de desculpas público. Quando Coleridge não respondeu, Bayliss foi aos tribunais.

Em 11 de novembro de 1903, estudantes, vivissecionistas, manifestantes, professores, cientistas e ativistas das mais variadas causas alinharam-se do lado de fora do tribunal Old Bailey. Alguns vieram demonstrar apoio aos réus, outros aos cientistas. O julgamento não seria sobre a moralidade ou legalidade da experimentação animal; era apenas um caso de difamação. O autor era o cientista. O réu era o advogado que havia instigado o protesto.

Para Starling e Bayliss, parecia que todo o progresso realizado nas pesquisas estava sendo questionado. Os colegas duvidaram de sua teoria das secreções químicas. O público desafiava a maneira como seus experimentos foram realizados.

Starling, atuando como testemunha de Bayliss, admitiu que o animal havia sido usado duas vezes, mas explicou que, como o cachorro estava prestes a ser morto, eles preferiam usá-lo novamente em vez de fazer o experimento com outro cão. Estudantes de medicina, que apareceram como testemunhas, disseram que os espasmos do cão eram um reflexo, não uma indicação de analgésicos insuficientes. O julgamento durou quatro dias. Em 18 de novembro, os jurados iniciaram sua deliberação. Isso durou 25 minutos. Eles deliberaram que Coleridge era culpado na acusação de difamação. O juiz ordenou que ele pagasse cinco mil libras, o equivalente a mais de 500 mil libras esterlinas ou 750 mil dólares nos termos de hoje.

Os estudantes de medicina saltaram de seus assentos, gritando "Três vivas para Bayliss!". Bayliss doou o dinheiro ao laboratório de fisiologia.

O *Daily News*, o jornal da classe trabalhadora, pedia um endurecimento das leis de vivissecção. "Aqui está um animal que ama e confia na humanidade com uma fidelidade irracional", dizia um editorial. "Essa confiança avassaladora – essa confiança absoluta que brilha nos olhos do cachorro – não nos impõe alguma obrigação?" O *Times*, que era conhecido por apoiar os cientistas, afirmou que o caso – que incluía mulheres entrando em uma aula de medicina e Coleridge insultando médicos distintos – tratava-se de algo sorrateiro e reprovável. O *Globe*, outro diário britânico, criticou Coleridge por "apresentar acusações vis contra homens de honra".

Quanto aos alunos, o caso acabou inspirando uma espécie de comportamento hooligan. Primeiro eles invadiram as reuniões sufragistas gritando: "Três vivas para Bayliss!". Sem dúvida, as feministas estavam imbuídas em causas feministas, mas os estudantes confundiam os direitos das mulheres com os direitos dos animais. Qualquer forma de ativismo cheirava a uma batalha contra o sistema estabelecido, e isso significava que as sufragistas provavelmente também eram contra a vivissecção.

Dois anos após o julgamento, em 1905, Starling deu quatro palestras semanais na Royal College de Londres. Ele apresentou sua teoria nova, que derivava de suas experiências com Bayliss e de estudos feitos em outras partes da Europa e nos Estados Unidos. Era uma teoria que propunha a existência de um controle químico sobre o corpo, e não um controle do sistema nervoso.

Em seu discurso introdutório na noite de 20 de junho de 1905, Starling resumiu a pesquisa das glândulas, usando a palavra "hormônio" pela primeira vez: "Entretanto estes mensageiros químicos, ou "hormônios" (da palavra όρμαω, "eu excito ou desperto"), como podemos chamá-los, devem ser transportados dos órgãos onde são produzidos para o órgão que afetam". Aquilo foi dito quase como uma descrição à parte, mas a palavra caiu no uso popular.

Starling explicou o que fazia esses produtos químicos diferirem de outras secreções corporais. Essas substâncias, disse ele, devem ser "transportadas do órgão onde são produzidas para o órgão que afetam, por meio da corrente sanguínea, e as necessidades fisiológicas continuamente recorrentes do organismo devem determinar sua produção e circulação constantes pelo corpo". Essa é uma definição clara de hormônios: são substâncias secretadas por uma glândula que atingem um local distante; eles viajam por meio do sangue; são cruciais para a manutenção do corpo e para a sobrevivência.

Ele propôs a mesma ideia que havia sido demonstrada quase meio século antes por Arnold Berthold – o médico que trocava testículos de galo, que nos dias pré-hormonais havia reconhecido como os testículos funcionam, mas nunca divulgou suas descobertas como fez Starling. Berthold também não percebeu que havia encontrado algo relacionado a todas as glândulas. Berthold suspeitava da ideia de secreções atingindo alvos distantes, mas pensava apenas nos testículos.

Starling continuou dizendo que a "secreção interna", em linguagem comum, não explicava o fenômeno com precisão. Uma secreção é apenas isto: algo que vazou. Ele procurou um termo que descrevesse não apenas a excreção, mas também uma substância química com uma missão específica, uma secreção com um alvo e capacidade de estimular uma resposta. Ele buscou o auxílio de dois amigos, os pesquisadores de textos clássicos da Universidade de Cambridge, Sir William B. Hardy e William T. Vesey, que sugeriram algo do tipo *hormao*, uma palavra grega, para "despertar".

Outros nomes de candidatos foram sugeridos por Edward Schäfer, um dos professores de Starling. Ele propôs *"autocoid"*: "auto", do grego *auto*, "ser" e *"coid"*, "cura" – nossas curas interiores. Aquela nomenclatura, por algum motivo, não pegou. Alguns anos depois, em 1913, Schäfer sugeriu o uso da palavra "hormônio" apenas para substâncias químicas internas que nos estimulam e a palavra *"chalone"* (do grego, com o significado de "relaxar") para substâncias químicas internas que inibem. Isso também não pegou.[1]

E assim, os hormônios se tornaram hormônios.

Na primeira de suas quatro palestras, Starling disse que suspeitava de que os hormônios fossem emitidos por quatro glândulas: a hipófise, as suprarrenais, o pâncreas e o timo. Ele evitou mencionar os testículos e os ovários, porque não queria que seu ilustre público pensasse que era um dos charlatões que vendiam tônicos para testículos e ovários com a promessa de reverter o envelhecimento. Isso foi um modismo para ganhar dinheiro no início do século 20, com preparações feitas a partir de várias gônadas de animais, promovidas para aumentar a energia e a libido, reenergizando praticamente qualquer coisa que enfraquecesse com a idade.

Nas segunda e terceira palestras, Starling perguntou à plateia se a definição de um hormônio deveria exigir critérios semelhantes aos de um germe. Quando o pesquisador alemão Robert Koch descobriu os germes vinte anos antes, insistiu em um conjunto de princípios – ou postulados, como os chamava – que incluíam o seguinte: o germe proposto precisa ser passível de isolamento. Ele deve desencadear uma doença específica quando injetado em um organismo saudável (como, por exemplo, o germe *mycobacterium tuberculosis* que causa a tuberculose). Sempre deve causar essa doença específica e nada mais; quando retirado de um indivíduo doente e injetado em outro ser saudável, deve necessariamente desencadear a doença.

Inspirado pelo pioneiro dos germes, Starling sugeriu que um hormônio é um hormônio somente se (a) remover uma glândula secretora de hormônios

---

[1] Os nomes eram realmente importantes para Schäfer, que mudou seu sobrenome para Sharpey-Schafer quando completou 68 anos. Ele afirmou que fez isso para homenagear seu professor, o famoso William Sharpey, mas outros acreditavam que ele queria soar mais inglês e menos alemão (ele cresceu na Inglaterra depois que seu pai, James William Henry Schäfer, se mudou com a família da Alemanha). Ele também eliminou a trema.

resultar em doença ou morte e (b) implantar uma glândula secretora de hormônios saudável produzir alívio. Às vezes, aquilo que era chamado de hormônio não preenchia os critérios de Starling, mas mesmo assim manteve seu *status*. Remover ou danificar o pâncreas, por exemplo, desencadeia diabetes – de acordo com o primeiro critério –, mas infelizmente, você não pode curar um paciente apenas implantando um novo pâncreas. Segundo critério em desacordo. E, no entanto, o pâncreas ainda é considerado uma glândula secretora de hormônios.

Em sua conclusão, Starling afirmou que, quanto mais aprendermos sobre hormônios, maior será a probabilidade de encontrar curas para todos os tipos de doenças, da constipação ao câncer. "Um amplo conhecimento dos hormônios e seus modos de ação", disse ele, "não pode deixar de prestar um serviço importante na obtenção desse controle completo das funções corporais, que é o objetivo da ciência médica." Em uma conversa posterior, Starling observaria que sua descoberta "parece quase um conto de fadas". Ele previu que os cientistas um dia desvendariam a composição química, sintetizariam hormônios e os usariam para ter controle sobre nossos corpos.

Dois anos após as palestras da Royal Society, em 15 de setembro de 1906, em um dia tipicamente chuvoso, a estátua do cachorro foi revelada em Latchmere Gardens, um pequeno espaço verde no meio de um conjunto habitacional próximo ao Battersea Park. A estátua foi paga por Louisa Woodward, uma rica londrina e ativista da causa contra a vivissecção. Um editorial do *New York Times* chamou a inscrição de "ultrajante" e de uma "testemunha muda da moral do movimento contra a vivissecção". Ela permaneceria intacta por quatro anos, apesar da comoção e dos protestos de 1907. Em 1910, o prefeito da cidade de Battersea pediu a Woodward que mudasse a estátua do Cachorro Marrom para o seu jardim. Ela se recusou. No dia 10 de março daquele ano, nas primeiras horas da manhã, alguns policiais e quatro trabalhadores locais arrastaram a estátua para fora do jardim e a depositaram em um galpão de bicicletas nas proximidades. Depois, destruíram-na em pedacinhos e a derreteram. O *New York Times* previu que "a estátua ou qualquer coisa parecida com ela nunca mais será vista".

A estátua do cachorro marrom hoje em dia. Cortesia de Jessica Baldwin.

O *New York Times* estava errado. Em 1985, Geraldine James, ativista contra a vivissecção e membro da ainda existente Sociedade do Cachorro Marrom (ainda que não próspera) encomendou um segundo memorial para o cachorro marrom. Hoje, ele fica em um canteiro de rosas no Battersea Park, bem escondido das multidões. Se você quiser vê-lo, vá para o lado norte do parque, passe pelo caminho dos corredores, depois das áreas cercadas onde os cães brincam. Cercado por três lados por uma cerca baixa coberta por árvores frondosas e espessas, há uma versão menor do memorial original. O novo memorial não tem uma fonte de água, e o filhote de bronze não parece mais tão orgulhoso, ainda que seja bonito, para desgosto dos atuais ativistas dos direitos dos animais.

Talvez alguns transeuntes notem a inscrição e se lembrem de Starling e Bayliss não apenas por suas experiências com animais, mas por suas ideias inovadoras. Esses dois homens, uma dupla singular, foram unificadores. Involuntariamente, eles uniram um público díspar que se tornou cada vez mais desconfiado da pesquisa científica a um grupo irado que se revoltou com a vivissecção. Eles também foram responsáveis por unir médicos de campos distintos, reunindo médicos adrenais, cientistas da tireoide e os pesquisadores da hipófise em uma especialidade que seria chamada de endocrinologia.

3
Cérebros em conserva

Dois andares abaixo da principal área de leitura da biblioteca da escola de medicina de Yale encontra-se uma sala cheia de cérebros. Não são os estudantes: esses cérebros não estão alojados em corpos. Estão em frascos. Alguns recipientes contêm um cérebro, outros, algumas fatias. Existem cerca de quinhentos, lado a lado, em caixas de vidro que envolvem o local. No centro, há outra prateleira de cérebros suspensos no teto sobre uma mesa comprida cercada por bancos. Você pode estudar lá se não ficar distraído com a paisagem.

As amostras foram coletadas por Harvey Cushing, um pioneiro neurocirurgião das primeiras décadas do século 20. Quando operava pessoas com tumores cerebrais, ele guardava um pedaço de cérebro e do tumor e os enfiava em um frasco de vidro. Alguns tinham tumores minúsculos; alguns tinham tumores imensos. Muitas vezes, ele ficava com o resto do cérebro depois que o paciente morria. Cushing também pedia a outros cirurgiões que doassem cérebros para sua inebriante coleção. O próprio cérebro de Cushing não faz parte da coleção; ele foi cremado com o resto de seu corpo em 1939.

Cushing era um colecionador. Ele preservou seus meticulosos registros médicos, que mais parecem minibiografias, nada similares aos registros de substâncias químicas e exames de sangue nos prontuários médicos de hoje. Guardou os desenhos que fazia de suas operações (Cushing era um artista talentoso). E conservou fotografias do antes e depois dos pacientes. Algumas fotografias pós-operatórias agora estão exibidas ao lado dos contêineres do cérebro, mostrando pacientes com tumores saltando da cabeça. Quando Cushing não conseguia remover um tumor, ele removia um pedaço do crânio para que o nódulo crescesse para fora em vez de comprimir o cérebro. Não era uma cura, mas aliviava o paciente de muitos dos terríveis sintomas.

Cushing também acumulou caixas de correspondência de seus colegas ilustres – cartas que escreveram para ele e, também, cartas de uns para os outros. Essas missivas oferecem uma espiada nos bastidores da medicina da época – não apenas o que os médicos estavam fazendo com os pacientes, mas também o que eles faziam uns com os outros e sobre o que fofocavam. Às vezes, eles eram melhores amigos, mas também podiam ser bastante competitivos. Algumas das cartas revelam uma consternação pelo fato de os administradores estarem tentando transformar sua nobre profissão de cura em um negócio focado no lucro. Isso foi nas primeiras décadas do século 20. Cushing também doou sua valiosa biblioteca de livros médicos de primeira edição para Yale.

A coleção cerebral de Harvey Cushing no Registro de Tumores Cerebrais, localizada no Centro Cushing, Biblioteca Médica Cushing/Whitney, Universidade de Yale. Cortesia de Terry Dagradi, Universidade de Yale.

Mas os cérebros, marinados em formaldeído e escondidos por quase meio século, são os itens mais especiais e talvez os mais reveladores de toda a coleção de Cushing. São lembranças das operações mais audaciosas e estudos escrupulosos desse médico. Por mais de cinquenta anos após sua morte, essas amostras, juntamente com suas anotações e fotografias – um tesouro da história da medicina – se tornaram um amontoado de frascos quebrados, registros empoeirados e placas de vidro largados em vários recantos do hospital e da escola de medicina. Em meados dos anos 1990, eles foram redescobertos no porão por alguns estudantes de medicina bêbados. Após um esforço colossal de limpeza e organização do material, os cérebros encontraram seu local de descanso final no Centro Cushing. A sala, que possui cerca de três quartos da coleção, foi projetada em especial para abrigar os cérebros e foi inaugurada em junho de 2010. Os frascos não restaurados (cerca de 150, em vários estados de desordem) permanecem no porão de um dormitório de estudantes, esperando para serem, se não completamente revitalizados, pelo menos, renovados.

Se você apreciar tudo – os cérebros na biblioteca, o porão, as anotações e as imagens – conseguirá voltar no tempo para os primeiros dias da pesquisa de hormônios cerebrais, nos momentos em que Cushing propôs uma teoria que conectava mente e corpo. Talvez ele tenha se inspirado no discurso de Starling em 1905 – aquele em que apelidou os hormônios de "hormônios" – para se aventurar mais profundamente. Antes de Cushing, o novo conceito dos hormônios fornecia uma nova maneira de explicar o corpo. A partir das pesquisas de Cushing, o campo da endocrinologia se expandiu para o cérebro.

Harvey Cushing nasceu em 8 de abril de 1869, em Cleveland, Ohio, e era o caçula de dez filhos. A família dele era rica. Seu pai, avô e bisavô eram médicos. O jovem Cushing era popular, inteligente e atlético. Ele deixou o Centro-Oeste para frequentar a Yale, e depois, a faculdade de medicina de Harvard, e depois a Johns Hopkins para um treinamento em cirurgia. Ele se casou com Kate Cromwell, uma garota de Cleveland que frequentava os mesmos círculos sociais. Durante o treinamento em cirurgia, ele estudou com William Halsted, que desenvolveu a mastectomia radical.

Cushing tinha que ser o melhor no que fazia. Quando adolescente, ele foi selecionado para uma liga competitiva de basquete amador em Cleveland e depois jogou no time da faculdade em Yale. Seus esboços de procedimentos cirúrgicos foram publicados em livros didáticos. Ele também era um pianista habilidoso. Anos depois, durante um período sabático longe das cirurgias e pesquisas, ele escreveu um livro sobre seu mentor, Dr. William Osler, fundador do Hospital Johns Hopkins, que acabou ganhando o Prêmio Pulitzer em 1926. Em meio a tudo isso, Cushing sofria crises de depressão. Ele dedicou sua vida ao trabalho, deixando pouco tempo para os cinco filhos. Mas orientou a esposa sobre como eles deveriam ser criados. Seus filhos homens foram preparados para a Yale. Ambos o fizeram, embora nem um deles tenha se formado. Depois que o primeiro foi reprovado, Cushing pediu ao reitor da faculdade de medicina que aceitasse o garoto sem um diploma universitário, mas o reitor recusou. O outro filho morreu em seu primeiro ano em um acidente de carro ao dirigir embriagado. As três filhas de Cushing, conhecidas nas colunas sociais como as Meninas Cushing, foram criadas para terem bons casamentos. Elas se casaram duas vezes cada uma. Uma casou-se com James Roosevelt, filho do presidente Franklin Delano Roosevelt, de quem se divorciou, casando-se depois com o milionário e embaixador dos Estados Unidos John Hay Whitney.

Outra se casou com William Vincent Astor, herdeiro de uma fortuna de duzentos milhões de dólares, a quem ela deixou para se unir ao pintor James Whitney Foster. A mais nova se casou com o herdeiro da Standard Oil, Stanley Mortimer Jr., de quem se divorciou para se casar com o fundador da CBS William S. Paley.

Cushing era habilidoso, ousado e confiante – três características cruciais para se tornar um dos principais cirurgiões cerebrais da época, em um período em que a maioria dos médicos não ousava se aventurar na cabeça. Como afirmou o biógrafo Michael Bliss: "Na primeira década do século 20, Harvey Cushing se tornou o pai de uma neurocirurgia eficaz. A neurocirurgia ineficaz teve muitos pais".

Se você tivesse um tumor no cérebro, sua melhor chance de sobreviver à operação era ter Cushing como cirurgião. Em 1914, ele ostentava uma taxa de mortalidade bastante baixa, ao redor de oito por cento, em comparação com os 38% entre pacientes tratados em Viena e mais de cinquenta por cento em

Londres. A mortalidade significava sobreviver à cirurgia, não ao câncer, que geralmente matava o paciente pouco tempo depois.

A técnica operacional de Cushing, como tudo o que fazia, era meticulosa, disse Dennis Spencer, ex-presidente de neurocirurgia de Yale, que ajudou a liderar o projeto de restauração da coleção de cérebros de Cushing. "Qualquer que fosse a abordagem que usava para chegar a um tumor, ele tinha um julgamento muito bom em termos de onde o tumor poderia estar, encontrando-o lá sem prejudicar o cérebro e depois saindo." E ele fazia tudo isso sem os benefícios dos equipamentos modernos, como ultrassom e ressonância magnética, que hoje ajudam os médicos a saber a localização exata de tumores. Cushing também aperfeiçoou uma maneira de aliviar os pacientes que sofriam de neuralgia do trigêmeo, dores faciais excruciantes provocadas por nervos danificados, separando o feixe de nervos que conecta o rosto ao cérebro. (Atualmente, a neuralgia do trigêmeo é tratada com drogas, como anticonvulsivantes ou radiação que entorpece os nervos da dor.)

Além da cirurgia, da escrita e do desenho (e além de casar suas filhas com homens ricos), Cushing era fascinado pelo crescente campo da endocrinologia e iniciou estudos hormonais pioneiros. Outros cirurgiões podem ter lido sobre as novas descobertas hormonais apenas por curiosidade, mas Cushing encontrou seu próprio nicho nesse campo em crescimento. Havia muita pesquisa em torno de quase todas as glândulas secretoras de hormônios – tireoide, ovários, testículos, paratireoide e suprarrenais –, mas uma glândula permanecia um mistério: a hipófise. Cushing sabia que ela era negligenciada porque ninguém podia acessá-la. Ninguém, exceto ele próprio.

A hipófise oscila como um pirulito de cabeça para baixo perto da base do cérebro. Se você conseguisse passar o dedo pela base do nariz até o crânio, poderia tocá-la. Ao longo do caminho, você colidiria com os nervos atrás dos olhos, o que explica por que as pessoas com problemas de hipófise frequentemente sofrem de problemas de visão: um crescimento da hipófise pode pressionar os nervos oculares. O nome "hipófise" vem da *pituata*, que significa catarro em latim, porque Galeno, um médico do século 3, acreditava que o único trabalho da glândula era produzir muco. A hipófise, como até os médicos antigos notaram, não era apenas uma esfera, mas tinha dois lóbulos adjacentes. O frontal é chamado de hipófise anterior; o traseiro, hipófise posterior.

Com o tempo, os médicos aprenderiam que esses dois lóbulos têm funções diferentes. Cada um secreta hormônios distintos. São como os vizinhos que não têm muito em comum, mas vivem próximos um do outro. No entanto, de maneira geral, a hipófise controla todas as outras glândulas do corpo. Por um tempo, foi conhecida como glândula mãe, até a década de 1930, quando os cientistas descobriram que outro órgão do cérebro, o hipotálamo, controla a hipófise. Nessa época, o hipotálamo recebeu o apelido de "mãe de todas as glândulas".

Quando Cushing decidiu explorar essa glândula do tamanho de uma ervilha, muito pouco se sabia sobre ela. "O primeiro e único amor verdadeiro do chefe", dizia a secretária dele. Dentro de algumas décadas, Cushing seria considerado o maior especialista em hipófise.

Cushing explorou a glândula com a mesma audácia que apresentou na cirurgia cerebral, fazendo coisas que os outros eram receosos demais para tentar. Quando suspeitou que a hipófise era responsável pela liberação do hormônio do crescimento – mas antes de ter uma prova sólida –, convidou anões para sua clínica e alimentou-os com hipófise extraída do gado, para ver se as pessoas pequenas cresceriam. Elas não cresceram.

Cushing também tentou o primeiro transplante de hipófise de humano para humano. Em 1911, ele extraiu uma hipófise de um bebê logo após a morte e a implantou em um homem de 48 anos que havia sido diagnosticado com um tumor na hipófise. Os jornais anunciaram o experimento como um avanço científico: "Uma mente destruída foi curada", disse o Washington Post. Mas o elogio foi prematuro. Seis semanas após a operação, o paciente, William Bruckner, ficou doente de novo, com dores de cabeça e visão dupla. Cushing implantou outra glândula de um cérebro de bebê. Bruckner morreu um mês depois disso.

Cushing não admitiu que seu transplante havia falhado. Ele alegou que a autópsia revelava que Bruckner havia morrido de pneumonia. Ele também culpou o obstetra que atrasou duas horas na entrega da glândula do bebê na sala de operações.

Juntamente com suas ousadas experiências humanas, Cushing realizou estudos em animais. Ele começou com a pergunta mais fundamental (é possível viver sem hipófise?) e culminou trinta anos depois com uma análise exaustiva das células que compõem a glândula. Nos primeiros experimentos, removeu a hipófise de cães e deu pedacinhos de hipófise a outros caninos. Cushing queria saber o que poderia acontecer se os cães tivessem uma hipófise muito grande ou muito pequena, o que significaria muito ou pouco hormônio contido ali e controlado por ela. Seus cães sem hipófise morreram, então, ele concluiu que é impossível viver sem essa glândula. (Os médicos agora sabem que os cães – e as pessoas – podem sobreviver sem a hipófise, mas não crescem ou amadurecem; estão sempre cansados e têm problemas para queimar calorias. Hoje, para aqueles que nascem com uma hipófise defeituosa, há um tratamento hormonal disponível para a reposição de seus hormônios.)

Ao contrário de seus antecessores, que forneciam pedaços de hipófises inteiras a animais de laboratório, Cushing testou usar os lóbulos separadamente. Quando Cushing deu aos cães um pedaço de hipófise do lóbulo posterior, a pressão sanguínea e o fluxo de urina aumentaram e os rins incharam. Quando ele lhes deu um pedaço de hipófise do lóbulo anterior, os cães tornaram-se meros esqueletos.

O que estava acontecendo aqui? Como uma pequena hipófise a mais fez uma diferença tão grande? Será que a hipófise seria a responsável pelo controle do peso? Pela regulação dos fluidos? Será que os lóbulos se comunicam ou seriam organismos separados pendurados no mesmo caule?

Cushing era um observador atento. Ele notou que os cães sem hipófise não apenas morriam; eles adoeciam de uma maneira peculiar. Suas barrigas incharam. Seus membros se atrofiaram. Eles ficaram cansados. Seus ovários ou testículos encolheram. Quando colocou os cães em suas patas traseiras, a aparência física era semelhante a de muitos de seus pacientes com tumores cerebrais, com pernas magras e barriga inchada. Um mau funcionamento da hipófise poderia explicar tudo isso?

Cushing fez aquilo que fazia de melhor: ele reuniu informações. Ele pediu aos colegas que lhe enviassem pacientes vivos. Ele também estudou os mortos, vasculhando necrotérios, cemitérios e museus em busca de cérebros de pessoas fisicamente anormais – muito baixas, altas, gordas. Cushing mediu o crânio de um famoso gigante do século 18 exibido no Museu de Londres e descobriu que os ossos que circundam a hipófise estavam abertos, uma pista de que algo os empurrava – talvez um tumor na hipófise, o que poderia ser a causa do tamanho extraordinário daquele homem.[2*] Cushing enviou um de seus alunos para examinar a hipófise de um gigante do circo recentemente falecido, e, embora a família se recusasse a permitir uma autópsia, o estudante pagou cinquenta dólares ao coveiro para que fechasse os olhos enquanto ele abria o crânio do cadáver. O estudante disse a Cushing que havia ossos alargados.

Em 1912, Cushing tinha um compêndio de anotações sobre pacientes com suspeita de problemas na hipófise. Ele escreveu sobre esses pacientes e os fotografou. Cushing acumulava casos e mais casos de homens e mulheres com as mesmas barrigas inchadas e membros magros que os cães sem hipófise (os médicos chamavam isso de aparência de "limões em palitos de dente"). Essas pessoas tinham mais do que um físico peculiar; nelas, também brotavam cabelos em lugares errados, os ombros eram caídos e a pele era colorida com listras azuladas. Sua pressão sanguínea era altíssima. As mulheres pararam de menstruar. Os homens eram impotentes. Eles viviam exaustos, fracos e deprimidos e sofriam de fortes dores de cabeça. Quase todos tinham vinte e poucos anos. Muitos haviam trabalhado como atrações de circo antes de acabar no hospital.

Cushing publicou as anotações e fotografias dos pacientes nus no livro *The Pituitary Body and Its Disorders* (A hipófise e as suas desordens) (1912). Cushing tinha descrições detalhadas de suas observações, mas não podia provar que todos os pacientes observados apresentavam tumores, portanto o livro era uma mistura de evidências e conjecturas. Ele alegou que alguns tumores ou deformidades aceleravam a hipófise e outros tinham o efeito

---

2   Cushing estudou o esqueleto do gigante do Museu Hunterian, Charles Byrne. Byrne morreu depois de anos trabalhando como gigante de circo. Ele implorou para que seu corpo fosse jogado no mar, pois não queria passar a eternidade sendo visto como uma aberração. No entanto, seu esqueleto foi para o Museu Hunterian, onde está há 250 anos. De vez em quando, ativistas e historiadores pedem a remoção do corpo, solicitando uma declaração de 2011 do museu sobre os cuidados com seus restos mortais.

contrário, enfraquecendo a atuação da glândula. Ele designou três nomes para as doenças: hiperpituitarismo, quando a glândula trabalha em excesso, como nos gigantes; hipopituitarismo, quando os pacientes ficavam gordos e cansados; e dispituitarismo, que Cushing afirmou ser uma combinação das duas síndromes anteriores. Ele concluiu que algumas pessoas apresentavam uma síndrome poliglandular: várias glândulas com mau funcionamento. Ele imaginou uma série de eventos em cascata, nos quais um pequeno tumor no cérebro desencadeou uma substância que estimulava as suprarrenais a liberar muitos hormônios, o que acabava colocando o corpo todo em desordem. Cushing identificou os sintomas desse colapso entre o cérebro-corpo como ganho de peso, fraqueza, excesso de pelos faciais (particularmente observados em mulheres) e perda da libido.

Com o tempo, outros cientistas passariam a chamar o hormônio adrenal de cortisol. É um importante hormônio responsável pelo controle de muitas funções corporais. O cortisol ajuda a regular a pressão sanguínea, o metabolismo e o sistema imunológico. Os médicos agora sabem que uma impulsão da glândula adrenal pela manhã mantém o corpo em funcionamento durante o dia todo. O cortisol também ajuda a promover o trabalho de parto e reveste os pulmões fetais para que eles possam se expandir e desinflar com facilidade. Mas o excesso de cortisol, como Cushing estava começando a descobrir, causa grandes estragos no corpo. Além da longa lista de doenças observadas em seus pacientes, altos níveis de cortisol podem desencadear depressão, psicose, insônia, palpitações cardíacas e ossos quebradiços. Níveis altos e por um período prolongado podem matar.

Eventualmente, a doença que Cushing descreveu como síndrome poliglandular seria nomeada em sua homenagem: síndrome de Cushing e doença de Cushing. A diferença entre a doença e a síndrome depende do local onde o problema é desencadeado: um tumor na hipófise leva à doença de Cushing, enquanto um problema que surge nas glândulas suprarrenais leva à síndrome de Cushing. Nos dois casos, as suprarrenais liberam muito cortisol, tanto porque a hipófise emite um hormônio que sinaliza para essa emissão quanto porque as próprias suprarrenais estão com defeito. Os sintomas são os mesmos: rosto redondo e inchado, abdômen distendido com estrias, membros finos, afinamento ósseo, fadiga e pelos faciais em mulheres. Essas mulheres, nos primeiros anos do século 20, acabavam como atrações no circo.

Anos depois, em meio a uma série de palestras sobre a síndrome poliglandular, Cushing escreveria uma carta contundente aos editores da revista *Time*, condenando um artigo intitulado "Feios", a respeito de um concurso de feiura em Paris. Uma mulher não precisou se candidatar e as fotos foram enviadas sem o consentimento da competidora. Os participantes, de acordo com a *Time*, incluíam um "peixeiro com verrugas", um "judeu italiano com erisipela" (erupção cutânea), um motorista de táxi "com marcas de catapora" e uma freira belga. O objetivo da iniciativa era zombar dos concursos de beleza ou, como disseram os repórteres, "compensar a epidemia continental dos concursos de beleza". Mas, na visão de Cushing, o esforço para poupar a sociedade de uma superficialidade apenas acabou criando outra. Essas pessoas precisavam de médicos, não de curiosos.

O artigo, publicado em maio de 1927, incluía uma foto do rosto da Sra. Rosie Bevan (nascida Wilmot), que ficava entre a Mulher Gorda de um circo e uma Mulher sem Braço. Os repórteres encontraram Bevan e publicaram a imagem da mulher de queixo grande e olhos caídos, cabelos ralos, barba e bigodes esparsos. "Essa pobre mulher tem uma história que está longe de provocar alegria", escreveu Cushing, afirmando que Bevan provavelmente sofria de acromegalia. "Essa doença cruel e deformadora não apenas transforma por completo a aparência externa daqueles que são acometidos por ela, mas é acompanhada de grande sofrimento e muitas vezes com a perda da visão", escreveu ele. Ele imaginou que Bevan deveria sofrer com terríveis dores de cabeça e ser quase cega, e concluiu: "A beleza é superficial. Sendo médico, não gosto de sentir que a *Time* pode estar sendo frívola diante das tragédias causadas pelas doenças".[3]

---

3   Em 2006, a Hallmark usou novamente a foto da Sra. Bevan em um cartão de aniversário satírico. O cartão foi vendido no Reino Unido como uma piada sobre um programa de televisão britânico, Blind Date (Encontro às Cegas), de Cilla Black (os participantes escolhem um parceiro para um "encontro às cegas"). O texto no cartão dizia: "Quando a tela ficava preta, ele sempre se arrependia das palavras... "Eu escolho a número três, Cilla". Assim como fez Cushing muitos anos antes, o Dr. Wouter de Herder, um endocrinologista holandês, viu o cartão durante as férias na Grã-Bretanha e reclamou com a Hallmark, convencendo a empresa a retirar o cartão do mercado. Em um site de tumores da hipófise, um blogueiro observou que essa história revela que embora a medicina tenha evoluído muito em relação a doenças desde a época de Cushing, "nossas atitudes em relação aos que sofrem quase não mudaram". De sua parte, a Hallmark recolheu o cartão e emitiu a seguinte declaração: "Depois que descobrimos que essa senhora

Cushing extrapolava os limites de seus estudos de forma ousada. Com base nas descobertas, a partir de pacientes gravemente enfermos, Cushing desenvolveu a ideia de que muitas pessoas poderiam ter algum grau de enfermidade, e se não tinham uma aparência bastante deformada, ao menos apresentavam alguma estranheza – física ou emocional – com um ou dois hormônios fora de sincronia. Era uma maneira totalmente nova de considerar as doenças. Foi, de fato, bastante prudente.

Cushing também continuou a desenvolver suas teorias da hipófise. Quando começou, em 1901, ele tinha uma imagem nebulosa, apenas uma especulação, de como a hipófise controlava o corpo. Ele falava em termos de "hiper" (muito ativo) ou "hipo" (pouco ativo), mas nada específico. Na década de 1930, quando estava quase aposentando, Cushing aprofundou suas ideias até os tipos de células presentes nessa pequena glândula. Palestrando ao longo da costa leste a um público de especialistas de todas as principais instituições, Cushing explicou que a hipófise não é um órgão homogêneo. Dentro do lóbulo anterior, disse ele, existem três tipos de células. A multiplicação excessiva de determinado tipo de células levava a um crescimento anormal; o excesso de outro tipo de células levava a uma atrofia no desenvolvimento sexual.

Considere o seguinte: quando Cushing estava palestrando e escrevendo seus artigos científicos, estava promovendo uma teoria baseada em um hormônio ainda não descoberto e um conceito inteiramente novo sobre como o corpo funcionava, fundamentado em sua noção de que um pequeno tumor havia crescido no cérebro de um paciente. Às vezes, os médicos encontravam um tumor na autópsia, mas às vezes não havia nenhum, mesmo tendo investigado a cabeça do cadáver. Entre as dezenas de pacientes que Cushing apresentou como prova, ele encontrou esse tumor particularmente pequeno, que chamou de adenoma basófilo, em apenas três deles.

Naquela época, se um médico suspeitava que um paciente tinha um tumor cerebral, ele pedia um raio X da cabeça. A questão não era ver o tumor (que não apareceria no raio X), mas verificar se algum osso estava abaulado, o que seria a evidência circunstancial da presença de uma massa estranha. Cushing

---

estava doente, em vez de ser simplesmente feia, o cartão foi...retirado de imediato de circulação, pois violava qualquer atitude que teríamos em termos de ironizar qualquer pessoa que estivesse sofrendo".

afirmou que o adenoma basófilo era tão diminuto que não causava a modificação dos ossos. Em outras palavras, não havia provas que confirmassem sua teoria. No entanto, Cushing acreditava que o tumor estava lá, bombeando uma substância potente no corpo. Ele poderia muito bem estar tentando convencer a audiência de que Deus não existia.

Agora sabemos que ele poderia estar certo. Alguns pequenos tumores hipofisários são benignos; são pequenos e de crescimento lento e não se espalham para outras partes do corpo. Com o advento das sofisticadas ferramentas de imagem que viriam muitos anos depois, poderia ter sido provado que alguns dos pacientes de Cushing realmente tinham tumores.

Cushing nunca duvidou de suas afirmações. Outras pessoas o fizeram. Um médico da Clínica Mayo em Rochester, Minnesota, dissecou mil hipófises de cadáveres e encontrou tumores basófilos em apenas 72 exemplares que aparentemente não apresentavam sintomas externos. Em outras palavras, o médico alegou ter encontrado tumores em pessoas sem sintomas, desmistificando a teoria de Cushing. O médico não os chamou de adenomas, recusando-se a usar a nomenclatura criada por Cushing, mas os chamou sarcasticamente de "incidentalomas", sugerindo que este era um achado incidental que não tinha nada a ver com os sintomas que Cushing havia associado a eles. Outros médicos zombaram de Cushing ao lançar um Clube Antitumor na Hipófise.

Em uma palestra no Hospital Johns Hopkins em 1932, Cushing disse que a endocrinologia se prestava à "tentação da especulação impressionista". Em outras palavras, ele não tinha tantas evidências quanto gostaria de ter. "Ainda estamos procurando cegamente por uma explicação", disse Cushing, mas, "fora dessa obscuridade, aqueles que estão seriamente interessados no assunto, passo a passo, têm encontrado um sentido, apesar das armadilhas e dos inúmeros obstáculos".

Hoje sabemos exatamente o que a hipófise faz. O lóbulo frontal, que os médicos chamam de hipófise anterior, descarrega vários hormônios, incluindo o hormônio do crescimento e a prolactina (mais conhecida por seu papel na produção do leite materno). A hipófise anterior também dispara os chamados hormônios liberadores, que são hormônios que levam outras glândulas a liberar hormônios – uma espécie de hormônios mensageiros. As gonadotrofinas, por exemplo, são hormônios que orientam os ovários e os testículos a secretarem estrogênio e testosterona. A hipófise também produz o hormônio estimulador da tireoide, que orienta a tireoide a liberar seu hormônio, e produz ACTH, hormônio adrenocorticotrófico, que leva a glândula adrenal a liberar hormônio do estresse.

O lóbulo traseiro, a hipófise posterior, produz a vasopressina, que mantém o equilíbrio hídrico. A hipófise posterior também produz a ocitocina, que, entre outras coisas, contrai o útero durante o parto e promove a compressão dos dutos do leite materno.

Cushing continuou a operar, a conduzir experimentos e a escrever mais de dez mil palavras por dia, até que o excessivo consumo de cigarros o dominou. Quando tinha sessenta anos, Cushing mal conseguia andar em decorrência dos coágulos de sangue em suas pernas. Aposentou-se de Harvard em 1932, quando tinha 63 anos, e aceitou um cargo de professor em Yale, trazendo a assistente Louise Eisenhardt com ele. Louise havia sido contratada como secretária em 1915, mas, quatro anos depois, pediu demissão para se formar em medicina na Universidade Tufts (formando-se como primeira aluna da classe) e voltou a trabalhar para Cushing como neuropatologista. A saúde debilitada de Cushing e a má circulação impediram seus planos de continuar atuando; além disso, ele havia perdido a habilidade manual para realizar cirurgias. Ele passava a maior parte de seus dias em Yale lendo, ensinando e escrevendo.

Sua vasta coleção cerebral deveria ficar em Harvard, organizada por Eisenhardt como o registro cerebral de Cushing. Mas quando Cushing sentiu que Harvard não estava fornecendo o financiamento suficiente, mudou todo o acervo para Yale. Os frascos de vidro chegaram a New Haven em 1935. Cushing pagou o equivalente a cem mil dólares nos padrões de hoje para que as anotações de seus pacientes (um total de cinquenta mil páginas) fossem fotografadas e entregues em New Haven também.

Eisenhardt permaneceu como uma parceira leal de Cushing enquanto ele seguia cada vez mais debilitado. Cushing morreu de ataque cardíaco em 7 de outubro de 1939, aos setenta anos.

Esse foi o fim da era Cushing, mas não de seus cérebros.

Quase trinta anos após a morte de Cushing, Gil Solitaire, um neuropatologista, foi contratado por Yale. Ao se acomodar em seu escritório, abriu um arquivo de metal e encontrou uma mistura de cérebros em jarras e garrafas vazias de uísque. Solitaire imaginou que seu escritório fora antes a sala de Cushing/Eisenhardt, e que os cérebros e a bebida eram parte do estoque de Cushing. Eisenhardt era conhecida por beber muito nas festas do escritório.

Outro patologista de Yale ficou responsável pela organização da coleção, mas nada foi feito. O resto dos frascos – os que não estão nos armários de Solitaire – estavam espalhados pelo departamento de patologia. Eventualmente, eles foram transferidos para o porão do dormitório dos estudantes de medicina e esquecidos por décadas.

Em 1994, Chris Wahl, um estudante de medicina do primeiro ano, aventurou-se embriagado no porão do dormitório, como parte de um desafio e acabou encontrando o notável esconderijo. "Acho que algumas pessoas de todas as turmas sabiam sobre os cérebros e lembro-me de estar sentado no Mory (um restaurante privado) com alguns veteranos e esses caras dizendo que eu precisava ver aqueles cérebros", lembrou Wahl. "Nós claramente não deixaríamos essa ideia de lado, então, eu e cerca de quatro ou cinco outros caras fomos até o porão. Acabamos chutando o fundo de uma abertura na porta e conseguimos alcançar a maçaneta e destrancá-la. E encontramos o tal quarto. Lembro-me claramente porque estávamos com um pouco de medo de ter problemas, e era um lugar assustador. Estávamos vendo amostras de cérebros e havia uma placa de inscrição perto dessas assustadoras garrafas de vinho vazias, deixadas por pessoas que haviam descido ali e visto o quarto."

Um cartaz colado na parede dizia "Sociedade do Cérebro" e estava assinado por estudantes. Se você pudesse encontrar o pôster e assinar seu nome como prova, você se tornaria um membro da sociedade. A sociedade tinha um juramento – "Deixe seu nome, leve apenas lembranças" –, mas nenhuma missão. A associação apenas dava a você o direito de se gabar. Para a maioria dos estudantes, descer até o porão era exatamente isso, um tipo de certificado de "eu já fiz isso". Uma iniciação em um clube que poucas pessoas sabiam que existia.

"Lembro-me de pensar que aquilo era muito assustador, e então alguém encontrou os negativos, ao longo de toda a parede dos fundos. Eram prateleiras e mais prateleiras, do chão ao teto, com esses negativos em placas de vidro guardados em envelopes de papel pardo que estavam quebradiços. E quando você os pegava, juntando os pedaços, eram imagens incrivelmente arrepiantes de pessoas com tumores cerebrais", lembrou Wahl. "Demos a volta e corremos assustados."

Os negativos em placas de vidro continham imagens dos pacientes de Cushing antes e após a cirurgia. Alguns mostram enormes protuberâncias saindo de suas cabeças. Alguns eram imagens apenas da cabeça. Outros mostram o corpo inteiro. Alguns pacientes estavam nus. Outros estavam vestidos.

Tara Bruce, uma ginecologista obstetra em Houston e ex-estudante de medicina de Yale, lembrou-se dos cérebros. "Aquilo foi um rito de passagem", disse. Ela se tornou membro da sociedade em 1994, ou seja, assinou seu nome no pôster rabiscando com força. "Todos foram ver os cérebros. Foi surreal. Eu tinha acabado de chegar a Yale e lembro-me de pensar: 'Acho que Yale tem tantas coisas incríveis que podem até enfiar um monte de cérebros no porão.'"

A reivindicação de Wahl à fama (antes de seu trabalho atual como cirurgião ortopédico em Seattle e o anterior como médico chefe do San Diego Chargers) deu-se por ter sido o único aluno do grupo de exploradores bêbados a fazer alguma coisa a respeito da coleção de cérebros. Wahl tinha acabado de terminar uma disciplina sobre a história da medicina e havia aprendido recentemente sobre neurocirurgiões, de modo que percebeu que aqueles jarros poderiam ser a coleção de Cushing. Ele foi ver o Dr. Dennis Spencer, presidente de neurocirurgia, a quem relatou o seu palpite. Um tempo depois, Wahl escreveria uma tese sobre os cérebros e, juntamente com Spencer, um fotógrafo, um técnico médico e um arquiteto, lideraria o projeto de restauração da coleção de Cushing. E foi assim que os cérebros passaram de detritos médicos a um museu de medicina.

Terry Dagradi, fotógrafa médica de Yale e arquivista da coleção, trabalhou com um técnico em patologia para levar os cérebros do porão do dormitório para o necrotério. Foi muito mais complicado do que nos dias de Cushing, quando foi possível enviar os cérebros de Harvard e coletá-los de outros médicos. Naquela época, os cérebros eram enviados pelo correio ou transportados à mão em um trem, como qualquer outro pacote. Porém, na década de 1990, quando Yale lançou o projeto de restauração cerebral, as amostras eram consideradas de alto risco biológico. Dagradi não poderia levar os cérebros usando o transporte público sem uma licença especial. Só atravessar a rua com um dos cérebros era algo muito caro. Ela e seus colegas criaram uma rota dentro da propriedade de Yale, evitando as vias públicas, mas isso implicava carregar os cérebros nos carrinhos da biblioteca e andar por vários degraus, subindo e descendo escadas, até serem transportados do porão ao necrotério.

Atualmente, os passeios ao Cushing Center estão disponíveis gratuitamente para o público em geral. Mas se você estiver curioso e conseguir encontrar um guia com uma chave, poderá ver os cérebros que ainda não foram restaurados – os que ainda estão no porão. Foi o que fiz com meus quinze alunos em uma tarde de primavera em 2014. Acompanhados por Dagradi, seguimos o caminho de Wahl até o porão, indo para a parte de trás do enorme edifício que abriga os dormitórios dos estudantes de medicina, descendo uma escada e passando por uma porta de metal pesado, desviando de grandes canos no chão e nos abaixando de alguns canos pendurados, passando por grandes compartimentos de armazenamento fechados (um continha pilhas de sacos de dormir, em outros havia colchões, uma bicicleta e um torso de plástico sem cabeça revelando os órgãos da barriga). Um compartimento continha uma bateria e guitarras; aparentemente alguns estudantes tocavam lá embaixo. Por fim, chegamos a uma porta verde grossa, protegida, ao que parecia, por uma grande lixeira de borracha transbordando de almofadas adesivas, do tipo que captura roedores.

A abertura que Wahl utilizou para entrar foi substituída por uma madeira espessa pregada firmemente no lugar. A porta estava trancada. Uma placa informa: "Propriedade da neurocirurgia".

Dagradi destrancou a porta e uma nuvem de formaldeído passou por nós. O quarto estava escuro, úmido e empoeirado. Estalactites pendiam do teto como pingentes de gelo brancos.

Cérebros em conserva

Parte não restaurada da coleção de Cushing no porão dos dormitórios da Faculdade de Medicina de Yale. Cortesia de Terry Dagradi, Universidade de Yale.

Cérebros em potes antigos, centenas deles estavam empilhados em estantes de biblioteca de metal à moda antiga que iam do chão ao teto. Algumas amostras flutuavam em formaldeído. Em outras, os líquidos conservantes haviam evaporado através de pequenas rachaduras, de modo que os pedaços do cérebro estavam enrugados e secos. Alguns frascos continham apenas alguns fios de tecido. Outros guardavam um pequeno pedaço. Alguns tinham quase metade de um cérebro. Eles foram datados, a maioria desde as primeiras décadas do século 20. Os nomes foram escritos nos frascos. Um frasco continha um glóbulo ocular, outro continha um feto com cerca de 2,5 centímetros de comprimento. Era como se tivéssemos entrado no laboratório de um cientista louco. Ou em um filme da Disney sobre crianças que viajaram no tempo e mergulharam em um experimento científico assustador. Ou pior, no sótão de Hannibal Lecter.

As gavetas estavam cheias de equipamentos médicos velhos, alguns usados por Cushing para cortar amostras. Uma maca de metal à moda antiga bloqueava um corredor. Cerca de oitenta cérebros, explicou Dagradi, não estavam no porão nem na biblioteca, mas no necrotério onde a limpeza ocorreu. As jarras a caminho do necrotério estavam em grandes cubas de borracha branca no chão, do tipo que os restaurantes usam para fazer maionese.

Era como se o fantasma do próprio Cushing – um homem pequeno de nariz pontudo, arrogante e avarento – estivesse flutuando pelo quarto, gritando conosco por invadir seu espaço. Enquanto andávamos pelo corredor das amostras de cérebros, o silêncio do lugar foi quebrado por um barulho alto. Será que era assombrado?

"Alguém deve ter apertado a descarga", disse Dagradi – um lembrete de que estávamos embaixo dos dormitórios dos estudantes. Ou, de outra perspectiva, que os estudantes de medicina de Yale estão passando as noites estudando e dormindo em cima dos fundamentos da endocrinologia moderna.

Pós-escrito:

No verão de 2017, os médicos identificaram a mutação genética que desencadeou um tumor em um dos pacientes de Cushing que havia morrido há mais de um século. Um pescador de 34 anos da Nova Escócia chegou à clínica de Cushing em Boston em 1913, sofrendo de vômito, irritabilidade, sudorese excessiva e dormência. "Eu cresci demais", disse ele a Cushing. O homem tinha mãos grandes e a mandíbula saliente. Cushing suspeitava de uma hipófise liberando hormônio do crescimento em excesso e sugeriu uma cirurgia. Quando o paciente morreu, no ano seguinte, a autópsia revelou nódulos em várias glândulas. Cerca de 104 anos depois, Cynthia Tsay, uma estudante de medicina de Yale, trabalhando sob a direção da Dra. Maya Lodish, endocrinologista do Instituto Nacional de Saúde, retirou o cérebro da jarra de vidro, removeu um pedaço e reuniu as anotações correspondentes do paciente nos registros de Cushing. A análise de DNA no Instituto Nacional de Saúde revelou a mutação genética precisa e o diagnóstico: complexo de Carney, uma síndrome denominada em 1985 que inclui acromegalia múltiplas anormalidades endócrinas. Lodish, intrigada com os cérebros desde quando começou a estudar medicina em Yale, continua investigando outros frascos. Cushing, ela acrescentou, era antissemita e contra a inserção das mulheres na medicina. "Aqui estou eu, uma judia, removendo o cérebro do frasco e pensando que Cushing deve estar rolando no túmulo."

4
Hormônios assassinos

Em 21 de maio de 1924, dois jovens de Chicago tentaram cometer um homicídio.

Nathan Leopold, ou "Babe", como era chamado, tinha dezenove anos. Richard "Dickie" Loeb tinha dezoito anos. Ambos eram estudantes da Universidade de Chicago, nascidos e criados nas proximidades de um dos bairros mais nobres da cidade. Naquela tarde, eles deixaram o *campus* da faculdade, alugaram um carro e dirigiram para a Harvard School, uma escola particular de elite para meninos, na qual ambos haviam estudado. E então esperaram. Os dois haviam planejado aquilo há meses e acharam que tinham pensado em todos os detalhes para evitar suspeitas.

Eles sabiam, por exemplo, que não deveriam ir dirigindo o Willys-Knight vermelho de Babe; fazer isso entregaria os dois. Então, eles decidiram alugar um veículo modesto, escolhendo um na cor azul. Os dois também mentiram para o motorista dos Leopolds, dizendo que os freios do Willys-Knight precisavam ser consertados. Dessa forma, não seriam questionados sobre o motivo do aluguel. Eles alugaram o carro usando um nome falso, Morton D. Ballard. O álibi deles – alguma coisa sobre passar a noite com garotas bêbadas – foi ensaiado várias vezes para garantir que elas contassem a mesma história, caso fossem interrogadas. Babe e Dickie eram crianças inteligentes; os dois avançaram séries na escola e começaram a faculdade aos quinze anos. Mas eram assassinos de primeira viagem, então não eram tão espertos quanto pensavam.

Os rapazes tinham uma lista restrita de candidatos em potencial, todos filhos dos amigos ricos de seus pais. Eles escolheram Bobby Franks, de catorze anos, porque foi o último a deixar a escola naquele dia e estava sozinho. Eles o esperaram perto do pátio da escola e atraíram-no para o carro, oferecendo-lhe uma carona para casa, para que ele não tivesse que andar. Então, eles dirigiram alguns quarteirões e o espancaram até a morte.

O cadáver foi encontrado na floresta mais tarde naquela noite, com um par de óculos caros com armação feita de chifre nas proximidades. Os policiais rastrearam os óculos até uma loja de luxo que só havia vendido três desses pares. Um pertencia a Babe Leopold.

Babe tentou explicar que isso era apenas uma coincidência. Segundo ele, era um ávido observador de pássaros, e estava na mesma área alguns dias antes de o corpo ter sido jogado lá. Os policiais não acreditaram. Logo, os dois garotos confessaram, cada um alegando que o outro era idealizador do assassinato.

As famílias contrataram o famoso advogado de defesa Clarence Darrow, o mesmo responsável pela defesa de John Scopes, o professor processado pelo estado do Tennessee em 1925 por ensinar a teoria da evolução a alunos de escolas públicas. Para o caso Leopold-Loeb, Darrow também se muniu de argumentos baseados na ciência. Sua missão não era provar a inocência dos meninos – pois eles haviam assumido a culpa –, mas obter sentenças de prisão perpétua em vez da pena de morte.

O assassinato foi rapidamente apelidado de o "Crime do Século". Jornais vigiavam as casas dos Leopolds e dos Loebs. Eles lotaram a sala do tribunal. Anos depois, o caso serviria de inspiração para quatro filmes (um estrelado por Orson Welles e outro dirigido por Alfred Hitchcock), alguns livros (alguns de ficção, outros de não ficção) e uma peça de teatro. A principal pergunta das reportagens dos jornais, dos filmes e romances, a pergunta na mente de todos, era: o que havia levado esses dois garotos a jogar fora tudo que tinham – educação, dinheiro, conexões – por uma tarde em uma macabra aventura? Qual foi o motivo?

A mídia alimentou a curiosidade. Os meninos tinham sido emocionalmente negligenciados? Foi relatado que a mãe de Babe havia contratado uma governanta alemã para criá-lo, com relatos de abuso e aliciamento infantil. A mãe de Dickie estava preocupada demais com o trabalho de caridade, então ele também havia sido criado por uma babá, alguém muito exigente que o punia quando suas notas não eram perfeitas. Durante o julgamento, o público soube que os dois eram amantes ocasionais e ambos tinham um histórico de pequenos furtos. Aos nove anos de idade, Loeb roubou dinheiro de uma banca de limonada que tinha com um amigo. Leopold roubou selos da coleção de outro garoto. Esses traços, sugeriram os jornais, poderiam implicar uma depravação moral?

Nenhum desses porquês e motivos – nem a mãe, nem o sexo, nem o furto – explicavam todos esses detalhes intrigantes. No entanto, havia uma teoria que apelava a médicos, advogados e ao público leigo faminto por uma razão científica para explicar comportamentos desviantes, uma noção nova que ganhava atenção em revistas médicas e jornais. A resposta estava na ciência da endocrinologia.

Na década de 1920, a endocrinologia passou de uma ciência obscura para uma das especialidades mais populares. Livros de conselhos divulgando curas por meio da endocrinologia eram abundantes. Anúncios e reportagens em revistas adicionavam força ao fascínio. Com uma descoberta após a outra, os hormônios eram considerados a causa e a cura de todas as enfermidades. Revelou-se que a hipófise liberava hormônios que estimulavam os testículos e os ovários. O estrogênio foi isolado e, logo depois, a progesterona. O otimismo disparou quando, em 1922, na Universidade de Toronto, o Dr. Frederick Banting, juntamente com Charles Best, um estudante de medicina, salvou a vida de um diabético de quatorze anos com doses de insulina, iniciando uma nova geração de terapia hormonal.

Um ano depois, em uma conferência da Associação Americana para o Avanço da Ciência, o Dr. Roy G. Hoskins resumiu o entusiasmo pela endocrinologia da seguinte maneira: "Quando vemos pessoas deformadas e atrofiadas com deficiências mentais sendo transformadas em crianças normais e felizes, diabéticos morrendo de fome em meio à abundância de alimentos tendo a saúde e força recuperadas, gigantes e anões produzindo à vontade, manifestações sexuais sendo criadas ou revertidas diante de nossos olhos pelo controle de fatores endócrinos, como podemos considerar a endocrinologia outra coisa senão a especialidade mais significativa da biologia moderna?". Hoskins era o presidente da Associação para o Estudo das Secreções Internas, fundada em 1917 e que mudaria seu nome em 1952 para Sociedade de Endocrinologia, uma organização profissional.

Se fosse possível transformar o diabetes de uma doença mortal para uma condição crônica, pensavam os especialistas, imaginem todas as outras doenças que poderiam ser curadas! Mas assassinato? Matar seria uma doença? E se fosse, os infratores da lei poderiam ser curados com injeções de hormônios? Melhor ainda, os testes hormonais poderiam identificar criminosos em potencial mesmo antes de revelarem um comportamento antissocial? E, usando os poderes da terapia hormonal, poderíamos transformá-los em cidadãos de bem?

Era uma ideia absurda em alguns aspectos, não tanto em outros. Não havia nenhuma prova de que um pouco mais desse hormônio ou muito pouco desse outro poderia levar alguém a cometer assassinato. Não havia sequer dados que confirmassem que uma quantidade a mais de hormônios poderia levar alguém à loucura ou a fazer qualquer coisa. No entanto, havia evidências circunstanciais de que os hormônios poderiam moldar o comportamento – uma noção que existia há séculos. Essa ideia era baseada em tentativa e erro – ou aproximações – em vez de investigações sérias. No Império Otomano, por exemplo, os homens eram castrados tornando-se eunucos assexuados para servir à corte real, uma prática que ligava as substâncias nos testículos aos traços de personalidade. A conexão científica entre as secreções internas e o temperamento foi estabelecida pela primeira vez no início do século 20, quando, em 1915, Walter Cannon, professor de Harvard, publicou *Bodily Changes in Pain, Hunger, Fear and Rage: An Account of Recent Researches into the Function of Emotional Excitement* (Alterações corporais em dor, fome, medo e raiva: um relato de pesquisas recentes sobre a função da excitação emocional). Cannon escreveu que um aumento repentino no hormônio da adrenalina faz o coração bater forte e a respiração ficar curta e interrompida. Parecia um ataque de pânico, ele disse. Seus estudos levaram outros cientistas a pensar se outras secreções internas afetavam as emoções. "Aqui, temos", escreveu Cannon, um "grupo notável de fenômenos – um par de glândulas estimuladas em períodos de forte excitação e uma secreção liberada na corrente sanguínea por essas glândulas, capaz de induzir por si só ou aumentar as influências nervosas que induzem as próprias mudanças nas vísceras que acompanham o sofrimento e as principais emoções."

O conceito de que os hormônios poderiam nos incutir um instinto assassino era uma derivação lógica da pesquisa cerebral de Harvey Cushing. Se secreções descontroladas poderiam fazer uma mulher ter barba ou um garoto se transformar em um gigante, como Cushing havia demonstrado, então essas substâncias internas não poderiam transformar um menino prodígio em um criminoso violento?

Cushing pediu que as pessoas tivessem compaixão com os personagens do circo, pois se tratava de pessoas doentes, e não bizarras – mas os assassinos estão além da possibilidade de compaixão. Os bandidos podem realmente ter glândulas fora de sintonia, mas, quando há um assassino e um cadáver, devemos acreditar que ambos são vítimas? Ou, como disse um repórter do *New York Times*, referindo-se à história bíblica: "É possível que os órgãos endócrinos de Caim estivessem funcionando de maneira inadequada e que ele tenha sido tão vítima quanto o irmão". Essa era a parte preocupante da teoria hormonal do crime. Pode ser que exista mérito científico nessa teoria, mas o que poderia ser feito com essa informação uma vez que o crime tivesse sido cometido? Deveriam agir com indulgência, já que os hormônios de um assassino se descontrolaram?

Para os médicos, essas ideias ofereceram uma nova maneira de pensar a condição humana. As pessoas não eram mais apenas um amontoado de conexões nervosas. Na década de 1920, as pessoas se tornaram seus hormônios. Nós éramos os nossos hormônios.

A teoria hormonal do crime não era uma mudança de pensamento, mas um conceito unificador. Os hormônios afetavam os nervos do cérebro, que por sua vez influenciavam nossos desejos subconscientes. "As informações acumuladas durante os últimos cinquenta anos apontaram para a importância das glândulas endócrinas para os problemas da ciência da psicologia", explicou o Dr. Louis Berman na austera revista *Science*. "Vou propor a palavra 'psicoendocrinologia' como o nome do ramo da ciência que lida com as relações das glândulas endócrinas e as atividades mentais, bem como com o comportamento, incluindo as características individuais em saúde e doença, resumidas na personalidade do indivíduo."

Louis Berman tinha credenciais médicas e muito conhecimento de marketing. Se ele tivesse vivido no século 21 em vez do século 20, certamente teria seu próprio programa de TV. Berman foi professor associado da Universidade de Columbia, escreveu cerca de quarenta artigos científicos e foi membro de várias organizações médicas de elite, incluindo a Sociedade Endocrinológica de Nova York, a Associação Médica Americana, a Associação Americana para o Avanço da Ciência e a Sociedade Terapêutica Americana. Ele também foi diretor do Instituto Nacional de Prevenção ao Crime. Um pesquisador respeitado, Berman isolou um hormônio das paratireoides, quatro pequenas glândulas no pescoço, e investigou sua relação com o equilíbrio de cálcio. Ele chamou o hormônio de paratirina. Atualmente, é chamado de hormônio da paratireoide, ou HPT, e é conhecido por controlar os níveis de cálcio no organismo.

Berman tinha uma clínica próspera na Park Avenue, onde convivia com pessoas ilustres. Ezra Pound e James Joyce eram pacientes de endocrinologia, além de amigos. "Meu querido rabino Ben Ezra", escreveu Berman a Pound, usando um apelido dado ao poeta pelo colega Robert Browning, depois de um poema com o mesmo nome. Eles trocavam cartas sobre suas viagens e fofocaram sobre Joyce, o romancista irlandês. Berman queria fazer um tratamento hormonal em Lucia, a filha de Joyce, para curá-la de sua depressão. "Não sei se você já ouviu falar do novo tratamento com insulina para *dementia praecox*, que ouvi também ter sido usado com sucesso", escreveu ele, acrescentando, "outro grande triunfo para a endocrinologia." (*Dementia praecox* era um jargão médico para a loucura.) Berman adaptou dietas para equilibrar os hormônios de seus pacientes.

Ele também era um propagandista audacioso, divulgando fatos em alguns dos livros sobre saúde que escreveu para o público em geral. Berman afirmou que algumas pessoas têm uma intensa produção de secreções em suas glândulas suprarrenais, o que as torna excitáveis e masculinas. Outras pessoas possuem uma baixa produção, tendo resultados opostos. A pessoa com uma "adrenal superior", escreveu em *The Glands Regulating Personality* (As glândulas na regulação da personalidade), terá pressão alta e traços masculinos. Já a pessoa com "adrenal inferior" terá pressão arterial baixa e sofrerá fraqueza e fragilidade constantes. As mulheres que não menstruam regularmente não possuem o equilíbrio desejado de hormônios femininos, afirmou, e "também serão agressivas, dominadoras, até empreendedoras e pioneiras, com pequenos ovários".

No entanto, os livros de Berman venderam bem e atraíram o grande público.

Berman simplificou o que outros médicos não poderiam ter dito e trouxe otimismo aos leitores com remédios hormonais diretos (embora sem eficácia comprovada). Berman afirmou que os hormônios curariam o crime, a loucura, a constipação e a obesidade. Segundo as previsões de Berman, os hormônios promoveriam uma sociedade melhor. A questão não seria mais a sobrevivência do mais apto; a endocrinologia transformaria todos nós no mais apto. De fato, Berman previu um planeta de super-humanos: o "normal ideal", como os apelidou. "Seremos capazes de governar as capacidades do homem em todos os detalhes, para que possamos criar o ser humano ideal", disse ele. "O problema será escolher o 'tipo ideal'" – o que segundo ele seria um gênio de quase cinco metros de altura que não precisava dormir.

As ideias de Berman fizeram sucesso na década de 1920, em parte porque o país queria descobrir uma maneira de lidar com uma onda nacional de crimes. Apesar dos boatos, dos jornais e das festas ao estilo do Grande Gatsby, havia um sentimento de que o vandalismo e o assassinato estavam aumentando. A Ku Klux Klan alcançou um pico de popularidade. Os gângsteres floresceram. As façanhas de Al Capone, o chefão das gangues de Chicago, Bonnie e Clyde, o casal de ladrões de bancos, e John Dillinger, outro gângster de assaltos a banco, foram espalhadas pelos jornais em manchetes, juntamente com a história de Nathan Leopold e Richard Loeb.

Berman afirmou que, ao avaliar as taxas hormonais de uma pessoa, era possível identificar aquela que provavelmente cometeria atos de violência. Berman sustentava que poderia avaliar o "tipo" hormonal de uma pessoa, ou melhor, a predominância, apenas estudando o rosto dos indivíduos. Esta é uma pessoa do tipo ovariano? Do tipo adrenal? Do tipo hipófisico? Com efeito, Berman estava sugerindo que a personalidade é moldada por uma glândula minúscula. E, segundo ele, sua avaliação poderia ser usada para prever o futuro de uma pessoa. Ele ou ela estava destinado à liderança? À popularidade? Os livros de Berman listaram a suposta composição hormonal de várias estrelas. Berman analisou as histórias desses famosos de trás para a frente, já que seus caminhos para o sucesso ou fracasso já estavam evidentes, mas alegou que suas vidas haviam sido predeterminadas por sua composição hormonal. Napoleão e Abraham Lincoln eram tipos com a predominância da hipófise. Oscar Wilde, com predominância do timo. Florence Nightingale, uma mistura de predominância da hipófise e tireoide.

Berman não era o único a propor uma medicina na qual as glândulas eram a salvação de tudo. A chamada "organoterapia" – remédios feitos com órgãos triturados – foi um negócio lucrativo durante os anos de 1920. A tireoide era usada para tratar a mixedema (o termo médico para tireoide hipoativa), o pâncreas para diabetes, os rins para doenças do trato urinário. Em 1924, a empresa G. Carnrick, fabricante de uma série de produtos endócrinos, publicou um panfleto que incluía remédios para 116 doenças supostamente causadas por desordens hormonais. A empresa alegava que a linha de supositórios à base de adrenalina funcionava para hemorroidas, vômitos e enjoos; hipófises inteiras aliviavam dores de cabeça e constipação; e testículos curaram neuroses sexuais. Os extratos à base de testículos eram vendidos para curar epilepsia, fraqueza, cólera, tuberculose e asma. "Nós somos as criaturas dessas glândulas", disse outro médico endocrinologista. As glândulas "não são apenas os árbitros das reações e emoções, mas", acrescentou, "realmente controlam o caráter e o temperamento, seja para o bem ou para o mal".

Os impulsos criminais poderiam ser explicados por outro conjunto de hormônios que estão em desordem, disse Berman. "Tiroxina, paratireoide, adrenalina, cortina, hormônios do timo, hormônios da gônoda ou sexuais, hormônios da hipófise, hormônios pineais, todos têm seu efeito fundamental sobre a estática e a dinâmica da personalidade através de seu efeito no sistema nervoso", escreveu em um artigo para o *American Journal of Psychiatry*. Em outras palavras, os hormônios podem levar um homem a matar.

A ampliação não científica da verdade descoberta por Berman irritou seus colegas, que questionaram sua integridade profissional. No *International Journal of Ethics*, um revisor escreveu que o livro de Berman "deveria ser lido com uma dose considerável de ceticismo". No *American Sociological Review*, outro crítico afirmou que a obra de Berman tratava-se de uma "mistura de fatos, meias verdades, suposições, especulações e esperança – o que não é boa ciência, boa arte, nem mesmo bom entretenimento". No entanto, Berman mantinha uma ampla rede de defensores. Margaret Sanger, defensora das políticas de controle de natalidade, estava entre seus fãs. "Para um relato claro e esclarecedor do poder criativo e dinâmico das glândulas endócrinas, ao leitor leigo no assunto, é indicado um livro recentemente publicado pelo Dr. Louis Berman", escreveu ela.

No entanto, Berman não convenceu H.L. Mencken, o editor do *American Mercury*. "Toda verdade precisa de homens que pacientemente trabalhem, ano após ano, para formular hipóteses", escreveu Mencken. "Berman não é um desses homens. Mas a nova verdade também precisa de propagandistas. É preciso perdoar suas inclinações a fazer um estardalhaço e apresentar variações desnecessárias do tema, na tentativa de revelar sua própria versatilidade". Acadêmicos sérios tinham horror de médicos que buscavam publicidade. Ou talvez, apenas estivessem irritados por um colega estar fazendo isso melhor do que eles próprios, e desejavam ser mais parecidos com ele. O Dr. Benjamin Harrow, em seu popular livro de 1922, *Glands in Health and Disease* (Glândulas na saúde e doença), creditou vários colegas da Universidade Columbia, mas não mencionou Berman. Harrow aludiu ao trabalho de Berman como "fato misturado com fantasia", acrescentando que "a imaginação, se não suficientemente refreada pela autocrítica, é capaz de transformar um pequeno monte em uma montanha".

Mas Berman também tinha apoiadores no meio médico. Em 1921, no Segundo Congresso Internacional de Eugenia, realizado no Museu Americano de História Natural de Nova York, o Dr. Charles Davenport, um defensor da eugenia, iniciou a conferência com uma palestra que tratou em parte sobre os hormônios e seu impacto no comportamento desviante. No dia seguinte, em uma sessão dedicada à pesquisa de glândulas, o Dr. William Sadler disse aos colegas que "uma grave perturbação no sistema endócrino leva infalivelmente a comportamentos criminais, imorais e antissociais mais ou menos definidos".

A eugenia, que era popular entre os formuladores de políticas públicas, promovia a procriação entre as chamadas "pessoas boas", assim como se criariam cães campeões. Os eugenistas também defendiam a esterilização daqueles considerados muito estúpidos, deformados ou impróprios para procriar. O Supremo Tribunal simpatizou com a causa. Na decisão de 1927, no julgamento do caso Buck *versus* Bell, o juiz Oliver Wendell Holmes Jr. escreveu que permitir a esterilização compulsória dos inaptos e dos "intelectualmente incapacitados" era necessário "para a proteção da saúde do estado".

Berman apontou que a eugenia era uma ciência confusa, pois pais inteligentes e aptos não necessariamente têm garantias de que produzirão filhos inteligentes e aptos. Ele argumentou que intervir no funcionamento das secreções internas oferecia uma maneira infalível de promover uma sociedade saudável. "Podemos agora ansiar por um futuro real para a humanidade, porque temos diante de nós o início da química da natureza humana", escreveu em seu livro de sucesso *The Glands Regulating Personality* (As glândulas na regulação da personalidade). Berman sugeriu a criação de um programa nacional para avaliar as crianças em idade escolar por meio de sua situação endocrinológica. Então, as crianças poderiam ser tratadas com alguns hormônios para incentivar as boas qualidades e outros para reprimir as características ruins. Para Berman, a endocrinologia era religião. Como colocou em seu livro de 1927, *The Religion Called Behaviorism* (A religião chamada behaviorismo), "o Cristianismo está morto, o Judaísmo está morto, o Islamismo está morto, o Budismo está morto, para todos os propósitos espirituais. De maneira lenta, mas constante, uma nova e poderosa religião está crescendo e atingindo a maturidade nos Estados Unidos como resultado de um novo movimento psicológico. Ela se autointitula Behaviorismo. O corpo, a alma, a natureza humana operam por meio de substâncias químicas, secreções internas ou efeitos glandulares". Em retrospectiva, é fácil ver até onde Berman estendeu sua verdade. Quase um século depois, é difícil, se não impossível, saber se Berman realmente acreditava em suas teorias ou se era apenas um charlatão, ou mesmo, se seus leitores realmente embarcaram em suas teorias.

Em 1928, Berman iniciou uma investigação que durou três anos com 250 delinquentes e criminosos juvenis da prisão de Sing-Sing, em Ossining, Nova

York. Ele coletou o sangue, analisou a taxa metabólica e fez exames de raios X em várias partes de seus corpos. Comparando seus resultados com um grupo controle de indivíduos saudáveis retirados da população comum, Berman concluiu que os criminosos têm cerca de três vezes mais distúrbios hormonais do que os cidadãos cumpridores da lei. Os assassinos, disse ele, apresentavam hormônios do timo e adrenais em excesso, e uma escassez dos hormônios da paratireoide. Estupradores: apresentavam um excesso de hormônios tireoidianos e sexuais, com a hipófise insuficiente. Assaltantes e batedores: apresentavam baixa em hormônios das gônadas (ovários ou testículos) e altas taxas de adrenalina. Ele fez o mesmo com os condenados por fraude e incêndios criminosos, colocando cada grupo de criminosos em uma caixa organizada com suas próprias configurações químicas em desequilíbrio. Berman apresentou suas descobertas em uma palestra na Academia de Medicina de Nova York em 1931 e publicou os resultados no *American Journal of Psychiatry* no ano seguinte. O extenso artigo foi preenchido com dados e gráficos mostrando um aumento nacional nas estatísticas criminais e o alto custo da criminalidade, mas apresentava falhas na metodologia. No entanto, Berman concluiu que seu trabalho deveria ser a base da medicina preventiva. "Todo criminoso deve ser examinado quanto à presença de sinais de deficiência e desequilíbrio hormonal", escreveu ele, "incluindo a hipófise, a tireoide, as paratireoides, o timo, as suprarrenais e as gônadas, como parte do exame geral, juntamente com dados psiquiátricos e sociais." Por quase meio século, os advogados de defesa convidaram psiquiatras para o tribunal, na esperança de que evidências científicas pudessem ser usadas na absolvição de seus clientes. Embora os *best-sellers* de Berman não tenham sido publicados até depois do julgamento de Leopold-Loeb, suas ideias estavam sendo amplamente divulgadas e debatidas entre médicos naquela época. Para os advogados do caso Leopold-Loeb, a psicoendocrinologia de Berman oferecia uma nova estratégia. Clarence Darrow contratou dois especialistas em endocrinologia: o Dr. Karl Bowman, médico diretor-chefe do Hospital Psicopático de Boston, e o Dr. Harold Hulbert, neurologista da Universidade de Illinois. Ambos estavam interessados no impacto dos hormônios no cérebro.

Em 13 de junho de 1924, os médicos encontraram-se com os dois assassinos em uma sala dentro da prisão e começaram a realizar os exames. Um grupo de repórteres com binóculos se aglomerava atrás de arbustos do outro lado do pátio, ansiosos por um detalhe visual que pudesse apimentar suas atualizações diárias do caso Leopold-Loeb. Os doutores trouxeram a parafernália médica – uma máquina de raios X, um esfigmomanômetro (para medir a pressão sanguínea) e um metabolímetro (para avaliar o metabolismo). O metabolímetro era um dispositivo do início do século 20 que tinha uma lata de metal em um mastro que ia até a altura do joelho com tubos pendurados nele. Um tanque de oxigênio bombeava ar para dentro de um dos tubos e o paciente aspirava o ar do outro tubo. Usando uma fórmula que incluía o peso, a altura e o tempo do paciente para inalar, os médicos obtinham um número que supostamente informava a taxa na qual as calorias estavam sendo queimadas – em outras palavras, a taxa metabólica. Esse número, alegavam, indicaria uma medida da saúde dos hormônios. (Hoje sabemos que a taxa metabólica não é uma maneira de avaliar a saúde geral dos hormônios, embora possa fornecer uma pista para o funcionamento do hormônio da tireoide, que está conectado ao metabolismo.)

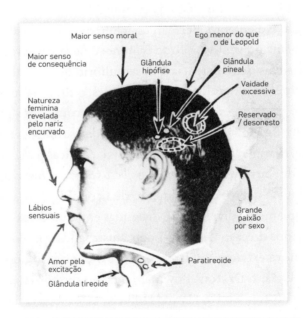

Diagrama de frenologia de Richard Loeb publicado no *New York Daily News*. Arquivo de notícias diárias de Nova York / Notícias diárias de Nova York / Getty Images.

Os dois médicos também usaram imagens da máquina de raios X para colher pistas sobre hormônios. Não importava o fato de que as imagens mostrassem apenas ossos, não glândulas: segundo o pensamento da época, se uma glândula fosse muito grande, acabaria pressionando os ossos. Portanto, se você visse um osso deslocado para o lado, poderia ter certeza de que a glândula era a responsável. Foi assim que Cushing, alguns anos antes, estudou a hipófise, verificando se havia modificações nos ossos do cérebro. "Esses são métodos agora mais ou menos padronizados e utilizados em clínicas e pesquisas endocrinológicas em todo o mundo", escreveu Berman.

Os exames de Leopold e Loeb, que incluíram avaliações físicas e extensas entrevistas psiquiátricas, duraram dezenove horas e se estenderam por oito dias. O resultado foi um relatório de trezentas páginas e oitenta mil palavras.

Antes de os psiquiatras serem chamados ao púlpito para falarem sobre hormônios, outros médicos – analistas freudianos – apresentaram seu testemunho para a defesa. Um deles descreveu Babe Leopold como um garoto baixo e magro, com uma aparência doentia e com um histórico acadêmico impressionante. Ele havia estudado Nietzsche, pássaros e pornografia. Dizia-se que falava onze idiomas. Ele não tinha muitos amigos, mas adorava Dickie Loeb. Eles faziam sexo de vez em quando. Dickie, por sua vez, foi descrito como um garoto atraente, loiro, de olhos azuis. Ao contrário de Babe, tinha muitos amigos de ambos os sexos. As mulheres continuaram a cortejá-lo por muito tempo, mesmo depois que foi acusado de assassinato. Os psiquiatras o classificaram como tendo um intelecto normal; ele não era genial como o amigo. No entanto, ele tinha "características emocionais infantis".

Em 8 de agosto, Harold Hulbert, o especialista em endocrinologia da defesa, caminhou até o banco das testemunhas carregando pilhas de papéis e pastas de folhas soltas. Ele parecia nervoso e jovem em comparação com os médicos grisalhos e autoconfiantes que o haviam precedido. Hulbert ficou olhando as anotações empilhadas no colo e não fez contato visual com o advogado, apesar de todo o treinamento que recebera da equipe de Darrow. O promotor atacou o depoimento dos analistas freudianos, alegando que era baseado em rumores de criminosos que provavelmente mentiriam. Como refutação, Hulbert tentou mostrar que sua análise hormonal oferecia evidências duras e incontestáveis.

Havia um problema: embora os dados pudessem ser incontestáveis, a interpretação era controversa. Isso é o que frequentemente acontece. A maneira como os cientistas geram teorias baseadas em evidências nem sempre é clara. Eles são influenciados por suas próprias noções preconcebidas de saúde e doença, pelo que parece fazer sentido na época. É desse modo que avançam no conhecimento – mas também é como podem se perder. Às vezes, anos depois, outros pesquisadores conseguem distinguir os fatos da fantasia. Às vezes, eles jamais ficam sabendo.

Cushing arriscou-se quando formulou a teoria de tumores tão minúsculos no cérebro, causando estragos tão grandes no corpo. No final das contas, ele estava certo. Mas alguns dados não foram interpretados adequadamente; anos depois, alguns especialistas diriam que muitos de seus pacientes não apresentavam tumores cerebrais. Como sempre é o caso, apenas uma retrospectiva dirá se um cientista foi um pioneiro que abriu um novo caminho ou um investigador bem-intencionado que acabou tomando a direção errada.

O relatório Bowman-Hulbert, entre outras coisas, concluiu que Dickie Loeb, o líder popular, sofria de uma síndrome em múltiplas glândulas. Sua taxa metabólica era de menos dezessete por cento, um sinal, alegaram eles, de disfunção glandular. A taxa metabólica de Babe Leopold era de menos cinco por cento, anormal, mas nada fora do comum, já os raios X revelavam graves danos cerebrais. Sua sela túrcica, a parte do crânio que envolve a hipófise, era muito fechada. Pior ainda, sua glândula pineal estava calcificada.

"Nathan Leopold", disse Hulbert, "parece ser definitivamente um caso de distúrbio endocrinológico, envolvendo particularmente as glândulas pineal e hipofisária e o segmento autônomo do sistema nervoso vegetativo, associado a uma inferioridade cardiovascular-renal."

A pineal é uma glândula do tamanho de uma ervilha em formato de pinha que fica no fundo do cérebro. Ela calcifica com a idade. De acordo com os médicos, a glândula pineal de Leopold endureceu cedo demais. Descartes chamou a glândula pineal de a sede da alma. Madame Helena Blavatsky, fundadora da filosofia da nova era – a teosofia – no século 19, considerava a glândula pineal o "terceiro olho", uma noção que permanece entre alguns entusiastas da prática de ioga. Hoje, sabemos que a glândula pineal emite rajadas de melatonina que controlam o ritmo circadiano, nosso relógio interno. Nos tempos de Leopold e Loeb, ela estava ligada, ainda que de maneira hesitante, ao sexo e ao intelecto. O médico explicou que, por causa da pineal calcificada de Babe, ele tinha muita libido, mesmo para um garoto de dezenove anos.

Hulbert deu a Darrow exatamente o que ele queria: o testemunho de especialista afirmando que os meninos estavam se comportando sob a influência – isto é, sob a mortalha – de suas glândulas profundamente perturbadas. Como acrescentou Hulbert, esses distúrbios nas glândulas "removem a restrição normal que os indivíduos impõem a si mesmos". Após vários dias de interrogatório, Hulbert reiterou ao promotor que o "resumo dos achados psiquiátricos em Richard Loeb com base em meu estudo é que ele tem uma doença hormonal que o mantém adolescente, e esses atos de delinquência, incluindo o caso Frank, são o produto final de todas as coisas mencionadas anteriormente".

Caberia ao juiz liberal John R. Caverly, não aos psiquiatras, endocrinologistas ou advogados, decidir se essas alegações científicas se sustentariam no tribunal. Como os meninos se declararam culpados, este não foi um julgamento por júri, mas uma apresentação de argumentos para que o juiz decidisse o destino deles. Como escreveu Hal Higdon, autor de *Leopold e Loeb The Crime of the Century* (Leopold e Loeb: o crime do século): "o chamado julgamento do século, portanto, não seria um julgamento".

Em 10 de setembro de 1924, às nove e meia da manhã, aproximadamente duzentas pessoas cercaram o tribunal – as famílias dos meninos, os advogados e repórteres de todo o país. Todo mundo em Chicago parou o que estava fazendo para se reunir em rádios sintonizadas no WGN, que transmitia a decisão ao vivo. O juiz Caverly reconheceu que a análise cuidadosa dos médicos contribuiu para o campo da criminologia e que o valor de seus relatórios estava "em sua aplicabilidade ao crime e aos criminosos em geral". No entanto, ele disse: "o tribunal está convencido de que o julgamento do presente caso não será afetado por isso". Em termos mais simples, disse que, mesmo que a conexão endocrinológica com o crime estivesse clara, mesmo que os hormônios dos garotos tivessem ditado seu comportamento, isso não significava que eles poderiam se safar da pena pelo assassinato.

Pelo crime de assassinato, o juiz sentenciou os dois garotos à prisão perpétua em Joliet, no estado de Illinois. Por sua tenra idade, o juiz foi persuadido a não impor a pena de morte. Pela acusação de sequestro, também os condenou a 99 anos de prisão.[4]

Nove anos depois, em 28 de janeiro de 1936, Dickie Loeb foi morto com uma navalha por um companheiro de prisão, James Day. Day alegou que estava se defendendo dos avanços sexuais de Loeb. Babe Leopold foi solto em liberdade condicional depois de cumprir 34 anos de prisão, durante os quais foi considerado um preso exemplar. Em 5 de fevereiro de 1958, Babe mudou-se para Porto Rico, onde se tornou técnico em medicina e casou-se com Trudi Feldman, a viúva de um médico. Ele morreu de ataque cardíaco em 29 de agosto de 1971, aos 66 anos. Seu corpo foi doado à Universidade de Porto Rico sem nenhum propósito específico. Talvez tenha sido cortado em pedaços por estudantes de medicina em uma aula de anatomia do primeiro ano. Não há menção a ninguém que tenha estudado suas glândulas.

---

[4] A prisão de Joliet, inaugurada em 1858 e fechada em 2002, foi usada na cena de abertura do filme *Os irmãos caras de pau*, de 1980, também sendo a locação das filmagens da série *Prison Break* do canal Fox Network, exibida entre os anos de 2005 a 2009, e da comédia de 2006, *Bem-vindo à prisão*.

5
A vasectomia viril

Louis Berman, o médico psicoendocrinologista, tinha grandes ideias: desejava usar os hormônios para tornar o mundo um lugar melhor. Uma nação de corpos quimicamente equilibrados seria uma sociedade bem ajustada, livre de criminalidade, obesidade, estupidez e todas as outras características que Berman associava a hormônios defeituosos. Uma utopia, trazida a você por especialistas em hormônios.

Eugen Steinach, um fisiologista de Viena, também tinha grandes ideias, mas de um tipo diferente. Enquanto Berman considerava o cenário geral, Steinach focava em pequenas parcelas do horizonte – um homem de cada vez. Começando na década de 1920, e por quase vinte anos, Steinach foi pioneiro em um dos tratamentos de rejuvenescimento mais populares e controversos. Ele afirmava que as vasectomias aumentavam o desejo sexual, melhoravam o intelecto, a energia e praticamente qualquer outra coisa que fosse vítima da passagem dos anos. Steinach acreditava que o bloqueio da saída das secreções masculinas (que é o que faz uma vasectomia) provocava uma congestão delas, da mesma forma que um congestionamento causa um acúmulo de carros.

Se você avaliar o sucesso de um experimento pela quantidade e qualidade das evidências científicas, as vasectomias para rejuvenescimento não eram altamente bem-sucedidas. Se, por outro lado, você avalia o sucesso de um experimento com base nos depoimentos e no número de clientes pagantes, a vasectomia seria uma sensação global. Era tão popular, de fato, que o nome de Steinach se tornou um verbo: fazer um "Steinach" significava fazer uma vasectomia rejuvenescedora. Sigmund Freud foi "steinachezado". William Butler Yeats, o poeta, foi "steinachezado".

Steinach não era "steinachezado". Talvez seja por isso que ele não parecia rejuvenescido. Quando estava promovendo o tratamento, ele parecia um homem velho, com uma longa barba grisalha e um bigode retorcido. Ele usava ternos escuros severos, mais adequados a um agente funerário.

E Steinach nunca "steinachezou" ninguém. Isso porque, mesmo sendo médico, ele não tinha pacientes. Ele preferia fazer pesquisas em ratos de laboratório e depois instruía seus amigos cirurgiões sobre qual era a melhor maneira de operar as pessoas, de acordo com o que ele fazia com os roedores. Steinach disse que os resultados só eram garantidos quando ele supervisionava a operação. O pesquisador deve ter assistido a centenas de cirurgias. Pelo menos alguns outros milhares de homens foram "steinachezados" sem que Steinach estivesse na sala de operações. A década de 1920 foi, com certeza, um momento emocionante para a endocrinologia, mas foi também uma época muito confusa. As descobertas floresceram na mesma profusão que os falsos remédios. Vendedores ambulantes e cientistas sérios estavam todos lidando com o mesmo conjunto de teorias e frequentemente obtendo quase os mesmos resultados. Em ambos os lados, havia remédios, dietas e procedimentos questionáveis supostamente indicados para curar essa ou aquela doença. Para o consumidor, muitas vezes era difícil distinguir os vigaristas de especialistas. Você poderia dizer que os médicos sérios eram crentes; se as coisas não saíam como o planejado, tratava-se de um erro bem-intencionado. Eles eram médicos e membros de uma elite estabelecida. Por outro lado, os vigaristas inveterados eram os caras que estavam ali apenas pelo dinheiro, vendendo curas milagrosas que sabiam que não existiam. Mas havia uma vasta área nebulosa no meio de tudo isso. E realmente, quem pode conhecer as intenções de um homem? Nem sempre é fácil saber quem tinha intenções desonestas e quem foi simplesmente levado pelo entusiasmo da época.

Havia o respeitável Serge Voronoff, um médico em Paris, que transplantava testículos de macacos em homens para aumentar sua virilidade. Os médicos em geral consideravam-no um cirurgião bem-intencionado, porém equivocado. Havia também o vergonhoso John Brinkley, conhecido como o médico da glândula de cabra, pois vendia testículos de cabra para aumentar o desejo sexual humano. Ele fez uma fortuna. Os clientes compraram seu par de gônadas favorito na fazenda e eram submetidos à cirurgia em sua cozinha, com a ajuda da esposa de Brinkley. Brinkley não era um médico de verdade; ele havia comprado um diploma de medicina na Itália.

A elite médica preocupava-se com o efeito de todo esse charlatanismo no *status* da medicina. "É patético, se não nojento, testemunhar essa orgia endocrinológica agora galopante em nossa profissão", escreveu Hans Lisser, endocrinologista de São Francisco, a Harvey Cushing em 1921. "Parte disso é resultado de uma ignorância absurda, e a outra parte é infelizmente resultado da ganância comercial. A endocrinologia está rapidamente se tornando uma palhaçada e uma especialidade de reputação duvidosa, e já está mais do que na hora de dizer algumas palavras corajosas e honestas."

Como o parisiense Voronoff, Steinach era tido como um verdadeiro cientista e não um charlatão. Ele teve onze indicações ao Prêmio Nobel (não por causa da cura por meio de vasectomia, mas por pesquisas legítimas em hormônios sexuais), dirigiu um dos principais laboratórios da Europa (o departamento de fisiologia do Instituto Biológico da Academia de Ciências de Viena) e publicou cerca de cinquenta artigos científicos. Entre seus muitos avanços no campo, Steinach descobriu que as células que revestem o ducto espermático (chamadas Leydig ou células intersticiais) produzem testosterona.

A vasectomia de Steinach para aumentar a libido baseava-se em teorias que haviam sido usadas por séculos. Desde os tempos antigos, os curandeiros transformavam testículos e ovários de animais em poções, produzindo remédios em pó que eram dissolvidos em coquetéis medicinais ou misturados na comida. Em 1889, um neurologista de Paris, Charles Édouard Brown-Séquard, de 72 anos, injetou em si mesmo uma mistura das secreções testiculares de porquinhos-da-índia e cães e alegou que isso aumentou sua libido, força, quadruplicou a duração do jato de urina e regulou suas entranhas. Ele também se sentia trinta anos mais novo. Steinach acreditava que sua abordagem era mais científica do que a de Brown-Séquard. Este anunciou sua descoberta no dia 1º de junho daquele ano, uma data em que considerou o nascimento da ciência da endocrinologia. Nem todo mundo concordou. Muitos colegas se perguntaram como alguém que havia feito grandes progressos em uma especialidade médica séria poderia ter se desviado daquela maneira. A imprensa zombou dele. Uma revista médica alemã disse que "as experiências fantásticas de Brown-Séquard com extratos testiculares devem ser consideradas quase como aberrações senis". Outro cientista escreveu que sua palestra "deve ser vista como mais uma prova da necessidade de aposentadoria compulsória para professores que atingiram sessenta anos ou mais".

No entanto, os remédios à base de secreções testiculares de Brown-Séquard já foram o tratamento da vez, procurado por homens que queriam rejuvenescer alguns anos. Ao que parece, esses tratamentos fizeram sucesso por cerca de cinco anos, até que Brown-Séquard teve um derrame aos 76 anos e faleceu, uma morte adequada para um homem da idade dele, mas que foi considerada inadequada para alguém supostamente rejuvenescido. Como era de se esperar, a morte de Brown-Séquard foi um golpe esmagador para a credibilidade de seus remédios.

Steinach argumentava que sua técnica de vasectomia superava as curas anteriores porque era livre de riscos e totalmente natural. Segundo ele, a cirurgia levava vinte minutos (apenas um corte e a sutura do duto do esperma) e era completamente segura. Ajustar os hormônios internos, acrescentou, era preferível a implantar hormônios produzidos fora do corpo do paciente.

Os homens faziam filas para realizar a vasectomia, acreditando que se tornariam mais fortes, mais sábios e mais atraentes. Yeats afirmou que a cirurgia "renovou o meu poder criativo, meu desejo sexual e, com toda a certeza, os efeitos perdurarão até a minha morte". Um homem de 71 anos (um dos muitos depoimentos nas memórias de Steinach), cansado e triste e que perdeu todo o interesse em sexo, afirmou que após a operação "minha memória está melhor, eu entendo as coisas mais rapidamente. Agora vivo como um homem com cerca de quarenta ou cinquenta anos e estou tão bem-disposto que me pego cantando".

A ascensão e queda da vasectomia revitalizante é uma demonstração dos poderes do placebo e da publicidade – como, mesmo em medicina, estar no lugar certo na hora certa pode fazer a diferença entre fracasso e sucesso.

Steinach se deparou com uma sociedade que desejava experimentar novas terapias hormonais, ansiosa por técnicas de autoaperfeiçoamento e disposta a pagar por elas.

Nos Estados Unidos e na Europa, os anos entre as guerras mundiais foram um tempo de interiorização, com um distanciamento dos assuntos globais. Uma profusão de livros de autoajuda foi vendida e os autoproclamados gurus da cura floresceram. Se você tivesse condições de pagar, poderia estar deitado no divã fazendo análise com um psicólogo treinado por Freud. As mulheres compravam livros de dieta e ficavam sem comer para caberem em vestidos com o quadril marcado, estilo "melindrosas". Os homens liam revistas sobre músculos para aprender dicas com os especialistas em exercícios, como Bernarr Macfadden, um discípulo de Charles Atlas e fisiculturista, pioneiro na moda das academias. O empreendimento de autoaprimoramento foi reforçado por uma indústria de publicidade burguesa em expansão, que impulsionou a cultura de consumo em ascensão. Os anúncios publicitários transformaram luxos em necessidades. Carros e geladeiras não eram mais indulgências, mas elementos essenciais. Os utensílios domésticos foram inventados um após o outro: torradeiras, centrífugas para roupas, barbeadores elétricos, entre outros. Em concordância com a onda consumista e a necessidade de autoaprimoramento, muitos homens e mulheres estavam dispostos a gastar dinheiro em tratamentos de saúde. Os novos produtos não eram vistos como extravagâncias, mas como vitais para o bem-estar. Michael Pettit, em sua tese *Becoming Glandular* (Tornando-se glandular), chamou a endocrinologia na década de 1920 de a "tecnologia do eu".

Steinach não havia planejado criar uma técnica de rejuvenescimento de grande sucesso. Seus objetivos iniciais eram mais modestos, mais acadêmicos. Como afirmou, tudo o que queria fazer era estudar a biologia das glândulas sexuais em ratos e talvez lançar luz sobre a fisiologia humana.

Os avanços científicos se devem a uma combinação de curiosidade e ceticismo. Os melhores pesquisadores não leem estudos apenas para descobrir novas informações. Eles analisam os dados e os questionam. Bons cientistas não conseguem aceitar tudo, principalmente quando encontram contradições. Eles precisam ir atrás da verdade.

E assim era Steinach. Um estudo o deixou intrigado e irritado. Em 1892, quando ainda era um pesquisador incipiente, muito antes de estar nas manchetes com sua cura por meio de vasectomia, Steinach se deparou com um estudo sobre o sexo dos sapos. O artigo descrevia como os sapos machos grudam-se nas fêmeas como se tivessem colados com Super Bonder e não se soltam até terem ejaculado. O autor descrevia uma cadeia de eventos que começava com uma glândula hormonal e culminava com pés pegajosos. Segundo ele, quando o sapo macho se aproxima da fêmea, um órgão cheio de líquido perto da próstata e dos testículos se incha, atingindo os nervos, que emitem um aviso, como um sinal elétrico, que viaja para cima e atinge o cérebro. O cérebro, em resposta, envia um sinal ao longo de outros nervos para as patas e aumenta sua viscosidade; assim, quando os anfíbios acasalam, eles ficam presos. Quando o sêmen é liberado, a glândula que retém o esperma encolhe como um balão liberando ar, aliviando a pressão sobre os nervos, que, pela mesma via, reduzem a aderência nas patas. Em suma, o desejo sexual foi estimulado por um órgão inchado que empurra um nervo.

Steinach tinha suas dúvidas. "Mas me pareceu pelo menos duvidoso que um fenômeno tão importante para a vida como o instinto de reprodução dependesse de um fator local variável, como o preenchimento e a distensão resultante das vesículas seminais", escreveu ele. As vesículas seminais, pequenos tubos enfiados entre a próstata e a bexiga, liberam o fluido que dá ao sêmen sua consistência pegajosa. Hoje em dia sabemos que não era apenas a análise das patas pegajosas do sapo que estava errada; todo o relato do sexo do sapo estava errado. Os sapos se abraçam, mas não estão presos um ao outro. O sapo macho agarra a fêmea com força (o que é chamado de amplexo) e aguenta até que ela vibre e libere óvulos que possam ser fertilizados na água pelo esperma.

Steinach continuaria fazendo uma série de experimentos, a princípio desmentindo a teoria dos nervos. Assim como Starling mostrou que são os hormônios, não os nervos, que controlam o pâncreas, Steinach mostraria que são os hormônios, e não os nervos, que controlam o desejo sexual.

Para testar a teoria do nervo vesicular, Steinach removeu a glândula secretora de sêmen de quatro ratos. Se o desejo sexual (nesse caso, medido pelo desejo de se agarrar a uma fêmea) fosse controlado pelos nervos, os ratos sem glândulas não teriam desejo algum. Mas seus machos sem glândulas cobiçavam ratos fêmeas. Steinach estava empolgado. "O que eu pude testemunhar quase beirou o inacreditável", escreveu ele. "Depois do cortejo habitual, os ratos machos operados montaram repetidamente nas fêmeas, que se defenderam arduamente. Essa batalha sexual diminuiu até certo ponto após dois dias, mas mesmo nas últimas horas da noite era notável que a excitação sexual dos machos operados permaneceu intacta." Ele publicou suas descobertas em 1894 em uma revista científica alemã, chamando seu artigo de *Untersuchungen zur vergleichenden Physiologie der männlichen Geschlechtsorgane* (Investigações na fisiologia comparativa dos órgãos sexuais masculinos, particularmente nas glândulas sexuais acessórias). Ele havia provado que um pesquisador importante estava errado, mas isso levantava uma questão vital: o que impulsiona o desejo sexual? Seriam os hormônios?

Steinach afirmou que os cientistas deveriam procurar por sinais hormonais em vez de rastrear os nervos. Seu pensamento era semelhante ao de Cushing, que estudou a hipófise de pessoas gordas, e ao de Berman, que estudou as glândulas hormonais dos criminosos. Steinach acreditava que o desejo sexual estava sob a influência de um hormônio que fluía pelo sangue; o desejo não era controlado pelos nervos em uma conexão restrita, como um brinquedo mecânico. Antes do início do século 20, os pesquisadores tinham apenas uma vaga noção de que as causas de nossos impulsos estavam escondidas dentro de minúsculas glândulas do corpo, observou Steinach. Ou, como disse, "inicialmente se supunha que todo o complexo fenômeno era puramente nervoso e que a única função das gônadas era estimular terminações nervosas periféricas".

Steinach viu mais do que isso nas glândulas. Ele acreditava que elas eram mais poderosas do que os nervos. Ele não descartou a ideia de que os nervos tinham algo a ver com impulsos sexuais e com a puberdade, mas não acreditava que fossem o fator principal. Steinach tinha muitas perguntas. Essas secreções internas poderiam explicar o que define homens e mulheres? "Todo mundo sabe, mesmo sem livros", escreveu ele, "que os homens são geralmente mais duros, mais enérgicos e mais empreendedores do que as mulheres, e que as mulheres mostram uma maior inclinação à ternura e devoção, e um amor à segurança junto com uma aptidão prática para problemas domésticos." Ele estava dizendo que os hormônios ovarianos de uma mulher a deixavam mais propensa a ficar em casa e a nutrir seu homem?

Seguindo as pistas de Arnold Berthold, o pesquisador pioneiro de hormônios que realizou os experimentos com testículos de galo em 1848, Steinach removeu os testículos e observou os ratos murcharem. Então, assim como Berthold reimplantou testículos nas barrigas das aves, Steinach inseriu os testículos nas barrigas dos ratos. Voilà! A energia dos ratos aumentou e seu desejo sexual ressurgiu. Como já havia sido demonstrado mais de meio século antes, os testículos funcionam independentemente de onde estão. Mais dados que derrubaram a teoria dos nervos como essenciais nas funções corporais, promovendo uma teoria que ressalta a importância das funções endócrinas.

Mas o que realmente despertou a curiosidade de Steinach – o que realmente o levou às gaiolas de ratos – foi a questão das emoções e do sexo. Seria possível que o cérebro, o humor, influenciasse os hormônios? Em 1910, Steinach desenvolveu um experimento para testar se os ratos machos aprenderam com outros ratos a desejar fêmeas, se o desejo sexual emergia de algo que as fêmeas emitiam ou se era inato e tinha sua origem nos hormônios masculinos.

Ele colocou dez ratos machos em gaiolas, seis sozinhos e os outros em um grupo de quatro ratos. Ele manteve todos eles separados das fêmeas. Quando os ratos tinham quatro meses de idade, uma rata fêmea no cio foi colocada em cada gaiola. "Todos os ratos machos mostraram ao mesmo tempo um impulso distinto em relação a essas fêmeas, e imediatamente uma brincadeira erótica veemente se iniciou, com a virilidade normal afirmando-se em uma atitude impetuosa em relação a ratos machos estranhos introduzidos com as fêmeas." Simplificando: os ratos machos competiram entre si para se aproximar das fêmeas.

Os machos foram então separados das fêmeas e reintroduzidos às fêmeas no cio uma vez por mês. Após oito meses de separação em visitas limitadas, Steinach relatou que os ratos perderam o desejo sexual. Embora tivessem coragem de estar com fêmeas, a falta de contato com o sexo oposto diminuía o desejo dos machos. Isso provou, segundo ele, os laços entre os hormônios e o cérebro: uma estimulação cerebral é necessária para manter os níveis hormonais.

Steinach não monitorava a atração entre machos, nem se importava com a libido feminina. Seu foco estava no rato heterossexual masculino.

Em seguida, ele tentou reverter o experimento. Colocou uma barreira de malha de arame em cada gaiola e introduziu uma fêmea, para que parceiros em potencial pudessem cheirar um ao outro, mas sem que pudessem fazer sexo. Dentro de semanas, os ratos machos voltaram a ter o desejo sexual de antes. "Sem hesitação, eles começaram imediatamente o tipo de perseguição que aprendemos a reconhecer como sexual. Essa erotização também se mostrou em outros sinais de virilidade renovada, como intolerância, agressividade e ciúmes em relação aos rivais, que foram violentamente agredidos."

Quando Steinach dissecou os ratos, descobriu que aqueles que foram mantidos separados das fêmeas exibiam vesículas seminais e próstatas diminuídas. As vesículas e próstatas daqueles que haviam brincado com o sexo oposto eram grandes. Steinach acreditava que isso confirmava, mais uma vez, a poderosa influência da psique sobre o desejo sexual e desmentia mais uma vez a teoria dos nervos. (Steinach esqueceria o poder da psique alguns anos depois, quando alegou que a cura por meio de vasectomia acontecia por influência das substâncias químicas e não por causa do poder da sugestão.)

Para Steinach, cada experimento resolvia um enigma, mas revelava outro. Depois de monitorar as preliminares dos roedores, ele refletiu sobre a especificidade sexual das gônadas. Em outras palavras, os ovários ou testículos funcionavam como uma espécie de interruptor que ativava uma feminilidade ou masculinidade inatas? Você nasceu, digamos, um menino, e seus testículos colocaram a máquina em ação na puberdade? Nesse caso, você poderia colocar um ovário em um macho castrado (rato, cachorro ou humano) e transformar esse jovem pré-pubescente em um homem adulto?

Steinach castrou dois porquinhos-da-índia e introduziu-lhes ovários. Castrou as fêmeas e introduziu testículos. Então, monitorou o comportamento e a aparência dos animais. Os machos com ovários, mas sem testículos, apresentaram o crescimento de mamilos, pelos mais macios e um instinto maternal "com o mesmo cuidado, devoção e paciência que os naturais de uma fêmea normal". Ele castrou duas fêmeas e transplantou testículos em uma delas.

Steinach observou o surgimento de um clitóris grande, pelos grosseiros e um comportamento "exatamente como um macho normal". Segundo ele, a fêmea "fareja qual das fêmeas está no cio e imediatamente inicia um cortejo vigoroso e persistente, fazendo repetidas tentativas de contato sexual... a erotização do cérebro [sic] se desenvolveu em uma direção definitivamente masculina". Em outras palavras, as gônadas, Steinach decidiu, continham a essência da masculinidade e da feminilidade. Ele publicou suas descobertas em 1912 em um artigo chamado *Arbitrary Transformation of Male Mammals into Animals with Pronounced Female Sex Characters and Feminine Psyche* (Transformação arbitrária de mamíferos machos em animais com caráter sexual feminino pronunciado e psique feminina).

Steinach acreditava que havia encontrado a causa da homossexualidade: um nível fora do normal de hormônios femininos e não, como pensava então, ter tido uma criação ruim. Ele declarou que ninguém é mulher pura ou homem puro.[5] Ele imaginou que em algum momento do estágio fetal, os bebês não tinham sexo definido (o termo gênero ainda não era usado para os seres vivos) e poderiam se tornar homem ou mulher, isso dependia de qual hormônio seria dominante e qual seria suprimido. Se os cientistas pudessem explorar esse estágio inicial, seria possível controlar o sexo do bebê – mas, Steinach acrescentou, não a orientação sexual. "A decisão mais importante na vida de uma criatura, a decisão de passar pela vida como homem ou mulher", ele escreveu, "não é mais uma questão de sorte." Karl Kraus, um comediante austríaco, disse esperar que Steinach transforme as "sufragistas" em mulheres maternais.

Steinach disse que suas descobertas explicam por que alguns bebês nascem com genitais duplos (chamados de hermafroditas na época) – porque seus corpos não foram capazes de suprimir um dos sexos. E ele alegava ser possível "curar" homossexuais removendo seus testículos e substituindo-os por testículos de um homem heterossexual. Steinach relatou que dentro das células intersticiais dos homossexuais (as células que revestem o ducto espermático), ele teria encontrado grandes células que normalmente não são

---

5   Alfred Kinsey, algumas décadas depois, acreditava que havia um espectro em que todos são classificados na escala Kinsey de heterossexualidade que vai de 0 a 6, com poucas pessoas nos dois extremos. Se você for ao Kinsey Center, poderá comprar uma camiseta com o desenho da posição escolhida por você no ranking.

vistas em homens. Ele as apelidou de células F e disse que pareciam células ovarianas. Steinach suspeitava que essas células F secretassem hormônios femininos. Alguns médicos holandeses concordaram e acrescentaram que a descoberta de Steinach explicaria não apenas a homossexualidade completa, mas o comportamento "desviante" em homens heterossexuais que ocorria em locais onde havia a presença exclusiva de homens, como prisões ou internatos para meninos. Eles chamaram isso de comportamento pseudo-homossexual.

Então, o que tudo isso tem a ver com vasectomias? Steinach combinou evidências e suposições para formular sua teoria de que a vasectomia aumenta o intelecto e a libido. Steinach acreditava que a pesquisa provava que as gônadas estão intimamente entrelaçadas com a psique e que quanto mais hormônio masculino uma pessoa tem (a testosterona ainda não foi isolada e sequer tinha esse nome), mais se comportaria como um homem agressivo e luxurioso. Sua suposição era que, se ele destruísse uma glândula, a glândula adjacente iria compensar demais. Quando Steinach bloqueou o ducto espermático, por exemplo, afirmou que as células secretoras de hormônios se multiplicaram. Agora os cientistas sabem que ele estava errado. As células não são ervas daninhas que crescem demais porque as flores próximas são colhidas.

No final da década de 1920, Steinach testou sua teoria em roedores idosos. Eles tinham dois anos de idade. "Um rato velho costuma ser algo lamentável de se assistir", escreveu ele. Ele balança a cabeça, dorme a maior parte do tempo e cambaleia apaticamente quando encontra uma fêmea. Um mês após sofrerem uma vasectomia, os ratos "despertaram". De repente, os ratos "se tornaram animados, curiosos e atentos ao que estava acontecendo com eles", escreveu Steinach. "Quando as fêmeas no cio foram trazidas até eles, os machos se levantaram imediatamente de seus ninhos para persegui-las, cheirá-las e cobri-las. Portanto, a reativação foi alcançada, tanto física quanto psiquicamente."

Em 1º de novembro de 1918, o Dr. Robert Lichenstern, amigo de Steinach, realizou a primeira vasectomia objetivando unicamente o rejuvenescimento. Seu paciente era Anton W., um motorista de carruagem de 43 anos. O paciente mostrava-se cansado e esquelético, relatando que tinha dificuldade em respirar e mal conseguia trabalhar. A operação foi realizada com anestesia local. Lichtenstern abriu o escroto, cortou o ducto deferente (o tubo que transporta o esperma do escroto para a uretra) e fechou as pontas soltas. Em essência, ele transformou uma rota de trânsito em um beco sem saída. (Hoje em dia, uma vasectomia é praticamente o mesmo procedimento, mas com uma incisão menor e sem promessas de rejuvenescimento ou proeza sexual aprimorada.) Um ano e meio depois, Anton W. era um novo homem, ou melhor, um homem de meia-idade com atitude mais jovem. O médico relatou que sua pele havia recuperado a suavidade, ele adquiriu uma postura ereta e era capaz de trabalhar com vigor renovado.

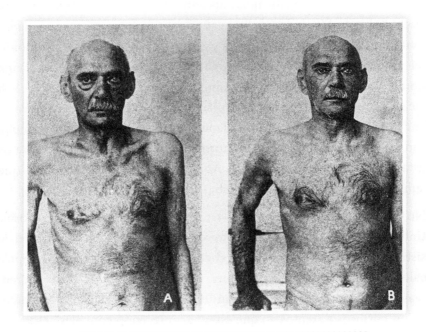

Um homem de 72 anos antes e depois da operação Steinach.
Cortesia da Biblioteca Wellcome, Londres.

Logo, médicos da Europa e dos Estados Unidos estavam escrevendo para Steinach relatando resultados espetaculares. Homens na casa dos oitenta anos afirmaram ter recuperado a vitalidade e o vigor, além da memória e a perspicácia nos negócios. Um cirurgião de Nova York que "steinachezou" um corretor de ações de 83 anos relatou uma "melhoria extraordinária no estado geral de sua saúde". Antes do procedimento, ele era um "velho decrépito" e mal podia trabalhar; logo depois, tornou-se um homem de negócios próspero que não tinha mais problemas urinários e teve sua visão melhorada.

Os jornalistas adoraram a história. "O tratamento de glândulas se espalha na América", declarou o *New York Times* em 1923. "Novo Ponce de Leon está chegando", era a manchete do *Baltimore Sun* anunciando a turnê de palestras americanas de Steinach. No entanto, ele nunca chegou a pisar nos Estados Unidos . Afirmando que odiava publicidade, Steinach se recusou a dar entrevistas. Ele culpou a imprensa americana por distorcer os fatos, insistindo que não estava vendendo a fonte da juventude eterna. Mas ele também não era humilde. "Meu trabalho abalou a humanidade", disse ele.

Os médicos céticos estavam preocupados com o fato de que a "steinachezação" e outras terapias charlatanistas pudessem prejudicar a imagem da medicina, afastando a próxima geração de jovens médicos em potencial. "Nós temos sido Voronoffed e Steinached – Brinkleyed também", escreveu o Dr. Van Buren Thorne no *New York Times*, em 1922. Dr. Morris Fishbein, editor do *Journal of the American Medical Association*, chamou a "steinachezação" de "*hocus pocus*". Outros médicos atribuíram os depoimentos positivos ao efeito placebo. Steinach respondeu que os estudos refutavam essa afirmação; vários médicos, disse ele, realizaram vasectomias em pacientes inconscientes apenas para testar sua eficácia. Os pacientes haviam entrado no centro cirúrgico, digamos que para uma operação de hérnia, ou alguma outra cirurgia naquela região, talvez para remover um cisto, e, sem seu conhecimento, também receberam uma vasectomia. Meses após o procedimento, quando os pacientes foram questionados se estavam se sentindo mais inteligentes, com mais libido ou mais jovens, os cirurgiões alegaram que todos disseram que sim. (Deve-se observar que as vasectomias secretas foram feitas muito antes de o consentimento informado ser obrigatório, e que agora os pacientes assinam formulários explicando exatamente o que vai acontecer na sala de operações.)

Mas isso realmente provava a eficácia do procedimento Steinach? Os voluntários podem não saber que fizeram uma vasectomia, mas sabiam que algo havia sido feito em seu corpo com o objetivo de melhorar sua saúde. Quando o médico perguntou se estavam se sentindo melhor, eles podem ter preferido responder positivamente. Mais do que isso, os sucessos relatados foram todos baseados em depoimentos que estavam longe do padrão-ouro atual: o estudo clínico aleatório de dupla ocultação. Steinach não dividiu, como seria de esperar hoje, os homens em dois grupos e fez a operação real em metade deles e uma falsa operação na outra metade. Ele não se certificou que nem o paciente nem o avaliador soubessem quem recebeu qual operação; essa é a parte da dupla ocultação. Esse tipo de experimento rigoroso só se tornou algo comum no final do século 20. Steinach fez o que era apropriado em seu tempo.

A série de operações e a publicidade positiva estimularam a popularidade de seus métodos – exceto quando a publicidade não saía como o planejado. Alfred Wilson, um inglês "steinachezado" de setenta anos, ficou encantado com os resultados obtidos. Ele pagou setecentas libras pela vasectomia e queria compartilhar seu rejuvenescimento com o público. Wilson alugou o Royal Albert Hall de Londres – que hospedara o compositor alemão Richard Wagner em 1877 e abrigaria os Beatles em 1963. Seu plano era se apresentar ali, mostrando a todos a sua vivacidade e responder as dúvidas da plateia. Seu show masculino, "Como me tornei vinte anos mais jovem", teve os ingressos esgotados para uma apresentação a ser realizada em 12 de maio de 1921. Mas na noite anterior à tão esperada apresentação, Wilson morreu vítima de um ataque cardíaco. O fato rendeu uma ótima história para os tabloides. Steinach alegou que a cirurgia não tinha nada a ver com a morte de Wilson.

Por um tempo, a popularidade do procedimento permaneceu nas alturas. Norman Haire, um ginecologista australiano que atendia em Londres, escreveu um livro sobre a "steinachezação", descrevendo mais de duas dúzias de vasectomias bem-sucedidas que havia realizado. (É estranho que um homem vá a um ginecologista para fazer uma vasectomia.) Um de seus pacientes era um médico de 57 anos de idade que disse que suas ereções se tornaram vigorosas e a operação reparou "alguma desarmonia nas relações com a esposa, que é muitos anos mais jovem". Em 1929, em uma reunião do Congresso Internacional da Liga Mundial para a Renovação Sexual em Londres, Peter Schmidt, um médico alemão, anunciou que havia realizado seiscentas vasectomias, todas com bons resultados.

Hoje, sabemos que, embora alguns estudos sugiram que você possa ter um pequeno aumento passageiro de testosterona após uma vasectomia, na maioria das vezes, isso não afeta os níveis hormonais. Em outras palavras, após uma vasectomia, nada muda, exceto que você não vai mais liberar esperma. No entanto, o que acabou afetando o sucesso fenomenal da operação de Steinach não foram as falhas da cirurgia ou sua inutilidade como estimuladora da libido, mas o isolamento dos hormônios. Surgiram opções mais fáceis – um medicamento em vez da cirurgia.

Steinach errou quando explicou como sua operação funcionava – causando um crescimento excessivo das células intersticiais. Mas não funcionava dessa forma. No entanto, ele acertou muita coisa. Steinach estabeleceu que as células intersticiais são a principal fonte de hormônios sexuais nos homens. Ele foi pioneiro nas ideias de comportamento sexual como uma interação complexa entre as gônadas e o cérebro, que também incluía a ação dos nervos. E, embora isso não possa não se encaixar na categoria "ele acertou muita coisa", Steinach ajudou a promover o negócio lucrativo dos hormônios sexuais. Ele criou um mercado de medicamentos para rejuvenescimento baseado em hormônios.

Apesar de toda a loucura, havia muita ciência séria. Os pesquisadores estavam explorando os mais novos campos de pesquisa de laboratório, combinando biologia e química. Muitas dessas descobertas foram manchetes de jornal – o isolamento do estrogênio, progesterona e testosterona[6]. Porém, entre esses achados, há uma descoberta hormonal que é frequentemente negligenciada. A pesquisa inicial começou na Alemanha no final da década de 1920 e culminou quase uma década depois em Baltimore, onde uma jovem e atrevida estudante de medicina teve a ousadia de pensar que poderia resolver um mistério médico.

---

6   Estrogênio e progesterona foram isolados em 1929, e a testosterona, em 1931.

6
Almas gêmeas em hormônios sexuais

Por quase meio século, a Dra. Georgeanna Seegar Jones dividiu uma mesa com o marido, Dr. Howard W. Jones Jr. Era uma mesa de parceiros, uma grande mesa antiga de mogno com gavetas nos lados opostos para que duas pessoas pudessem trabalhar juntas em um espaço construído para apenas uma.

Os Jones eram conhecidos por outras coisas além da devoção de uma vida toda um ao outro. Em 1965, eles trabalharam com Robert Edwards, da Universidade de Cambridge, e fertilizaram um óvulo humano em um laboratório, algo que nunca havia sido feito antes. Edwards gerou o primeiro bebê de proveta do mundo em 1978. Três anos depois, os Jones realizaram a primeira fertilização *in vitro* bem-sucedida da América e ajudaram a lançar o lucrativo negócio das modernas clínicas de fertilidade.

Apesar de todo o entusiasmo com o bebê no tubo de ensaio, poucas pessoas percebem que os Jones lançaram o negócio das clínicas de fertilidade depois de terem se aposentado. E menos gente ainda percebeu que Georgeanna Seegar Jones gerou um impacto no campo da endocrinologia muito antes de os bebês serem feitos em placas de Petri, e muito antes de as mulheres começarem a fazer história nesse campo científico tão masculino.

Tudo começou em uma fatídica noite: 29 de fevereiro de 1932. O dia do salto. Georgeanna Seegar, uma estudante universitária, participou de uma palestra no Hospital Johns Hopkins porque seu pai, obstetra e ginecologista, havia insistido. Naquela noite, o neurocirurgião e endocrinologista pioneiro

Harvey Cushing era o orador. Essa noite também deu início ao romance entre Seegar e Jones. O pai de Jones também era médico, e o pai de Seegar havia feito o parto de Jones em 1910. Quando crianças, os dois brincavam juntos no gramado do hospital, enquanto seus pais visitavam pacientes nos fins de semana. Por décadas, Seegar diria que aquela noite no Hopkins mudou sua vida. Ou, como Jones adorava dizer, "eu, é claro, pensei que ela estava se referindo ao fato de que nós dois nos reencontramos naquela noite, mas nada disso: ela estava se referindo ao fato de que Cushing a havia impressionado tanto com sua descrição das anormalidades nas secreções internas, que ela estava determinada a tornar a endocrinologia, então um assunto relativamente novo, a sua especialidade no campo da obstetrícia e ginecologia".

Howard e Georgeanna Jones, 1958.
Cortesia do A. Aubrey Bodine.

Seegar, como seu pai esperava, se matriculou na faculdade de medicina Johns Hopkins no ano seguinte. O apaixonado Jones, então estudante do segundo ano, procurou Seegar em sua mesa de anatomia. Ela compartilhava um cadáver com Al Schwartz, amigo de Jones desde os anos de graduação em Amherst. Isso forneceu uma boa desculpa para Jones se aproximar e iniciar uma conversa. Ter um encontro, na linguagem do Hopkins, geralmente significava estudar junto na biblioteca. Para Seegar e Jones, também significava examinar pedaços de ovários em um microscópio no laboratório de patologia. Finalmente, Schwartz disse a Jones que já era hora de levar Seegar a um encontro de verdade.

Jones tomou coragem e convidou Seegar para andar a cavalo no Dia de Ação de Graças, como sabia que ela tanto gostava. Mas naquela manhã caiu uma chuva muito forte. "Por alguma razão, eu não propus outra atividade", lembrou Jones cerca de oitenta anos depois. "Por que eu não sei, mas simplesmente não sugeri nada." Cerca de um mês depois, os dois finalmente tiveram um primeiro encontro. Era um dia animado e ensolarado, véspera de ano novo de 1933. Eles foram até os estábulos ao norte de Baltimore.

"Nós nos referíamos às mulheres que faziam medicina naquela época como 'médicas galinha' e isso implicava um certo efeito, que não era exatamente um efeito feminino: usavam sapatos baixos, vestidos largos", disse Jones. "Eu me refiro a isso como um visual acadêmico. Você parecia ter poucas chances de se casar." Jones estava com cem anos de idade, folheando fotos em preto e branco de si mesmo e Seegar em seus anos jovens, e todos os detalhes estavam frescos em sua mente. "Ela não era assim", acrescentou. "Usava sapatos de salto alto. Ela se vestia bem, bastante arrumada."

Quando estavam nos primeiros anos da faculdade de medicina, Jones descobriu uma maneira de garantir que ele e Seegar jantassem juntos pelo menos uma vez por semana. Ele lançou um clube, convidando uma dúzia de outros estudantes e o orientador obrigatório da faculdade para que tudo fosse legítimo. O objetivo do clube – além de ver sua namorada – era discutir um livro médico publicado recentemente: "Sexo e secreções internas: um precioso relato de tudo o que alguém gostaria de saber sobre o crescente campo de estudos do sexo e dos hormônios sexuais". O livro foi editado por Edgar Allen, professor da Universidade de Washington em St. Louis. Allen, juntamente com Edward Doisy, ficou famoso pela purificação do estrogênio em 1929. O livro incluía capítulos de um grupo eclético de pesquisadores de hormônios, incluindo fisiologistas, biólogos e psicólogos, além de entomologistas e ornitólogos. O relato começava traçando os hábitos de acasalamento de insetos, passava a discorrer sobre a plumagem de pássaros e culminava com a fisiologia das anormalidades sexuais humanas.[7] Tratava-se de um tomo médico sério e complicado, que abordava as mais recentes teorias sobre sexo, sexualidade e fisiologia da puberdade.

Jones chamou essas reuniões de o Clube do Sexo. Eles se reuniam todas as sextas-feiras às cinco horas no Shop, um restaurante popular na esquina das ruas Wolfe e Monument, a cinco minutos a pé do *campus*. Entre hambúrgueres e *milk-shakes*, eles discutiram o livro, um capítulo de cada vez. Na primeira reunião, os estudantes pegaram seus hambúrgueres e se aprofundaram na biologia básica da diferenciação sexual. Já era sabido naquela época que todos os embriões começam da mesma forma, mas alguma influência externa, talvez algum gatilho químico ou algo no ambiente, como a dieta da mãe, deve ocorrer para forçar um embrião a se tornar feminino ou masculino. A pergunta que surgia repetidamente no livro *Sex and Internal Secretions* (Sexo e secreções internas) era a seguinte: o que determina a masculinidade e a feminilidade, e o que esses rótulos significam? Tudo isso tem a ver com cromossomos? Ou hormônios? Ou outra coisa?

Os conceitos eram novos, confusos, mas emocionantes. Os alunos liam sobre sexo "condicionado" e "não condicionado". A ideia era que os hormônios femininos levassem o embrião feminino a desenvolver a anatomia feminina; o mesmo se aplicava aos hormônios masculinos. Uma parte do corpo sem nenhum estímulo hormonal era "não condicionada". Um exemplo de uma característica sexual não condicionada são as glândulas mamárias de um homem.

Os estudantes leram que um embrião poderia trocar de sexo, ou se tornar um pouco de ambos, se algo interferisse no processo de diferenciação sexual. Por exemplo, em uma experiência, os cientistas tinham criado um bezerro intersexo (chamado de bezerro hermafrodita na época) injetando o sangue de um bezerro macho em um embrião fêmea. "Cada zigoto", escreveu Frank Lillie, decano de ciências biológicas na Universidade de Chicago e o autor do

---

7   De modo curioso, o trabalho inicial de Kinsey foi com insetos, especificamente, vespas. Talvez exista uma tendência natural de passar da biologia dos insetos para a sexualidade humana.

primeiro capítulo, "é, portanto, potencialmente hermafrodita no sentido de que é capaz de dar origem a características de ambos os sexos ou estar sujeito a condições determinantes, caracterizando ambos os sexos, por exemplo: indivíduos que realmente são ginandromorfos ou intersexo."

Jones e Seegar ficaram encantados com o livro. De fato, quando terminaram a primeira leitura – todas as 910 páginas – eles começaram de novo. E Seegar fez mais: quando ela não estava na aula, no Clube do Sexo, ou se preparando para as reuniões semanais, ela se oferecia para trabalhar como voluntária no laboratório de George Otto Gey (pronuncia-se Guy). Seu trabalho era executar os testes de gravidez. O que começou como a tarefa de um técnico de laboratório levou-a à sua maior descoberta, porque Seegar não estava apenas seguindo os protocolos; ela estava pensando em cada etapa ao longo do caminho, ponderando a ciência por trás de tudo aquilo.

O teste de gravidez era chamado de teste A-Z, em homenagem aos seus inventores, Selmar Aschheim e Bernhard Zondek, dois médicos alemães. Uma amostra de urina de uma mulher possivelmente grávida era injetada em um rato e, após cerca de cem horas, os ovários do rato eram examinados. Se estivessem inchados e manchados de vermelho, a mulher estava grávida. Se nenhuma mudança fosse observada, ela não estava grávida. Pode parecer complicado para os padrões atuais, em que se faz xixi no palito, mas, naquela época, era considerado rápido e simples. Antes do teste hormonal Aschheim-Zondek, uma mulher precisava esperar até que se passassem dois ou três períodos sem menstruar e os médicos pudessem ouvir um batimento cardíaco – meses após a gravidez.

No início da década de 1930 e por mais algumas décadas, o teste A-Z era o único teste de gravidez disponível. Eventualmente, os ratos foram substituídos por coelhos, que foram substituídos por sapos, o que foi bom, já que os sapos não precisavam ser mortos, pois botavam ovos. (Esta é a gênese do eufemismo absurdo dos anos 1950 para a gravidez, "o coelho morreu"; o que não fazia sentido já que o coelho havia sido morto de qualquer maneira.)[8]

---

[8] Na década de 1950, minha mãe fez um teste de gravidez e, além da conta do médico, recebeu pelo correio uma conta de três dólares para pagar pelo coelho. Ela não estava grávida daquela vez.

Os médicos batizaram esse teste de gravidez de *hypophysenvorderlappenreaktion*, um trava-línguas, mesmo para os padrões alemães. O nome significa "reação da hipófise anterior", em referência à glândula que eles imaginavam ter liberado o hormônio vital. O nome não pegou, por outras razões que não as dez sílabas difíceis de pronunciar. O nome deixou os cientistas com a pulga atrás da orelha. Por que a hipófise? Onde estava a prova? O xixi vinha do cérebro?

Desde que Harvey Cushing ficou obcecado com a hipófise, os cientistas assumiram que essa glândula era responsável por qualquer coisa hormonal. De fato, Aschheim e Zondek tinham injetado pedaços de hipófises em roedores e haviam descoberto que isso fez com que as pequenas criaturas ovulassem. Os ovários pareciam responder da mesma forma quando recebiam injeções da urina de mulheres grávidas. Então, para Aschheim e Zondek, fazia sentido que a secreção química da hipófise fosse a mesma encontrada na urina, mas eles nunca haviam conseguido isolar a substância da hipófise. Eram boas evidências, porém, inconclusivas.

Foi o suficiente para convencer a maioria dos médicos, principalmente porque Aschheim e Zondek eram respeitados no campo, mas alguns especialistas se mantiveram céticos. Earl Engle, um pesquisador da Universidade de Stanford, descobriu que, sob uma análise cuidadosa, a urina de mulheres grávidas e injeções da hipófise faziam com que os ovários respondessem de maneira diferente. Após uma injeção de urina de uma mulher grávida, os folículos dos roedores saem do ovário, os vasos sanguíneos dirigem-se até os óvulos maduros, e o corpo lúteo, o suprimento de nutrientes do óvulo, cresce. Após uma injeção com a secreção da hipófise, os folículos são liberados, mas nada mais aconteceu: sem congestão sanguínea, sem crescimento do corpo lúteo. (O corpo lúteo, uma gota amarela dentro de cada óvulo, é crucial para a gravidez. Libera hormônios que convertem óvulos imaturos em óvulos que podem ser liberados e fertilizados. Também libera hormônios que sustentam a gravidez, bombeando estrogênio e progesterona que impelem o corpo a almofadar o revestimento do útero.)

Outro estudo, um estudo pequeno que incluiu apenas uma dúzia de camundongos, mostrou que pedaços de placenta provocavam exatamente a mesma reação que a urina de mulheres grávidas. Quando a placenta de uma rata mais velha foi injetada em ratas mais jovens, os cientistas observaram folículos inchados (óvulos), congestão (sangue fluindo para a área) e o desenvolvimento do corpo lúteo. Isso sugeria que o componente que estava na urina também poderia estar na placenta.

Em 1933, Georgeanna Seegar entrou na corrida de cientistas em busca de isolar hormônios em seres humanos. Ela era uma aluna jovem e desconhecida, em meio a uma multidão de estimados professores do sexo masculino. O laboratório onde Seegar realizava os testes de A-Z agora abrigava um novo aparelho: uma máquina de tubos de rolos, como era conhecida, que mantinha as células vivas para que os médicos pudessem estudá-las. Para os padrões de hoje, parece algo terrivelmente simples, mas naquela época, era uma grande inovação. Gey era o responsável pela construção da máquina, criando algo que os pesquisadores ansiaram por muito tempo, uma maneira de criar células humanas fora do corpo. O dispositivo permitiria que os pesquisadores presenciassem os processos biológicos enquanto aconteciam, em vez de olhar para um pedaço morto de tecido. Ele também forneceu uma maneira de testar novos tratamentos. Anteriormente, os pesquisadores tentaram manter células vivas em placas de Petri, mas mesmo com os melhores nutrientes, elas acabaram morrendo. Na máquina de Gey, as células recebiam um suprimento constante de alimentos frescos – como ficar debaixo de um chuveiro em vez de mergulhar em uma banheira de água parada.

Uma pessoa do tipo faça-você-mesmo, Gey havia coletado pedaços de vidro e metal no ferro-velho de Jake Shapiro em Baltimore, usando o vidro para soprar seus próprios tubos de ensaio, que ele fez deslizar em fendas em um tambor de metal caseiro. Os tubos, que continham células e seu substrato nutritivo, giravam muito lentamente, cerca de uma volta por hora. O movimento empurrava as células para a parede de vidro, enquanto os alimentos passavam por elas. A presença do dióxido de carbono mantinha o nível correto de acidez. Essa máquina de tubo de rolos era a mesma que, em 1951, seria usada por Gey para criar as imortais células Hela, retiradas do tumor cervical de Henrietta Lacks e usadas por anos em todos os tipos de estudos médicos.

Gey era alguém que falava e pensava rápido, trabalhando em vários projetos ao mesmo tempo, sempre tentando inventar novas maneiras de fazer as coisas. Sua esposa, Margaret, com treinamento em enfermagem, era sua assistente técnica. Ela era o braço direito de Gey, realizando a parte minuciosa do trabalho no laboratório do marido, certificando-se de que suas ideias fossem executadas com cuidado. Os Geys, Seegar e Jones (que frequentemente visitava a namorada) almoçavam juntos, o que proporcionava aos alunos a oportunidade de conhecer os últimos debates científicos. E foi em uma mesa cheia de sanduíches no laboratório Hopkins que Seegar ouviu falar pela primeira vez sobre os resultados de experiência placenta-hipófise. Ela perguntou se poderia usar a nova máquina de cultura celular de Gey para testar a teoria do hormônio da placenta. Gey não viu nenhum problema em Seegar usar a máquina, mas não poderia imaginar que ela seria capaz de realizar tamanho feito. Conseguir uma placenta não era uma tarefa simples. Gey explicou que Seegar não podia usar uma placenta que tivesse sido retirada pelo canal do parto, pois não haveria como saber se o hormônio ali encontrado foi produzido pela placenta ou grudou-se nela no caminho de saída. A placenta de uma cesariana seria aceitável, mas, naquela época, as cesarianas eram raras – apenas cerca de dois por cento dos nascimentos. Mesmo assim, Seegar não desistiu.

Por sorte, Louis Hellman, amigo de Seegar, encontrou uma placenta perfeita para ela. Hellman fazia residência no Hospital Johns Hopkins, mas estava passando algumas semanas em um laboratório de Harvard, onde encontrou um raro crescimento hormonal que foi removido de um útero. A mulher pensou que estava grávida porque o teste de gravidez havia dado positivo, mas na realidade não estava. Em vez de um espermatozoide fertilizar um óvulo, apenas alguns pedaços de espermatozoides entraram no óvulo, o que acontece de vez em quando. Isso provocou um crescimento semelhante ao de um tumor e a formação de uma placenta. Sabendo do que Seegar precisava, Hellman obteve permissão de Arthur Hertig, diretor do laboratório, e pegou um trem de Cambridge para Baltimore com a placenta dentro de um recipiente.

Seegar ficou muito entusiasmada. Ela esmagou a placenta e a colocou na máquina de tubos de rolos de Gey, para que as células proliferassem. Então, era hora do verdadeiro teste: as células da placenta mudariam os ovários das jovens ratinhas? Isso seria um sinal de que a placenta continha o hormônio que originava os bebês. Ela injetou a amostra e – pronto! A placenta desencadeou as mesmas alterações que a urina das mulheres grávidas: congestão, crescimento folicular e ruptura do corpo lúteo. Era um pequeno estudo – com apenas uma placenta –, mas foi feito de maneira escrupulosa. O estudo foi considerado uma evidência sólida que apoiava a ideia de que era a placenta que abrigava o hormônio da gravidez, não a hipófise.

Gey disse a Seegar que publicasse imediatamente as descobertas enquanto procuravam mais placentas com as quais poderiam confirmar os resultados. Gey sugeriu escrever uma carta na revista *Science*, o que seria mais rápido do que enviar um artigo científico. Dessa forma, eles poderiam fincar a bandeira da vitória como solucionadores do debate. A único problema era que, como Gey sabia, um artigo de autoria de uma mulher teria poucas chances de ser aceito por uma publicação respeitada. Ele aconselhou Seegar a assinar usando sua letra inicial e o nome do meio, em vez de assinar com seu primeiro nome: G. Emory Seegar.

A carta foi publicada na Revista *Science* em 30 de setembro de 1938. Gey assinou seu nome como autor principal – algo comum, pois ele era a pessoa mais experiente do laboratório. Seegar se sentiu menosprezada, mas não reclamou. Margaret Gey, que compartilhou a maior parte do trabalho laboratorial com Seegar, nem sequer recebeu uma menção. O trabalho teve três autores: Gey, Seegar e Hellman, o aluno que carregara a placenta de Harvard para Johns Hopkins.

No ano seguinte, Bernhard Zondek, ainda acreditando que o hormônio da gravidez se originava na hipófise, foi convidado a Johns Hopkins para dar uma palestra. Um jantar foi planejado no exclusivo Maryland Club. Seegar, por causa de seu papel no estudo, foi a única aluna convidada. O protocolo exigia que quem não fosse um membro do Maryland Club tinha que ser aprovado antes de participar de uma refeição. O clube informou a Emil Novak, o ginecologista que organizou o evento, que Seegar não era bem-vinda, pois Maryland era um clube apenas para homens. Novak, enfurecido, respondeu que "Georgeanna é a convidada mais importante, em vista de seu trabalho, e se ela não puder comparecer, faremos o jantar em outro lugar". O clube relutou, mas acabou cedendo.

Em 1942, a equipe publicou um estudo maior no Boletim do Hospital Johns Hopkins. Eles também renomearam o hormônio da gravidez. Aschheim e Zondek chamavam de prolan, a partir de *proles*, a palavra em latim para descendência. Seegar o chamou de gonadotrofina coriônica. O novo nome descrevia o hormônio em suas verdadeiras funções: uma substância que nutre as gônadas e vem do córion, uma parte da placenta. O artigo continha os resultados de sete placentas: duas gestações ectópicas (quando o embrião cresce fora do útero, nas trompas de falópio, e precisa ser removido), duas gestações a termo realizadas por cesariana e três casos de gravidez molar, os crescimentos semelhantes a tumores que desencadearam a formação da placenta, como no caso da primeira placenta trazida por Hellman. Seegar apresentou essas descobertas em New Orleans em uma reunião da Sociedade Fisiológica Americana, em 15 de março de 1945. O nome criado por ela, gonadotrofina coriônica, caiu no gosto da comunidade científica; mais tarde, ela adicionou a palavra "humana". Atualmente, esse hormônio é chamado de hCG, para abreviar. Ele é ministrado com frequência a mulheres em tratamento de fertilidade – o procedimento de fertilização *in vitro* no qual os Jones foram pioneiros – para aumentar as chances de sucesso.

Seegar não apenas resolveu um enigma médico; ela batizou o hormônio da gravidez e se tornou a primeira mulher a jantar no Maryland Club. E duas dessas realizações aconteceram antes de ela se formar na faculdade de medicina.

Naquela época, os estudantes de medicina não podiam se casar. Howard Jones e Georgeanna Seegar se casaram no dia em que terminaram os estudos em 1940, em uma cerimônia simples na igreja. Alguns anos depois do casamento, Jones foi convocado para a Segunda Guerra Mundial. Seegar alistou-se para se juntar a ele no front de batalha. Não importava que tivessem um filho recém-nascido e outro de dois anos de idade; segundo ela, parentes e uma babá poderiam cuidar das crianças. O médico legista pensou diferente e recusou o pedido dela.

Enquanto Jones estava na batalha, os dois descobriram uma maneira secreta de Seegar saber onde ele estava, já que não tinha permissão para escrever sua localização em cartas. Cada um deles comprou o mesmo mapa europeu antes de Jones partir. Quando Jones escrevia uma carta, ele colocava os artigos de papelaria sobre o mapa, com as bordas sempre no mesmo lugar, e fazia um pequeno furo no papel sobre o acampamento atual. Quando Seegar recebia a carta, ela a alinhava sobre sua versão do mapa e procurava o orifício.

Após a guerra, eles tiveram mais um filho e retornaram às suas carreiras médicas, trabalhando juntos na mesa dupla. A partir de então, eles seriam chamados por seus pacientes e colegas como Dr. Howard e Dra. Georgeanna.

A doutora Georgeanna tinha cabelos curtos e usava roupas conservadoras, e tinha uma maneira precisa e segura de si que exalava autoridade entre um mar de homens. Sua maneira de tratar os pacientes era diferente da maioria dos médicos do sexo masculino. Em meados do século 20, quando os médicos eram treinados para se manterem distantes, a Dra. Georgeanna falava de maneira doce e compassiva. Uma paciente lembra-se da médica se inclinando e sussurrando palavras encorajadoras enquanto ela estava sendo levada para a sala de cirurgia para um procedimento de fertilidade.

Ela nunca foi influenciada pela opinião pública e acreditava apenas em dados comprovados. Na década de 1950, ela aconselhou sua equipe a nunca prescrever DES, um medicamento feito a partir de estrogênio sintético projetado para evitar abortos, que foi amplamente utilizado em Harvard e em outras instituições importantes. Ela havia examinado as evidências e não estava convencida. Em 1971, vinte anos após seu lançamento, os efeitos colaterais tóxicos do DES foram revelados: o medicamento desencadeava câncer vaginal, deformidades uterinas e infertilidade em mulheres que haviam sido expostas a ele antes do nascimento.

Nos seus últimos anos de vida, ela sofreu com a doença de Alzheimer. O Dr. Howard parou de praticar medicina na mesma época. "Simplesmente não tinha mais graça sem ela", disse ele. Mas ele continuou indo ao escritório, lendo e participando de conferências, e trazia a Dra. Georgeanna com ele sempre que era possível. Nancy Garcia, sua assistente administrativa, mantinha um babyliss no escritório para arrumar os cabelos de sua chefe. "Dr. Georgeanna entrava no consultório do Dr. Howard e ele dizia: 'Você está linda, Georgeanna'", lembra Garcia. "Isso era tudo o que ela gostaria de ouvir." Georgeanna Seegar Jones morreu em 26 de março de 2005, aos 92 anos.

A vida dos Jones acompanhou a história da endocrinologia reprodutiva. Os dois estiverem frequentemente na linha de frente, desempenhando um papel central nos avanços da área. Seus protocolos e pesquisas forneceram novos caminhos para entender os hormônios do desenvolvimento sexual, mas – anos depois de se aposentarem – se tornariam o foco de debates altamente controversos.

7
Criando o gênero

No verão de 1956, quando Cathleen Sullivan deu à luz no Hospital West Hudson de New Jersey, o médico puxou o bebê para fora com a ajuda do fórceps, olhou entre as pernas do recém-nascido e disse... nada. Este era o primeiro filho de Sullivan e ela não sabia o que esperar do médico da família logo após o nascimento do bebê, mas imaginou algum pronunciamento do tipo: "É uma menina!/É um menino!". Mas ele não pronunciou uma única palavra.

O médico ficou confuso. Os órgãos genitais do bebê não pareciam femininos nem masculinos, mas algo entre os dois. E ele não sabia como revelar essas dúvidas à paciente. Já é bastante difícil para um médico poder expressar incerteza em qualquer situação, mas quando se trata de algo tão básico quanto o sexo de um bebê, foi algo ainda mais humilhante. Como ele poderia não saber? Como ele pôde admitir que não sabia? Então, quando a Sra. Sullivan acordou da névoa da anestesia do parto, ele a sedou novamente, ganhando tempo para que pudesse ouvir alguns conselhos que o ajudassem a decidir se o bebê deveria ser ele ou ela. Arthur Sullivan, o marido da Sra. Sullivan, jamais conversou sobre esses primeiros dias com amigos ou, mais tarde, com seus filhos, então, ninguém sabe o que lhe disseram, se é que disseram alguma coisa. O médico, certamente, não pôde sedá-lo também. Três dias depois, a Sra. Sullivan recebeu seu bebê. Um garoto, anunciou o médico, ainda que com uma deformidade grave. Uma cirurgia genital poderia ajudar, disse ele aos novos pais, mas durante anos, nada poderia ser feito. Mãe e filho foram para casa. Eles nunca mais tiveram notícias desse médico. A Sra. Sullivan tentou entrar em contato, mas ele não retornou as ligações.

A criança recebeu o nome de Brian Arthur Sullivan. Em todos os aspectos, exceto pela aparência genital, o pequeno Brian era como qualquer outro bebê. Ele passou por todas as etapas do crescimento no tempo esperado, senão antes. E, no entanto, desde os primeiros sons e movimentos do filho, seus pais se preocuparam. Seu pênis era pequeno, muito pequeno, mesmo para um bebê. Não tinha um prepúcio. A Sra. Sullivan ouvira histórias de outras mães novatas sobre se esquivar dos jatos de urina de seus filhos enquanto trocavam a fralda. Mas o xixi de Brian saía pela base do pênis, como uma menina. Até então, seu segredo estava escondido em suas fraldas. Mas o que aconteceria quando ele crescesse? E se os colegas de classe tirassem sarro dele? Ele teria que fazer xixi sentado? Será que outros pais descobririam? Será que algum dia ele se ajustaria?

Quando um bebê não está em conformidade com os padrões de normalidade, os pais não podem deixar de se perguntar se isso é culpa deles. Será que abrigavam alguma mutação genética que foi passada para o filho? Eles fizeram algo errado durante a gravidez? Cathleen Sullivan ficou em repouso durante o quinto mês por causa de um sangramento. Isso teria sido um sinal de que algo tinha saído terrivelmente errado? Os Sullivan estavam assustados e, bem, sentiam-se envergonhados. Eles não tinham orientação nem ajuda.

Se o bebê tivesse asma ou diabetes, eles poderiam ter procurado os amigos em busca de compreensão e conselhos. Mas na década de 1950 – quando até adoção e infertilidade eram assuntos tabus –, como eles poderiam falar de uma genitália atípica? Sem nenhum tipo de rede de apoio, os novos pais foram obrigados a lidar sozinhos com essa questão espinhosa. Os Sullivan fizeram o possível para proteger o jovem Brian e manter uma aparência de normalidade, mas seus próprios medos lançaram uma sombra sobre a maneira como o tratavam, a maneira como o olhavam. Anos mais tarde, a criança Sullivan lembraria que os pais pareciam estar sempre zangados com ele, como se estivessem monitorando cada movimento, como se nada que ele fizesse os deixasse orgulhosos como se supõe que os pais fiquem.

Se Brian não tinha todas as partes normais de um menino – como seu pênis pequeno e o escroto de formato incomum pareciam sugerir (a bolsa escrotal estava vazia e completamente aberta no meio) –, os pais se perguntavam se ele não poderia ter um problema mais profundo.

A irmã da Sra. Sullivan, uma de suas poucas confidentes, sugeriu que eles procurassem aconselhamento de um especialista e encontrou um médico na Universidade de Columbia, não muito longe da casa dos Sullivans em Kearney, New Jersey. Médicos em Columbia, e também em Harvard, Johns Hopkins, Universidade da Pensilvânia e outras instituições importantes, estudavam crianças como Brian, tentando descobrir se uma mistura incomum de hormônios tinha algo a ver com seus órgãos genitais anormais. Uma sobrecarga de hormônios femininos? Uma escassez de hormônios masculinos? Talvez os doutores de Columbia pudessem explicar aos pais de Brian o que tinha dado errado. Talvez eles pudessem até mesmo prescrever algo para consertar as coisas. Talvez diriam a eles que crianças como Brian tinham um desenvolvimento tardio e, quando fosse para a escola, ele – ou mais precisamente, seu pênis – estaria igual ao dos outros meninos.

Os Sullivans visitaram um especialista quando Brian estava com três meses de idade. O doutor examinou o bebê e pediu que voltassem dali a nove meses. Ele não lhes explicou coisa alguma, não demonstrou se estava preocupado, ou se suspeitava de alguma doença. Os Sullivans não perguntaram.

Brian comemorou seu primeiro aniversário. Ele tagarelava, corria, brincava com caminhões e blocos. Então, chegou um outro bebê na casa. Mark nasceu quando Brian estava com dez meses. Embora os Sullivans continuassem preocupados com o filho mais velho, com todas aquelas noites sem dormir e as demandas que acompanham um recém-nascido, acabaram não voltando a Columbia quando deveriam. Finalmente, na última semana de janeiro 1958, quando Brian estava com dezessete meses, seus pais colocaram nele uma roupinha de neve azul e retornaram ao Hospital Presbiteriano de Columbia. Desta vez, o médico sugeriu uma série de exames. Às vezes, explicou, quando as coisas não parecem normais do lado de fora, isso pode sinalizar algo estranho acontecendo por dentro. O médico queria realizar uma cirurgia exploratória, o que significava abrir a barriga do bebê para ver os órgãos reprodutivos. Se algo precisasse ser consertado, ele poderia fazê-lo imediatamente e depois informar os pais.

Poucos pacientes na década de 1950 esperavam segurar a mão, ouvir uma voz simpática ou uma explicação detalhada de um médico. E poucas pessoas puderam fazer o que os pacientes – ou os pais dos pacientes – fazem hoje: discutir as opções de tratamento com o médico, para descobrir qual seria a melhor solução. Na maioria das vezes, considerava-se que os médicos sabiam tudo. E, provavelmente, os médicos também se consideravam homens sábios. (Não havia muitas mulheres na profissão.) Afinal, eles são aqueles que passaram anos na faculdade de medicina. Nem eles nem seus pacientes viam nenhuma necessidade de um curso intensivo em biologia durante uma consulta de trinta minutos. Os especialistas médicos não precisavam da opinião ingênua de seus pacientes.

Era assim antes de os pacientes exigirem a chamada Declaração de Direitos do Paciente, que foi concebida na década de 1970 para definir o que esperar de uma visita ao hospital. Isso foi antes do consentimento informado, o contrato que documenta que o médico contou ao paciente tudo sobre seu diagnóstico, incluindo os efeitos colaterais potencialmente desagradáveis; antes das expressões "parceiro de saúde" e "advogado do paciente" fazerem parte do léxico da assistência médica. Se um médico achar que um paciente não pode lidar com, digamos, um diagnóstico de câncer, o médico pode simplesmente decidir não o mencionar. A medicina era um empreendimento paternalista, seu domínio era apoiado por um vasto arsenal de drogas e terapias, muitos disponíveis pela primeira vez na década de 1950. Os médicos tinham os meios e o poder de fazer o que consideravam apropriado, muitas vezes sem a aprovação de pacientes ou de terceiros.

Então, quando o médico disse aos Sullivans que eles deveriam deixar Brian com ele por algumas semanas – ou talvez até mais – e deixar que ele tomasse todas as decisões, não foi uma atitude considerada insensível ou excessivamente autoritária. Era assim que as coisas funcionavam. A Sra. Sullivan não conversava com o médico, mas visitava a enfermaria todos os dias, dirigindo desde sua casa em New Jersey até Nova York, entregando escondida uma chupeta, o que, por algum motivo estranho, era contra as regras do hospital. Cerca de três semanas depois, o médico disse aos Sullivans que havia descoberto o problema. Ele havia encontrado um útero, vagina e ovários no abdômen de Brian. No fim das contas, o pênis de Brian não era um pênis; era um grande clitóris. Brian não era um garoto. Brian era uma menina.

Segundo o médico, como o clitóris era muito grande, ele o amputou, garantindo assim que não houvesse olhares estranhos no banheiro da escola ou nas festas do pijama, sem risco de crianças rindo nas costas da nova menina, sobre seus genitais de aparência estranha. Os Sullivans foram informados que, graças à operação, quando estava sem roupas, sua criança parecia uma garota normal.

E então o médico explicou como eles deveriam começar a tratar sua nova filha como uma menina. Primeiro passo, uma mudança de nome. O que acham de Bonnie? Era um nome legal e parecia uma versão feminina de Brian. Então, Brian Sullivan se tornou Bonnie Sullivan. Em um papel timbrado do Hospital Presbiteriano, o médico pediu à Sra. Sullivan que assinasse, como guardiã legal da filha, esta nota:

> Isso é para certificar que meu nome anterior era Brian Arthur Sullivan e agora é Bonnie Grace Sullivan.

O médico listou as etapas necessárias para concluir a transformação. A nova garotinha precisava de uma transformação completa: um guarda-roupa feminino (vestidos cor-de-rosa, nada de calças), cabelos mais longos (ela acabaria com um penteado estiloso), brinquedos femininos (bonecas, nenhum caminhão). O médico também recomendou que os Sullivans se mudassem para outro bairro, a fim de solidificar a nova identidade da filha. Eles deveriam encontrar um lugar onde ninguém tinha ouvido falar sobre Brian, onde Bonnie poderia começar a vida novamente com um quadro em branco, onde todos a tratariam como uma garota em pleno direito, onde ninguém sabia sobre a transformação. O médico garantiu aos Sullivans que, se seguissem o conjunto de recomendações propostas por ele, a filha, como diz a música, se sentiria uma mulher natural.

Os especialistas instruíram os Sullivans a vasculharem a casa e se livrarem de fotos de bebê, filmagens caseiras, cartões de aniversário ou qualquer outra coisa que documentasse a existência anterior de Brian.

Os Sullivans tentaram ao máximo deletar a existência de "Brian", mas só mudaram de New Jersey alguns anos depois, quando Bonnie ingressou na primeira série. Eles pretendiam se mudar durante o jardim de infância, mas com o trabalho, outras coisas mais e a chegada de uma nova criança, não era fácil fazer as malas e se mudar para outra cidade com três filhos pequenos a tiracolo. (Outra criança, uma filha, nasceu seis anos depois de Brian/Bonnie.) A Sra. Sullivan contou tudo a uma vizinha, que era amiga e comprou a primeira boneca de Bonnie.

Se Bonnie tivesse nascido cinquenta anos antes, poderia ter se tornado uma daquelas pessoas no circo, ao lado da Noiva Gorda ou da Mulher Barbada. É difícil imaginar o apelo do entretenimento, mas os donos dos parques de diversões da virada do século 20 também contratavam pessoas nascidas com genitais atípicos. Se Bonnie tivesse nascido cinquenta anos depois, os médicos talvez tivessem discutido quais eram as outras opções antes de iniciar a cirurgia. Talvez seus pais tivessem adiado a decisão até Bonnie ser adolescente e poder dizer algo. Talvez seus pais tivessem encontrado os crescentes grupos de defesa que promovem uma vida feliz sem cirurgia.

Mas Brian/Bonnie nasceu em 1956, bem na aurora de uma nova era na endocrinologia. Os médicos obtiveram uma visão melhor de como a testosterona e o estrogênio moldam a genitália externa e o desenvolvimento sexual. Eles compreenderam a cadeia de comando entre as glândulas: os hormônios da glândula adrenal, por exemplo, estavam sob o controle da hipófise, que por sua vez estava sob o controle de outra glândula cerebral, o hipotálamo. Essa nova compreensão transformou a maneira como os especialistas diagnosticavam e tratavam crianças nascidas com genitálias ambíguas: uma abordagem que combinava novas drogas hormonais, avaliações psicológicas de ponta e cirurgias inovadoras. Os médicos também estavam mais dispostos a operar do que antes, graças, em parte, à recente descoberta de antibióticos, o que reduziu drasticamente o risco de infecção pós-operatória. "A última década foi palco de uma mudança revolucionária no tratamento da intersexualidade", disse Howard W. Jones Jr. a colegas em uma reunião da Sociedade Americana de Ginecologia em Colorado Springs, no ano de 1961. Esse foi o mesmo Jones pioneiro do bebê de proveta e cirurgião ginecológico casado com Georgeanna Seegar Jones, a descobridora do hormônio da gravidez. "Seria ingênuo acreditar que todos os problemas em relação a intersexualidade foram resolvidos, mas, na última década, muito se avançou."

Os Sullivans nunca haviam imaginado que um bebê pudesse nascer com outra coisa senão genitália definida, indicando claramente se era um menino ou uma menina. Eles sabiam o tempo todo que Brian/Bonnie não parecia um recém-nascido típico e se preocupavam com a masculinidade da criança. No entanto, jamais imaginaram que a criança não fosse um menino. Depois de criá-lo por um ano e meio, a Sra. Sullivan sentia falta do filho. Ela sentia como se o bebê que havia tido não existisse mais. Em um momento era mãe de um lindo bebê e, quase dezoito meses depois, os médicos disseram que aquele era um caso de troca de identidade.

Mas não era isso que estava escrito na ficha médica do bebê. O primeiro médico escreveu "Hermafrodita".

Hermafrodito, na mitologia grega, era uma divindade adolescente que foi seduzida por uma ninfa. Embora ele tenha rejeitado seus avanços, a ninfa envolveu seu corpo em torno do dele e implorou aos deuses que os fundissem para sempre. Ele não era mais ele; ela não era mais ela. Eles eram um só. Eles eram ambos e nenhum. Outra versão do mito sustenta que Hermafrodito herdou a força do pai, Hermes, e a beleza da mãe, Afrodite, de modo que seu nome e seu corpo eram uma união de ambos os pais, representando o ser humano ideal.

Quaisquer que sejam as origens do nome, os médicos adotaram a palavra "hermafrodita" para descrever crianças como Brian/Bonnie. O manual médico padrão nomeou essa condição como hermafroditismo (Howard Jones foi coautor de ambas as edições). O termo permaneceu em uso até a década de 1990, quando os pacientes insistiram que fossem chamados de algo sem conotações de espetáculos circenses. O rótulo "DSD" foi introduzido, significando "distúrbio do desenvolvimento sexual" ou "diferença no desenvolvimento sexual" (muitas pessoas se recusam a usar a palavra "distúrbio"); muitos querem abandonar completamente a terminologia "DSD" e preferem o termo "intersexo", pois não implica uma anormalidade.

Hoje em dia, sabe-se que a genitália ambígua é algo tão comum quanto a fibrose cística, uma doença pulmonar, mas muito menos discutida. As estatísticas são aproximadas, variando entre uma em dois mil casos e uma em dez mil, dependendo de quais condições estão incluídas. É provável que, se frequentar uma universidade ou trabalhar para uma grande empresa, já deve ter se deparado com alguém cuja vida tenha sido significativamente afetada pela intersexualidade, mas talvez você jamais saberá.

Em nossas primeiras semanas no útero, todos somos muito parecidos: uma esfera de células que se multiplica de modo furioso. Então, a esfera se expande para os lados, como um pãozinho se transformando em um *croissant*. Em uma extremidade está o cérebro em desenvolvimento; na outra, algo que parece uma vagina – uma dobra com uma pequena protuberância na borda. Um pequeno empurrão – incentivos hormonais nesse sentido ou em outro – molda o feto unissexual em um menino ou em uma menina. De certo modo, todos começamos como hermafroditas.

No início de 1900, Frank Lillie, da Universidade de Chicago, notou que, quando os vasos sanguíneos se misturavam durante a gestação de gêmeos de bezerros machos e fêmeas, a fêmea nascia sem útero e sem ovários. Isso o fez pensar que algo – talvez uma substância química – no sangue do feto masculino impedisse o desenvolvimento da fêmea. Para testar sua teoria, ele injetou o sangue de um feto de bezerro macho em uma fêmea. Eis que a fêmea nasceu intersexo, com alguns órgãos genitais externos, mas sem órgãos reprodutivos. "Todo zigoto é, portanto, potencialmente hermafrodita, no sentido de que é capaz de dar origem às características de ambos os sexos", escreveu Lillie no livro que Georgeanna Seegar e Howard Jones devoravam durante as reuniões semanais do Clube do Sexo. O zigoto, ele continuou, também pode dar origem "a indivíduos que são de fato ginandromorfos ou intersexo".

Alfred Jost, um endocrinologista que trabalha no Collège de France em Paris, identificou precisamente o hormônio que entra em ação nas seis semanas de gestação, estudando fetos de coelhos machos. Ele batizou essa substância química de hormônio antimulleriano. Os ductos de Müller – batizados por Johannes Peter Müller, o pesquisador que os descreveu em 1830 – crescem em órgãos femininos. O hormônio antimulleriano estimula o desenvolvimento de órgãos masculinos, o escroto e os testículos, enquanto suprime os femininos, os ovários e o útero.

Os meninos têm hormônios antimulleriano. As meninas não. Nas meninas, não há nada para acionar o desenvolvimento de características masculinas e nada para impedir as características femininas. Como as meninas são feitas pela ausência de um hormônio, os cientistas há muito consideram a feminilidade o caminho padrão – o que soa como um prêmio de consolação. Segundo Rebecca Jordan-Young, no livro *Brain Storm*, evidências recentes sugerem que a feminilidade pode não ser apenas o modelo padrão, afinal; o ovário pode ter sinais próprios. Ainda assim, a noção de que as mulheres são criadas por um processo passivo persiste entre muitos cientistas.

Sem dúvida, o sistema é mais complicado que isso. Existem muitos sinais genéticos que devem ser ativados e hormônios que devem ser liberados exatamente no momento certo, na dose exata. É algo incrível que qualquer um de nós tenha nascido na chamada zona convencional.

O termo geral "intersexo" inclui muitas condições diferentes. Na época de Bonnie Sullivan, essas crianças eram rotuladas de "verdadeiras" ou "pseudo-" hermafroditas. Bonnie fazia parte da categoria "verdadeira" porque tinha tecido testicular e ovariano. Meninas nascidas com uma condição chamada hiperplasia adrenal congênita, ou HAC – que descreve um bloqueio na via do cortisol, promovendo muitos androgênios – foram classificadas como parte do grupo "pseudo". Com a descoberta do cortisol sintético em 1949, foi possível repor os níveis hormonais insuficientes e aliviar os sintomas androgênicos; para crianças com HAC que também tinham falta de aldosterona, um hormônio adrenal que faz o equilíbrio da água e dos sais minerais, o cortisol sintético foi literalmente um salva-vidas.

Nos dias de hoje, os cientistas têm uma compreensão muito mais abrangente, até mesmo dos menores detalhes genéticos. Alguns fetos XY, por exemplo, não respondem à testosterona secretada por seus testículos e, portanto, nascem com genitália feminina, embora não tenham útero ou vagina. Outras crianças XY não possuem uma enzima (do tipo 5-alfa-redutase 2) que transforma uma forma de testosterona em outra, necessária para a formação da genitália masculina. Eles se parecem com meninas quando nascem. Mas não têm a falta de outra forma dessa enzima (5-alfa-redutase tipo 1), que entra em ação na puberdade, mudando sua aparência do feminino para o masculino. Muitos desses indivíduos acabam não ficando totalmente masculinizados.

Os pais de Bonnie não foram informados do nome ou de uma explicação científica para o distúrbio da filha. Eles simplesmente seguiram as ordens dos médicos. Os médicos, por sua vez, seguiram as diretrizes estabelecidas no Hospital Johns Hopkins, em Baltimore, o principal centro de estudo e tratamento de crianças nascidas com genitália ambígua.

O Hospital Hopkins não era pioneiro apenas em terapias hormonais, incluindo o uso de cortisol para hiperplasia adrenal congênita, mas também estabeleceu uma abordagem interdisciplinar, recrutando psiquiatras de primeira linha, endocrinologistas da reprodução, cirurgiões plásticos, urologistas e ginecologistas. Georgeanna Seegar Jones, a inovadora endocrinologista reprodutiva, estava envolvida nos aspectos hormonais do tratamento. Seu marido, Howard Jones, era o cirurgião ginecológico da equipe. Em 1954, os Jones publicaram um estudo mostrando que a cortisona ajudou crianças com outras anormalidades hormonais, além de hiperplasia adrenal congênita. (A cortisona é convertida em cortisol no organismo.) Alguns anos mais tarde, Howard Jones ostentaria as realizações do Johns Hopkins no tratamento de pacientes intersexo como um "imenso esforço terapêutico".

Talvez a figura mais influente dessa equipe de elite tenha sido John Money, que aconselhou médicos e pais sobre como tratar crianças com genitália ambígua. Money não era um endocrinologista, nem cirurgião, nem psiquiatra; ele sequer era médico. Ele se autodenominava 'psicoendocrinologista' e tornou-se diretor do novo Escritório de Pesquisa Psico-Hormonal do Johns Hopkins. Money obteve seu PhD em relações sociais em Harvard em 1952 e escreveu sua tese de doutorado sobre a saúde mental dos hermafroditas (então o termo médico aceito). Entre suas muitas descobertas, estava a suposição de que os hormônios controlavam o desejo sexual, mas não a orientação sexual. Ele também descobriu que a maioria de seus pacientes estava surpreendentemente livre de psicopatologias, embora poucos deles tivessem sido submetidos a qualquer tipo de terapia médica.

Money era uma espécie de ovelha negra. Ele gostava de chocar. Por exemplo, ele propôs nomear seu campo de atuação como "fodalogia". Mostrou imagens pornográficas durante suas palestras em Johns Hopkins, alegando que isso ensinaria futuros médicos a serem menos críticos quando conversassem com os pacientes sobre suas vidas sexuais. Os alunos chamavam sua turma de "Sexo com Money". Ele lhes disse que havia desenvolvido uma fórmula matemática para a "vida útil" da pornografia, o que significa que um espectador se tornaria imune ao impacto de um filme do tipo depois de assisti-lo por várias horas.

Ele promoveu algumas boas ideias. Por exemplo, em um momento no qual os médicos tentaram usar hormônios para transformar homossexuais em heterossexuais, Money insistia que essa terapia não era necessária. Em um artigo na revista *Pediatrics*, ele escreveu: "Existiram muitos homossexuais ilustres na história da civilização. Alguns pais sentem-se reconfortados com esse conhecimento histórico". Ele atuou como testemunha especialista em um caso judicial amplamente divulgado, defendendo o direito de um professor homossexual da oitava série no Condado de Montgomery, Maryland, de retornar à sala de aula depois de ter sido forçado a aceitar um emprego burocrático. (O professor perdeu o caso apesar do testemunho de Money.) Money também promoveu más ideias, entre elas que a pedofilia era natural e deveria ser aceita.

Money – que foi casado por pouco tempo na década de 1950 – declarou que a monogamia no casamento não fazia sentido porque as pessoas vivem tempo demais para permanecer sexualmente atraídas pela mesma pessoa. Ao contrário de seus colegas avessos à mídia, Money cortejou a imprensa e proclamou-se um guru sexual. Em 1973, ele participou de um painel sobre sexualidade patrocinado pela *Playboy* ao lado da estrela pornô Linda Lovelace – algo que não é muito típico dos professores de Johns Hopkins.

Money não era apenas provocador, mas nutria uma devoção inabalável às suas próprias teorias. Quando chegou a Hopkins, o pensamento dominante era que uma pessoa deveria ser definida por suas gônadas: ovários significam meninas; testículos significam meninos. Essa diferenciação funciona na maioria das vezes, mas não em todos os casos de intersexualidade. Money sustentava que a atribuição de sexo a um bebê não deveria se basear apenas nas gônadas, apenas em cromossomos (XX é igual a menina, XY é igual a menino) ou apenas na aparência genital. Na verdade, deveria ser uma combinação desses três aspectos – e muito mais. Se o paciente fosse uma criança, ou mais velho, seus hábitos, seus sonhos e suas fantasias sexuais deveriam ser levados em consideração. Ele estabeleceu sete critérios para avaliar e tratar crianças nascidas com genitália ambígua:

1. Cromossomos sexuais (XX ou XY)
2. Estrutura gonadal (existem testículos ou ovários? Eles são inchados ou murchos?)
3. Morfologia da genitália externa (pênis muito pequeno? Clitóris muito grande?)
4. Morfologia da genitália interna (existe uma vagina?)
5. Estado hormonal
6. Sexo de criação
7. Papel do gênero

O conceito de papel do gênero foi o mais novo de todos. Money cunhou o termo ao incorporar a palavra "gênero" da gramática (onde se refere a substantivos em idiomas que usam gênero feminino, masculino e às vezes neutro). Antes disso, esse conceito era conhecido apenas como sexo, um termo vago que às vezes significava o ato da relação sexual, às vezes significava cromossomos, e às vezes significava feminino ou masculino. "Por papel de gênero", explicou Money, "queremos dizer todas essas coisas que uma pessoa diz ou faz para revelar a si mesmo como tendo o *status* de menino ou homem, menina ou mulher, respectivamente."

O cerne das teorias de Money estava no *timing* do tratamento. Ele afirmava que o gênero é formado por um processo de três etapas. Durante a gestação, surtos de estrogênio e testosterona conectam o cérebro. Após o nascimento, você se comporta de acordo com as conexões do seu cérebro (feminino ou masculino). Esse comportamento provoca certas respostas daqueles ao seu redor, que te tratam como um menino ou como uma menina. Bebês cheios de estrogênio, por exemplo, agiram de maneira feminina e, portanto, foram tratados dessa forma. Essas primeiras interações humanas moldam ainda mais o senso de feminilidade ou masculinidade. Por fim, a agitação hormonal que ocorre durante a puberdade solidifica a identidade de gênero.

De acordo com a teoria de Money, a identidade de gênero é maleável antes dos dezoito meses de idade – após o primeiro choque de hormônios no cérebro, mas muito antes do período de sedimentação da puberdade. É nessa fase que as pessoas começam a tratar uma criança de acordo com as normas de gênero, mas antes dos dezoito meses ainda é possível tratar uma criança de forma diferente. Antes de Money, pensava-se que os hormônios eram o principal determinante do gênero e da orientação sexual; Money enfatizou a importância de como uma criança é criada.

A equipe do Hospital Johns Hopkins usou a nova perspectiva de Money, juntamente com a própria experiência clínica, para desenvolver novos protocolos de tratamento. Por exemplo, a equipe acreditava que bebês com uma rara condição que os fazia nascer com micropênis deveriam ser transformados em meninas. Howard Jones desenvolveu uma técnica cirúrgica para moldar uma vagina a partir do tecido genital. Os testículos eram removidos, e os pais eram instruídos, como foi o caso dos Sullivans, em como tratar seu bebê como uma menina. Durante a puberdade, o estrogênio era prescrito para promover um físico feminino. Um menino poderia viver como se tivesse nascido menina, desde que o tratamento fosse iniciado no período em que o sexo ainda fosse maleável – embora os médicos não estivessem lidando com alguém nascido com genitália ambígua. Eles acreditavam que se um pênis fosse muito pequeno, a criança seria mais feliz sendo criada como menina, e que uma garota com um clitóris muito grande seria mais feliz sem ele.

Os médicos não estavam levando em consideração como os hormônios pré-natais poderiam influenciar a identidade de gênero a longo prazo; isso só seria apreciado algumas décadas depois. Também não foram conduzidos estudos controlados aleatórios – ou seja, não dividiram as crianças com genitália ambígua em dois grupos, aqueles que fizeram cirurgia de troca de sexo e aqueles que não fizeram, acompanhando-os para comprovar qual grupo foi mais feliz ao longo do tempo. Mas observaram algumas crianças e mantiveram contato com muitas delas após o tratamento cirúrgico e hormonal; relatando mais tarde que muitos de seus pacientes tiveram vidas plenas e satisfatórias.

Suas orientações – as diretrizes – foram criadas para fazer a criança se sentir o mais normal possível. Os médicos de Hopkins acreditavam que suas orientações davam suporte à estabilidade emocional das crianças. "Não parece haver nenhuma dúvida de que viver por muitos anos com genitais confusos é uma grave deficiência para qualquer um, tanto se eles estiverem vivendo como um menino ou como uma menina", explicou Joan Hampson, uma psicóloga de Hopkins em uma conferência na Associação Americana de Urologia em 1959. Realizar a cirurgia corretiva o mais rápido possível, acrescentou, era "do ponto de vista psicológico, extraordinariamente importante".

Exceto por uma coisa que Hampson não mencionou – que a cirurgia muitas vezes não era perfeita, então os órgãos genitais nunca pareciam exatamente normais ou funcionariam como os médicos e os pais esperavam. Anos mais tarde, em 2015, várias agências das Nações Unidas condenariam a prática de cirurgia genital em lactentes intersexo. Malta foi o primeiro país a proibir o procedimento. No verão de 2017, a Human Rights Watch e a InterACT, um grupo que defende crianças intersexo, divulgaram um relatório criticando a cirurgia genital e pressionando o Congresso dos Estados Unidos a proibi-la.

Na década de 1950, como Elizabeth Reis, PhD, escreveu em *Bodies in Doubt* (Corpos em dúvida), a equipe Hopkins trouxe tranquilidade e um protocolo seguro onde antes havia apenas confusão. Os "artigos ousados de Money eram incomuns por suas convicções", escreveu Reis, "e devem ter sido um alívio bem-vindo aos profissionais confusos com tantas soluções diferentes apresentadas pelos médicos". Mesmo assim, havia dissidentes. Milton Diamond, diretor do Centro Pacífico para Sexo e Sociedade no Havaí e autor do livro *Sexual Decisions* (Decisões sexuais), contestou as alegações de Money desde o início. "Eu pensei que ele era inteligente e concordei com muitas de suas atitudes e ideias", disse Diamond recentemente, "mas decerto acho que ele estava errado na área de desenvolvimento sexual." Diamond acrescentou que muitas vezes os médicos aceitaram as propostas de Money sem analisar com cuidado os méritos dessas ideias. E acrescentou: "Money foi muito influente pelas razões erradas". Em 1997, um mordaz artigo científico de Diamond inspirou um artigo publicado na revista *Rolling Stone* e, em seguida, o best-seller *As Nature Made Him* (Como a natureza o fez), ambos de autoria de John Colapinto.

Diamond, e depois Colapinto, detalhou a vida de um menino, um gêmeo, que foi transformado em uma menina pela equipe Hopkins por causa de uma circuncisão fracassada. O bebê não era intersexo. De acordo com a teoria de Money, a mudança de sexo deveria ter funcionado, pois os médicos removeram o pênis minúsculo e instruíram os pais a tratar a criança como uma menina antes que ela completasse dezoito meses de idade. Os relatórios médicos afirmaram que o procedimento foi um sucesso, mas a criança cresceu deprimida e confusa, sentindo-se como um menino, crescendo com o sentimento de inadequação e não sabendo o porquê. Eventualmente, a pessoa ficou sabendo de seu histórico médico, voltando a viver como um homem e, por fim, cometeu suicídio.

O artigo e o livro – publicados antes da morte do jovem – também acusaram Money de forçar a criança a realizar atos sexuais com seu irmão gêmeo. A repercussão foi imensa e causou uma polarização de opiniões. A equipe Hopkins condenou as publicações e defendeu Money até sua morte em 2008. Mas o público que aclamava Money como um libertário e ativista pelos direitos homossexuais agora o via como um pervertido. Atualmente, a maioria dos estudiosos do assunto vê aspectos bons e ruins nas ideias de Money. Katrina Karkazis, PhD, médica e antropóloga no Centro de Ética Biomédica da Universidade de Stanford, escreveu em *Fixing Sex* (Consertando o sexo) que, apesar de suas falhas e do alegado abuso, Money forneceu pela primeira vez "uma análise diferenciada das complexidades do sexo biológico". Segundo ela, Money conseguiu unir os aspectos endocrinológicos, psicológicos e cirúrgicos.

Quando Brian Sullivan se transformou em Bonnie Sullivan, foi uma decisão realizada de acordo com as melhores práticas da época. A mudança do sexo foi realizada antes do fim do prazo de dezoito meses. Os médicos da Universidade de Columbia estavam confiantes de estarem fazendo a coisa certa. De acordo com o protocolo Hopkins, Bonnie deveria ter sido outra história de sucesso.

Mas não foi. No dia seguinte à transformação, Bonnie parou de falar. Ninguém sabe por que, nem mesmo Bonnie, que foi perguntada anos mais tarde. É provável que a criança tenha ficado em estado de choque. Ninguém mais a chamou de Brian. Quem era Bonnie? E o que tinha acontecido com as calças do Brian, seus brinquedos favoritos? O que aconteceu com o mundo do Brian?

Bonnie foi operada novamente quando tinha oito anos. O médico disse-lhe que iria fazer uma operação para se livrar de suas dores de barriga, embora mais tarde, ela não se lembrava de ter tido nenhuma dor. Não disseram a ela que abririam seu abdômen para remover o tecido testicular. Ela foi internada no Hospital Presbiteriano da Universidade de Columbia em 10 de setembro de 1964, onde passou dezesseis dias em uma enfermaria com cerca de oito outras crianças com problemas diferentes. Por causa de sua condição incomum e da importância de seu caso como modelo de ensino, um fotógrafo tirou fotos de Bonnie nua, fazendo close de sua genitália – era uma menina magra com um corte de cabelo curto e feições delicadas. Havia muitos exames pré-operatórios. Os dedos na vagina e no ânus eram humilhantes. Ela se sentiu uma aberração. As outras crianças não estavam sendo examinadas do mesmo jeito. Ninguém os estava fotografando.

Os psiquiatras disseram a ela que a cirurgia foi considerada um triunfo. Eles garantiram à Sra. Sullivan que Bonnie iria menstruar, ter namorados, casar-se com um homem e ter filhos. Mas Bonnie não se sentia como as outras garotas. Ela estava infeliz.

Quando ela tinha dez anos, seus pais disseram que seu clitóris havia sido removido, mas não explicaram o que era um clitóris. Disseram que teria sido um pênis se fosse menino, mas como tinha uma vagina, ela não precisaria de um.

Bonnie começou a perceber seus desejos pelo mesmo sexo na escola primária e imaginou que estava condenada a uma vida solitária e isolada. Ela mergulhou nos livros e desenvolveu um interesse em computadores quando poucas pessoas sabiam o que era isso. Depois de iniciar e interromper os estudos, fugir de casa e ir morar com um grupo de hippies, ela finalmente se formou no Instituto de Tecnologia de Massachusetts.

Apesar de tudo, ela vivia atormentada por sua misteriosa história médica. Quando estava com dezenove anos, foi à biblioteca e leu sobre sexualidade e anatomia genital, incluindo hermafroditismo. Mas isso parecia muito estranho. Ela também leu sobre o DES, o medicamento hormonal amplamente utilizado em mulheres grávidas para prevenir abortos e que mais tarde descobriu-se que aumentava o risco de câncer e causava anormalidades reprodutivas nos bebês expostos a ele. (Esta foi a droga contra a qual Georgeanna Seegar Jones alertou.) Bonnie estava convencida de que era um bebê que havia sido exposto ao DES e que ia ter câncer.

Quando Bonnie tinha cerca de vinte anos e morava em São Francisco – antes de frequentar o MIT –, marcou uma consulta com uma ginecologista e pediu a ela que obtivesse seus registros médicos. O Hospital Presbiteriano de Columbia enviou à médica apenas três páginas do que certamente era um arquivo grande. "Parece que seus pais não tinham certeza se você era menino ou menina", disse, entregando-lhe o relatório.

Bonnie leu: "Hermafrodita".

Também leu: "O sexo da criança é duvidoso, tem pênis e vagina". E viu seu nome de nascimento: Brian Arthur Sullivan.

"Então, eu estava com essas três páginas, mas não conversei sobre elas com ninguém. Fiquei chocada e envergonhada", ela me disse. Um sentimento de raiva surgiu. Mais tarde, ela foi atormentada por pensamentos suicidas.

Com o tempo, Bonnie obteve o seu registro completo, com o relatório de patologia de 1958 de seu clitóris amputado. Dizia: "A parte 1 é denominada clitóris, uma estrutura cilíndrica alongada como um pênis que mede três centímetros de comprimento". Os três centímetros incluíam não apenas a parte exposta, mas a parte interna, que também foi removida. Algumas mulheres mantêm uma leve sensibilidade sexual se uma parte do clitóris for mantida após a cirurgia, mas não Bonnie. O relatório da biópsia de suas glândulas sexuais dizia: "tecido ovariano... tecido testicular, Hermafroditismo Verdadeiro". E ela leu as anotações da enfermagem do hospital de quando tinha oito anos: "Quieta e sem comunicação. Ajudou a limpar a enfermaria".

Bonnie encontrou consolo na literatura feminista. Em 1993, Anne Fausto-Sterling, PhD, professora da Brown University, escreveu um artigo no *The Sciences* perguntando por que crianças nascidas com características atípicas devem ser forçadas a um gênero ou outro. De certa forma, apresentou a noção de que existem cinco sexos em vez de dois. Ela também criticou a prática de cirurgia genital em recém-nascidos, o que poderia destruir a vida sexual de uma mulher.

Bonnie ficou aliviada ao ver uma revista respeitada questionar o tratamento padrão para pessoas como ela e escreveu uma carta ao editor, publicada na próxima edição, pedindo aos médicos que descartassem o uso de "hermafrodita", que remonta aos dias dos circos de aberrações, substituindo-a pela palavra "intersexo". Bonnie não inventou a palavra "intersexo"; ela já havia sido usada alternadamente com a palavra "hermafrodita" por anos. Sua missão era erradicar o rótulo de "hermafrodita".

Naquela época, Bonnie começou a se abrir para os amigos sobre seus percalços médicos. Logo, muitas pessoas estavam dizendo que conheciam alguém como ela, ou tinham tido um amante intersexo, ou haviam passado pela mesma coisa. Em sua carta à *The Sciences*, Bonnie pediu que pessoas como ela a procurassem para que formassem um grupo, um lugar onde pudessem compartilhar suas experiências e aliviar um pouco aquela solidão desesperadora. Ela queria informar os médicos que cuidavam de crianças intersexo que suas intervenções estavam, em grande parte, equivocadas. Além de seu nome, Bonnie forneceu um endereço para quem quisesse ingressar na Sociedade Intersexo da América do Norte. Ela alugou uma caixa postal especificamente para esse fim e usou um pseudônimo, Cheryl Chase, para proteger sua família. Bonnie escolheu esse pseudônimo folheando a lista telefônica e não pretendia mantê-lo, mas esse acabou tornando-se o nome dela por um tempo.

Na verdade, a Sociedade Intersexo ainda não existia. Era apenas uma frase em sua carta e uma caixa postal. Em algumas semanas, a caixa postal estava cheia de cartas manuscritas descrevendo detalhes íntimos. Os remetentes incluíram seus números de telefone. Ela passava os dias respondendo às cartas e conversando, horas a fio, com pessoas com problemas semelhantes aos seus. Eles conversaram sobre solidão e vergonha. Eles tinham todo tipo de perguntas sobre como seus hormônios atípicos influenciavam suas identidades, suas inclinações sexuais. Alguns ficaram tão zangados quanto ela com as intervenções cirúrgicas e com o uso de seus corpos como modelos médicos de tratamento. Muitos relatavam viver os mesmos problemas: nenhuma sensação sexual, complicações sem fim. Muitos usavam hormônios durante a vida toda.

A Dra. Arlene Baratz esteve entre as muitas pessoas que procuraram Chase. "Eu realmente queria conversar com outra pessoa que vivia com isso", disse ela.

Baratz sabia da história da intersexualidade quando poucas pessoas conversavam de forma aberta sobre isso. "Foi emocionante quando essas mulheres adultas falaram sobre o que aconteceu nas décadas de 1950 e 1960. Eles viveram suas vidas em segredo e isolamento. Ao ouvir essas histórias, pensei que essa não será a história da minha filha."

Em 1990, sua filha de seis anos, Katie, havia sido diagnosticada com uma síndrome de insensibilidade ao androgênio. Durante o que deveria ser uma cirurgia de hérnia rotineira, os médicos encontraram um testículo. Como médica, Baratz entendeu exatamente o que o diagnóstico significava e o que deveria esperar. Ela sabia que a filha tinha os cromossomos XY típicos de um menino, mas como a criança não respondia à testosterona, ela tinha a aparência externa de uma menina. No entanto, Katie não tinha ovários ou útero.

As crianças com insensibilidade ao androgênio não menstruam, porque não têm útero, mas podem desenvolver seios, porque geralmente têm estrogênio suficiente para isso. Katie, no entanto, precisava tomar pílulas de estrogênio quando era adolescente, para passar pela puberdade e obter força óssea. "Minhas emoções são semelhantes às da maioria: você sofre pela infertilidade do seu filho", disse Baratz. "E então, percebi que a única coisa que ela não seria capaz de fazer era ter um filho biológico. Eu a criei com o entendimento de que poderia viver bem."

Katie foi entrevistada pela revista *Marie Claire* e apareceu no programa da Oprah Winfrey com a mãe, dizendo que gostaria de se tornar uma ativista para pessoas como ela. Ela estudou medicina e fez mestrado em bioética. Hoje ela é psiquiatra. Ela também é casada e mãe, graças a uma doadora de óvulos e uma barriga de aluguel.

Ao contrário do que acontecia nos anos 1950, hoje, os médicos são incentivados a falar abertamente com os pais desde o início. Não foi surpresa que, em 2013, pesquisadores suíços e alemães tenham confirmado o que a maioria dos pais sabe: quando os médicos dizem aos pais que não há necessidade de tomar uma decisão sobre a cirurgia, é mais provável que eles atrasem ou evitem operações em comparação aos pais que ouvem se tratar de uma situação de emergência. Também existem, em parte graças a Cheryl Chase e outras pessoas como ela, vários grupos de apoio *on-line* e presenciais, para que as crianças e seus pais não precisem mais se sentir isolados. (Chase não foi a primeira a lançar um grupo, mas a maioria existia em segredo.)

Os debates sobre o tratamento continuam. Brian/Bonnie/Cheryl Chase agora se chama Bo Laurent. "Bo" remonta aos dias de Bonnie, e Laurent é para homenagear Laurent Clerc, um estudante do século 19 que lutou pelos direitos dos surdos, para que não fossem mais tratados como deficientes mentais, o que era bastante comum. (Os avós maternos de Bo eram surdos; a primeira língua de sua mãe foi a linguagem de sinais.) "Eu queria fazer o mesmo pelas pessoas intersexo", disse ela.

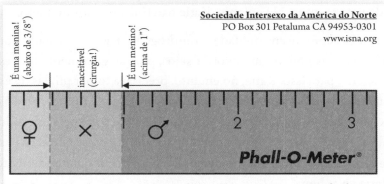

Imagem criada por Bo Laurent para expressar sua raiva pela cirurgia com base em pontos de corte específicos. Cortesia de Bo Laurent.

Hoje, Bo vive com seu parceiro numa casa aconchegante em uma tranquila cidade rural no Condado de Sonoma, no norte da Califórnia. Ela tem um corpo curvilíneo e cabelos fartos e escuros que ficam logo abaixo dos ombros. Bo permanece em contato com uma vasta comunidade internacional de pacientes e médicos. Sua voz calma e reconfortante esconde a raiva interior sobre a maneira como a comunidade médica tratou pessoas como ela. Ela compara a cirurgia genital em pessoas intersexo com mutilação genital. As operações continuam; Bo não acredita que muita coisa tenha mudado desde que ela nasceu. "É verdade que agora as pessoas podem encontrar outras pessoas intersexo – mas não graças a seus médicos, apesar de que os médicos estão menos mentirosos – mas acho que apenas porque sabem que seus pacientes e os pais dos pacientes encontrarão ativistas intersexo na internet." As crianças intersexo e suas famílias, disse ela, "ainda estão sujeitas a danos adicionais além de sua difícil situação de nascimento e sofrimentos desnecessários, impostos por um sistema médico resistente à mudança".

Bo Laurent não pode apagar o passado – isso já foi tentado. Passei dois dias com ela, enquanto compartilhava detalhes íntimos de sua vida, seus registros médicos e um velho álbum de couro de fotos de quando era bebê, o único que sobrou. A tia de Bo deu-o a ela depois que sua mãe morreu. Nas fotos (como em muitas fotos de bebês), é impossível saber se a criança é menino ou menina. No canto inferior direito da capa de couro está o que deveria ter sido um "Brian Sullivan" com gravação em ouro, mas o "Brian" foi removido. Em seu lugar, há uma área careca e riscada, como quando a fita adesiva é retirada de uma embalagem e a camada superior de papelão é rasgada junto com ela.

Brian nasceu em 1956, no auge da expansão econômica do pós-guerra, quando as pessoas estavam deixando as cidades em busca de casas suburbanas e com cercas brancas e o sonho americano parecia ser um marido que trabalhava, uma mãe que ficava em casa e dois filhos: uma garota feminina, vestida de rosa e um garoto esportivo de azul. Os Sullivans só queriam que seu filho se encaixasse. Alguns estudiosos, olhando para aquela época, sugeriram que as cirurgias e terapias hormonais solidificaram um sistema binário de gênero – que as meninas deveriam ser de um jeito e os meninos de outro. De muitas formas, as novas ideias científicas sobre os hormônios e como eles influenciam o desenvolvimento entraram em conflito com as noções antigas de masculinidade e feminilidade. Os dados estavam mostrando uma imagem muito mais complexa da humanidade.

Uma década depois de Bo ter ido para a mesa de cirurgia, na década de 1960, hordas de pais procuravam terapia médica para outro tipo de criança atípica: aquelas que eram consideradas muito baixas. Os pais queriam hormônio do crescimento, um protocolo de tratamento inovador apoiado pela ciência da época. Ao contrário dos pais da década de 1950, esses pais eram ativistas trabalhando ao lado dos médicos para defender a terapia hormonal. O objetivo era o mesmo: fazer com que crianças diferentes fossem padronizadas para, portanto, torná-las mais felizes.

8
Crescendo

Como qualquer criança de sete anos, Jeffrey Balaban estava irritado com seu exame físico anual. Nenhuma criança gosta de ser cutucada e interrogada por um adulto. Jeff gostava de se considerar um garoto saudável, mas de vez em quando os médicos olhavam para ele de modo estranho, curiosos sobre sua altura, ou a falta dela. "Ele era obviamente baixo", disse sua mãe, Barbara Balaban. Ele tinha cerca de 1,05 metro até então. "Mas nós tínhamos a noção de que pessoas diferentes fazem as coisas de maneiras diferentes e, então, você não se preocupa com as diferenças."

Naquele dia em 1960, depois que o pediatra disse que estava tudo bem, ele perguntou se eles queriam conversar com um especialista em crescimento. A Sra. Balaban disse que não, não estava interessada. E isso foi tudo.

Jeff era o garoto mais baixo de sua classe, talvez o mais baixo de todo o período. Havia momentos em que o topo da sua cabeça mal alcançava os lóbulos das orelhas de um colega de classe. O irmão mais velho e a irmã mais nova eram baixos, mas não tão baixos. Seus pais também estavam abaixo da média. A Sra. Balaban pairava em algum lugar em torno de 1,60 metro. Dr. Al Balaban, seu marido, alcançou algo entre 1,67 e 1,70 metro de altura. Eles acharam que aquilo tudo era uma coisa boba. Arrastar a criança para uma consulta médica por ser baixinha?

O check-up do ano seguinte foi uma reprise. A saúde de Jeff estava boa, mas novamente o pediatra perguntou à mãe se ela gostaria de consultar um especialista em problemas de crescimento. Desta vez, o médico acrescentou que Jeff pode nunca ultrapassar 1,20 metro. A Sra. Balaban ficou chocada. O médico, disse ela, usava o termo "anão", ou "pigmeu", ou algum tipo de rótulo antigo para "pessoa pequena" dos anos 1960. Ela sabia que Jeff era pequeno; ele tinha oito anos e um centímetro a menos que sua irmã de cinco anos. Ainda assim, ela nunca pensou em sua estatura como uma deficiência ou uma doença.

Ser baixo não é um diagnóstico; é uma descrição. Mas, às vezes, é um sinal de que algo está errado. Existem pelo menos duzentas síndromes médicas que impedem o crescimento. Um defeito genético pode causar desenvolvimento ósseo anormal, como no caso da acondroplasia, resultando em membros muito curtos, cabeça muito grande e um torso de tamanho normal. Ou a falta de hormônio do crescimento pode impedir a escalada vertical típica da infância. Os médicos chamam essa condição de nanismo hipofisário. Às vezes, as crianças são pequenas porque essa condição é normal para elas – todos os genes e hormônios estão funcionando bem. Eles apenas têm pais pequenos.

Todo ser vivo cresce. Nós, humanos, somos únicos em nosso ritmo. Ao contrário de outros mamíferos, pisamos no acelerador logo antes do nascimento e pressionamos suavemente os freios assim que atingimos o mundo exterior. Ainda crescemos, mas muito mais devagar. Então, crescemos antes de sair e desaceleramos depois, relaxando em uma infância prolongada. Pense bem: nossos animais de estimação atingiram seu tamanho final e estão criando bebês quando a maioria de nós ainda está na ponta dos pés tentando bebericar de uma fonte de água. Se, por exemplo, você ganha um filhote de pastor alemão na mesma época em que você tem um bebê (como eu ganhei), você notará que em seis meses seu bebê se encaixa perfeitamente no marsúpio de um canguru. Seu cachorro não.

Os antropólogos teorizam que temos uma juventude prolongada, em comparação com nossos primos mamíferos, a fim de adquirir maiores quantidades de conhecimento para repassar para a próxima geração. Os médicos veem isso através do prisma dos hormônios. A diferença entre seu pequeno ser humano e seu cachorrinho é, em parte, o momento da liberação dessas substâncias químicas. Quando seu cão tem cerca de seis meses e seu filho cerca de doze anos, uma glândula cerebral (o hipotálamo) diz à outra glândula (a hipófise) para diminuir a produção de hormônio do crescimento. O crescimento vertical, descobriram os cientistas, depende não apenas do hormônio do crescimento, mas também dos hormônios sexuais. O hormônio do crescimento também estimula a liberação de outros hormônios auxiliares, que, por sua vez, esticam ossos e músculos. Uma criança que não está crescendo pode não ter hormônio do crescimento. Ou ele poderia ter a quantidade certa, mas lhe faltam os hormônios auxiliares. Ou, ainda, ele pode ter todas as quantidades certas de hormônio, mas problemas de sinalização significam que seu corpo não está transmitindo as mensagens corretamente.

Todo o processo de crescimento – alongamento dos membros, fortalecimento dos músculos, expansão dos órgãos internos – depende do *timing* de um relógio suíço junto da atenção aos detalhes de um *chef* de cozinha. É como assar um bolo: você pode medir todas as quantidades certas de ovos, açúcar, manteiga e farinha, mas se você não souber como misturá-los e se esquecer de ligar o forno, acabará com um resultado triste.

O início da década de 1960 foi um período de Alice no País das Maravilhas para os cientistas que trabalhavam no hormônio do crescimento.[9] Em laboratório, eles estavam criando animais gigantes, atrofiando alguns outros e testando o hormônio do crescimento juntamente com a testosterona e o hormônio da tireoide, em crianças. Jeff Balaban pode ter sido apenas uma criança pequena, um produto de pais pequenos, ou ele pode ter sido deficiente em hormônio do crescimento. Não havia testes para medir seus níveis. Era uma questão de julgamento clínico (essa criança parecia carente de hormônios?) combinado com suposições educadas.

Anos antes, muito antes de o hormônio do crescimento ser isolado, os médicos previram que um hormônio poderia "curar" os baixinhos. Ou, como disse o Dr. Oscar Riddle, ex-presidente da Sociedade Endócrina, à *Associated Press*, em 1937, "porque as pessoas baixas sofrem de complexos de inferioridade, em algum momento os médicos do futuro poderão administrar doses de hormônio do crescimento, permitindo-lhes atingir todo o seu potencial intelectual e físico".

---

9   Harvey Cushing previu isso. Como ele disse, décadas antes, "o Lewis Carroll de hoje teria Alice mordiscando um cogumelo pituitário na mão esquerda e uma luteína [uma porção do ovário] na mão direita, e rapidamente ela teria qualquer altura desejada!".

No início dos anos 1960, os médicos finalmente conseguiram fazer algo em relação à baixa estatura. Incitando a empolgação, houve uma enxurrada de artigos em revistas e periódicos científicos repetindo a afirmação milenar de que pessoas baixas, principalmente meninos, foram condenadas a um destino terrível. Uma reportagem de capa da revista *Parade* que alardeava o novo tratamento hormonal se referia a uma "vida de nanismo infernal". John Money, o famoso especialista em identidade de gênero, afirmou que os adultos, sem querer, mimam crianças pequenas, tratando-as como menores de idade, o que incentiva a imaturidade e a insegurança. Crianças pequenas, declararam os especialistas, eram menos propensas a se casar ou conseguir empregos em comparação com seus irmãos mais esguios. Como Sheila e David Rothman escrevem em *The Pursuit of Perfection: The Promise and Perils of Medical Enhancement* (Em busca da perfeição: A promessa e os perigos do aprimoramento médico): "A combinação de endocrinologia, que identifica um estado de deficiência hormonal, e psiquiatria, que analisa o grau de desajustamento, sugeriu que a falta de estatura era uma doença e, de nenhuma maneira, uma doença trivial".

O medo aumentou a urgência de tratar. Talvez a disponibilidade de novos tratamentos tenha influenciado os estudos emocionais, que provaram que o novo medicamento era necessário. Os pesquisadores estavam criando uma terapia para tratar uma doença ou inventaram algo e depois buscaram por uma doença? Naturalmente, pais de crianças pequenas, sobretudo meninos, queriam fazer o que fosse necessário para garantir aos filhos uma vida plena de saúde, felicidade, casamento e possibilidade de emprego. A terapia hormonal não era mais o charlatanismo das décadas passadas, insistiram os médicos. Tratava-se de medicina moderna, com produtos químicos feitos nos principais laboratórios, os ingredientes precisamente medidos e as crianças monitoradas.

Os Balabans e seus três filhos moravam em Great Neck, Nova York, um subúrbio de Long Island, a cerca de quarenta minutos de carro de Manhattan. Barbara Balaban trabalhou em vários empregos editoriais, como secretária e foi voluntária na escola pública e na comunidade. Al Balaban era psiquiatra e, apesar de acompanhar todos os assuntos médicos, não ouviu muito – ou pelo menos não pensou muito – sobre tratamentos de crescimento. É claro que os jornais publicaram, esporadicamente, histórias sobre os avanços na abordagem do hormônio do crescimento. Químicos extraíram hormônio do crescimento do cérebro de uma vaca; algo que chegou às manchetes em 1944. Os cientistas decifraram a estrutura do hormônio do crescimento; chegando às manchetes uma década depois. Em 1958, os jornais escreveram sobre a cura do nanismo com hormônio do crescimento e, em 1959, anunciaram a possibilidade de terapia hormonal sob medida. Mas com esse e aquele avanço, e tantas outras coisas acontecendo no mundo (tumultos raciais, missões espaciais, Vietnã etc.), quem se lembrava de todas essas descobertas médicas? A menos que você pense que isso se relacionava a você. Para os Balabans, a altura tornou-se um problema no exame dos oito anos de idade de Jeff.

Quando o médico perguntou novamente se a Sra. Balaban queria uma opinião de um especialista, ela se preocupou com o fato de não estar se importando o suficiente. Talvez tenha pensado naqueles artigos de jornal. Mesmo que ela tivesse considerado que Jeff estava muito bem do jeito que ele era, agora considerava a possibilidade de que ele não estivesse tão bem. Certamente, uma consulta não poderia prejudicar.

Os Balabans tinham um pressentimento de que Jeff lutaria contra os testes, o tratamento e um rótulo. Mas eles acreditavam que, a longo prazo, ele seria grato por aquilo. "Foi um momento ruim para ele, que foi pego nessas correntes cruzadas", disse o Dr. Balaban. "Ele cresceu sendo fofo, era adorável quando criança – tagarela, sociável, cheio de diversão e encantava as pessoas. Era travesso como o inferno. Estava sendo tratado por seus professores como bonitinho e com permissão para fazer coisas que não deveria. Mas era atormentado pelas crianças no recreio. Ele era amado, mas perseguido."

Numa tarde de 1961, Balaban puxou Jeff para fora da escola para ver a Dra. Edna Sobel, pediatra do Hospital Albert Einstein, no Bronx, a uma hora de carro de casa. A Dra. Sobel era especializada em crianças com problemas hormonais e foi considerada uma das líderes nessa área. Ela era formada em Harvard e estava envolvida em diversos estudos de referência sobre o nanismo. Embora fosse conhecida por alguns de seus colegas e pacientes como uma médica bondosa, a Sra. Balaban lembrava dela como sendo rude e bruta. Ela lembrou que a Dra. Sobel estava, frequentemente, em uma cadeira de rodas. Às vezes, ela ficava de pé, curvada. Parecia pequena, até menor que a Sra.

Balaban. Embora a Dra. Sobel nunca tenha mencionado aos pacientes, ela teve poliomielite quando criança e as deformidades ósseas causadas por sua doença desencadearam problemas de crescimento. Usava uma palmilha elevada em um de seus sapatos e sofria de dor crônica.

"O exame foi caro e durou uma eternidade", disse a Sra. Balaban. Foram feitos exames de sangue e tudo foi medido. Jeff não estava feliz. Ele odiava faltar à escola. Ele odiava se sentir uma aberração. Ele odiava ficar nu na frente de uma mulher, mesmo que ela fosse uma médica.

A Dra. Sobel suspeitava que Jeff tivesse hipopituitarismo, o que significa que sua hipófise não estava produzindo hormônio de crescimento o suficiente. Dr. Balaban ficou chocado. "Eu tinha ouvido falar sobre isso na escola de medicina, como o caso de Tom Thumb e coisas do tipo", disse ele, referindo-se ao anão de um metro que apareceu no circo no final do século 19. Ele nunca havia colocado o filho nessa categoria. Jeff era uma criança normal, não uma aberração de circo.

Para os médicos, a principal preocupação não é apenas o crescimento atrofiado, mas todas as outras coisas que o hormônio do crescimento faz. Ajuda a equilibrar o açúcar, metabolizar proteínas e gorduras, manter a saúde do coração e dos rins e estimular o sistema imunológico, para citar apenas algumas de suas muitas tarefas. Portanto, o hormônio do crescimento não é apenas sobre o crescimento, e o crescimento não se resume somente ao hormônio. Um nome melhor para esse produto químico pode ser hormônio do desenvolvimento.

A Dra. Sobel sugeriu o hormônio da tireoide primeiro, pois aumentar o metabolismo de Jeff poderia ajudá-lo a crescer. Alguns anos antes, teriam dado doses de testosterona a ele. Os médicos perceberam que a testosterona fez os meninos crescerem mais cedo, mas não ficam mais altos do que teriam sido sem ela. Era como viajar de trem em alta velocidade: mais rápido, mas você acaba chegando no mesmo lugar. De fato, foi a Dra. Sobel quem foi a autora de um dos principais estudos mostrando que a testosterona não aumentava o crescimento.

Os Balabans concordaram em tentar o tratamento da tireoide. Poucos meses e muitas injeções depois, Jeff relutantemente deixou a escola mais uma vez e passou pelo trajeto de Long Island até o Bronx. Ele mexia impaciente com outras crianças pequenas na sala de espera do hospital; a norma era esperar duas horas por uma consulta de quinze minutos. Quando o nome de Jeff por fim foi chamado, a Dra. Sobel lhe disse o que ele já havia descoberto por conta própria: as injeções da tireoide não estavam funcionando. Nenhum surto de crescimento. Na verdade, ele não tinha crescido nada.

Se Jeff tivesse ido ao médico apenas dois anos depois, teria feito vários exames de sangue para medir os altos e baixos do hormônio do crescimento. Mas esses testes ainda não haviam sido inventados. Em vez disso, ele foi internado no hospital por um mês e os médicos mediram sua ingestão de alimentos e sua excreção. Eles radiografaram a cabeça dos pais para ver se eles tinham problemas de hipófise, que poderiam ter sido repassados a Jeff. Em 1961, não havia exames sofisticados de imagem cerebral, então os médicos coletavam pistas sobre a hipófise ao radiografar o prato ósseo onde a glândula repousa. Ossos triturados ou abertos sinalizavam problemas, porque a distorção sugeria um tumor – não era uma prova, mas uma pista. Jeff passou por um procedimento especial de raios X chamado pneumoencefalograma, um termo rebuscado que descreve um processo aparentemente bárbaro desenvolvido em 1918 e usado até a década de 1970, quando métodos mais delicados de ver o crânio finalmente surgiram. Os médicos drenaram o fluido ao redor da medula espinhal de Jeff, bombearam ar para dentro de sua cabeça e depois radiografaram, o que dava uma visão mais clara. Jeff voltou para casa se contorcendo em virtude de uma dor de cabeça insuportável, um efeito colateral do exame. Os testes mostraram que ele não tinha um tumor. Dra. Sobel apresentou então mais uma opção: hormônio do crescimento humano. Essa terapia era nova em folha e os relatórios iniciais eram promissores. As crianças cresciam. Não houve estudos de comparação, mas, para crianças que pareciam ser deficientes em hormônio do crescimento, fazia todo o sentido. Dar a elas o que parecia faltar. Deixá-las normais.

Para os Balabans, mudar da tireoide, que não funcionava, para hormônio do crescimento, que poderia funcionar, foi uma decisão fácil. O passo difícil foi começar com as injeções. Foi quando Jeff deixou de ser uma pessoa e virou um paciente. Foi quando sua vida se dividiu em antes das injeções e depois das injeções. Antes, quando baixinho era uma descrição, para depois, quando baixinho era um diagnóstico. Uma vez que os Balabans passaram pela linha tênue que separava o saudável e o insalubre, estavam mais dispostos a experimentar outros medicamentos.

Mas havia uma diferença enorme que a Sra. Balaban ainda não sabia. O hormônio da tireoide era abundante. O hormônio do crescimento, não. A terapia com hormônio de crescimento para crianças era como uma corrida do ouro entre os médicos, cada uma correndo para obter sua parte da preciosa matéria-prima. Quando a Sra. Balaban concordou em experimentar o hormônio do crescimento, Dra. Sobel deu risada. Isso abalou a Sra. Balaban. Ela estava zombando? Foi tudo uma piada doentia? O Hospital Albert Einstein tinha um pequeno estoque de hormônio do crescimento, explicou Sobel, mas já estava prometido a outra criança. A Dra. Sobel riu porque ficou surpresa ao perceber que Balaban achava que era uma solução fácil, como se o hormônio do crescimento estivesse armazenado em um armário de remédios. Era tudo menos isso.

O hormônio do crescimento para o tratamento de crianças era obtido a partir do cérebro de pessoas mortas. Daí o nome "hormônio do crescimento humano", em vez de simplesmente "hormônio do crescimento". Uma hipófise fornecia o suficiente para tratar uma criança apenas por um dia. Os médicos presumiam que crianças pequenas precisassem de uma injeção todos os dias, durante pelo menos um ano. Não havia estudos testando a dosagem, mas, por alguma razão, o conteúdo de uma hipófise parecia a quantidade certa. Isso significava 365 hipófises, ou 365 cadáveres, para fazer uma criança crescer. Você não precisa ser um matemático para perceber que tratar todas as crianças muito baixas do país, talvez milhares delas, era equivalente a ter um necrotério cheio de cadáveres.

Dra. Sobel, em seguida, fez uma das propostas mais estranhas que um médico poderia fazer a um paciente. Ela disse à Sra. Balaban que, se ela quisesse esta droga tão escassa para o filho, ela teria que coletar seu próprio lote de glândulas hipófise. "Ela apenas olhou para mim e disse: 'Você conhece um patologista ou alguém no seu hospital? Você precisará de cem gramas e, quando os conseguir, podemos tratá-lo.'"

Se a Dra. Sobel tivesse pedido à sra. Balaban para levantar mais dinheiro, até teria sido fácil. Ou se ela tivesse pedido à Sra. Balaban para organizar uma marcha de uma ponta à outra de Washington, isso também seria viável. Mas ela estava falando sobre coletar uma parte do corpo, que estava escondida nada menos do que no fundo do cérebro – algo que você deveria pensar estar fora dos limites para uma pessoa que não seja um médico.

No consultório médico, de pé ao lado do filho, Barbara Balaban sabia que estava prestes a embarcar em uma longa e estranha jornada. Ela simplesmente não sabia o quão estranho seria. Dentro de semanas, ela e o marido percorreriam necrotérios por todo o país, penetrando nos santuários internos das reuniões médicas de elite. De uma mãe preocupada, ela se transformaria em uma das principais captadoras de hipófises do país. Foi preciso um pouco de sorte, algumas boas conexões e muita determinação. Ou, como ela disse: "tudo que fizemos foi por puro desespero".

Em 1866, Pierre Marie, um neurologista francês, descobriu que um gigante é um gigante porque tem uma hipófise aumentada. Ainda passaria mais meio século antes que os médicos identificassem a química exata, entre as muitas substâncias da glândula, que desencadeava o crescimento. A competição entre os pesquisadores parecia de equipes rivais mergulhando em busca de tesouros afundados. Todo mundo está nadando na mesma área, mas somente o primeiro a pegar o tesouro colhe o prestígio e as recompensas.

E a honra do hormônio do crescimento iria para dois cientistas da Universidade da Califórnia, Berkeley. O Dr. Herbert Evans, ex-aluno de Harvey Cushing, e o Dr. Choh Hao Li, bioquímico, anunciaram sua vitória em um artigo de 1944, na *Science*. Evans e Li começaram com pedaços de hipófise, para confirmar que elas realmente possuíam os ingredientes necessários. Eles deram pedaços de glândula a ratos e observaram os roedores incharem. Eles removeram as hipófises dos ratos e os viram encolher. Então eles injetaram a glândula nos ratos de novo. Os ratos se recuperaram.

Pouco tempo depois desse estudo, os dois cientistas isolaram o disputado hormônio do crescimento a partir de pedaços da hipófise. Alguns céticos duvidavam que eles tivessem conseguido o hormônio do crescimento puro e afirmavam que o que eles haviam encontrado era uma mistura de tireoide, ovário e testículo. Em outras palavras, eles suspeitavam que não houvesse hormônio do crescimento em si, mas um hormônio da hipófise que tivesse muitos efeitos pelo corpo. Evans e Li defenderam sua posição, concluindo em seu artigo na *Science* que "uma dose de cinco miligramas do produto não apresentava atividades lactogênicas, tireotróficas, adrenocorticotrópicas, estimuladoras de folículos ou estimuladoras de células intersticiais". Isso provou que era o hormônio do crescimento, pois não tinha outros "contaminantes da hipófise biologicamente ativos".

O estudo de Evans-Li, que chamou a atenção da mídia, envolveu dois filhotes. Os cientistas pegaram uma cabeça de vaca de um matadouro, recuperaram o hormônio do crescimento da hipófise, pulverizaram em um pó fino e injetaram em um filhote de cachorro, da raça dachshund. O filhote cresceu mais que seu companheiro de ninhada. Os cães não pareciam mais irmãos; aquele que recebeu o hormônio do crescimento não apenas cresceu, mas seu pescoço ficou mais grosso e sua mandíbula se expandiu. Sob uma foto dos dachshunds colocada em uma página da revista *Life*, o relatório dizia que o filhote maior parecia mais um bulmastife. – De fato, o experimento mostrou que o hormônio do crescimento – como suspeitavam os médicos com pacientes acromegálicos – não apenas aumenta a altura, mas também desencadeia alterações faciais. Esses foram os tipos de mudanças que Cushing havia observado anos antes, o que o levou a escrever a tal carta para a revista *Time* criticando o concurso "Feios".

A princípio, os médicos pensaram que um amplo suprimento de hormônio do crescimento pudesse ser retirado dos animais. O pensamento era de que hormônio do crescimento era apenas hormônio do crescimento, independentemente de onde ele fosse coletado. Se o hormônio da vaca funcionava em ratos e cães, funcionaria em humanos. Veja a insulina: ela veio de porcos e controlou as oscilações de açúcar no sangue dos humanos.

Infelizmente, o hormônio do crescimento não funcionou da mesma maneira que a insulina. Vindo dos porcos, ele fez os ratos crescerem, mas não adicionou nenhum centímetro às pessoas. Os médicos que trataram pacientes com hormônio do crescimento bovino descobriram que ele também não fazia nada.

Em 1958, o Dr. Maurice Raben, da Universidade Tufts, anunciou que havia feito um anão crescer usando hormônio do crescimento de um cadáver humano. Fez uma carta, curta e grossa, que foi guardada na página 901 da edição de agosto do *Journal of Clinical Endocrinology and Metabolism* (Jornal de Endocrinologia Clínica e Metabolismo). Ele relatou que deu ao paciente um miligrama de hormônio do crescimento humano duas vezes por semana durante dois meses, depois dois miligramas três vezes por semana durante sete meses, aumentando a altura do paciente em quase sete centímetros.

Raben estava competindo com o laboratório Evans, na Califórnia, entre outros laboratórios, para ser o primeiro a relatar sucesso com o hormônio do crescimento humano. (Seu laboratório já havia perdido quando se tratava de isolar o hormônio do crescimento animal.) Raben enviou suas descobertas em uma carta e não como um artigo. Com um pouco de promoção, as cartas eram igualmente capazes de chamar a atenção da mídia. A conquista do hormônio da Universidade Tufts chegou às manchetes. "O hormônio faz o anão crescer: também pode oferecer pistas sobre câncer, obesidade e envelhecimento", saiu em uma nota no *New York Herald Tribune*.

A notícia de que os humanos só podem usar o hormônio do crescimento humano foi emocionante, mas alguns médicos viram o potencial de abuso. Isso "não produz jogadores de basquete por excelência", brincou Philip Henneman, médico de Harvard. A maioria das pessoas não gostou que a descoberta significasse que os suprimentos seriam limitados.

Jeff Balaban estava de volta ao consultório da Dra. Sobel no início do ano letivo de 1961, dois anos após todo o barulho acerca da cura dos anões. A Sra. Balaban foi informada de que o filho precisaria de três doses por semana. De preferência, os pacientes deveriam receber uma injeção por dia – uma dose calculada mais em palpites do que em fatos. Mas os estoques eram muito limitados para isso, então teria que ser feito três vezes por semana.

Isso significava, para Jeff, 156 hipófises, ou 156 cadáveres, para o suprimento de um ano. São muitos cadáveres. Na época, os Balabans não tinham ideia de que Jeff seria tratado pelos próximos dez anos; seria preciso um cemitério de corpos para fazê-lo crescer. Dra. Sobel disse que, se a Sra. Balaban conseguisse colher cem hipófises, elas começariam o tratamento. "Chamamos nosso melhor amigo, que é cirurgião, e outro amigo, um patologista, mas eles disseram que já estavam comprometidos com outro programa", disse Balaban, referindo-se a outra organização de coleta de hormônio do crescimento.

Olhando para trás, décadas depois, da comunidade de aposentados do sul da Flórida, os Balabans têm um palpite de que a Dra. Sobel lhes deu a opção de coletar o hormônio de que precisavam não porque ela de fato achou que eles obteriam cem hipófises, mas porque ela não quis dizer a eles que seria impossível. Ela "olhou para nós com tristeza e disse: 'Desculpe, pessoal, não está disponível'", disse o Dr. Balaban. Após um momento de silêncio, ela acrescentou: se você conhece alguém que conhece alguém, talvez possamos ajudá-lo.

Como eles contam, aquela centelha de esperança da Dra. Sobel – mesmo que não fosse realmente esperançosa – mobilizou a Sra. Balaban e deprimiu o Dr. Balaban. "Nós dois sentamos e choramos por três dias", disse a Sra. Balaban. "E então eu fiquei com raiva e, no fundo, o fato é que somos responsáveis por esse garoto e temos que fazer tudo o que pudermos. Se ele ficar com um metro de altura, poderemos afirmar que fizemos todo o possível."

Talvez tivesse sido melhor se uma possível cura não tivesse sido balançada bem na frente dela. Se eles nunca tivessem concordado em procurar a consulta, nunca teriam começado o caminho de uma terapia experimental e fora de alcance. Mas o dado foi lançado.

Barbara Balaban sentiu que não podia negar ao filho algo que poderia fazê-lo feliz: ser mais alto. Algo a que outras crianças baixinhas tinham acesso. Então, ela fez o que fez de melhor: lançou uma campanha comunitária. O que funcionava para a Associação de Pais e Professores e para o quadro de recrutamento funcionaria para hipófises, acreditava ela. "Fomos todos incentivados a ser voluntários", disse ela, "e tive a sorte de ter um marido que não se importava em gastar dinheiro em reuniões e receber pessoas em nossa casa."

O Dr. Balaban imaginou entrar em contato com um colega da faculdade de medicina que se especializou em patologia. Sua esposa disse que isso não seria o suficiente. Eles tiveram que escrever cartas para todos que conheciam, perguntando se alguém conhecia alguém que conhecesse um patologista disposto a doar uma hipófise. O Dr. Balaban olhou para ela e disse: "O que você está tentando fazer, iniciar uma organização nacional?".

E foi precisamente isso que ela fez. A Sra. Balaban criou a Fundação do Crescimento Humano. Seu objetivo era informar às famílias sobre como lidar com o diagnóstico de nanismo e receber tratamento. E os Balabans se tornariam, com o tempo, membros fundadores da Agência Nacional da Hipófise. Mas naquele dia, em 1961, eles estavam pensando em uma hipófise de cada vez.

A Sra. Balaban sentou-se à mesa da cozinha e digitou cartas para todos que ela conhecia. "Quando digo todo mundo, quero dizer todo mundo com quem Al tinha estudado medicina e todo mundo em todos os comitês de que eu já participei, todos os pais de todas as crianças das três classes de meus filhos." Não era fácil nos tempos que antecederam o e-mail e todas as outras maneiras de enviar mensagens instantâneas de hoje. A carta falava do desespero dos Balabans. Eles precisavam de glândulas hipófises para salvar o filho do que consideravam ser uma vida miserável causada pela pequeneza. Eles pediram aos amigos que entrassem em contato com hospitais e divulgassem em suas escolas, igrejas e sinagogas. Ela disse a eles que as hipófises deveriam ser colocadas em um tubo com acetona, removedor de esmalte, que as preservaria. O primeiro lote de cartas foi enviado em novembro de 1961.

Alguém ligou para falar sobre uma glândula. Então alguém ligou para falar de outra. Outra ligação vinha de uma pessoa que tinha três. "Nós estávamos em êxtase. Nós saímos para buscá-las. Um dia recebi uma ligação de uma amiga e ela disse: 'Tenho uma glândula para você'. E eu disse: 'Em que lugar do mundo você conseguiu isso?'. Ela disse que estava em um casamento e o pai da noiva lhe entregou este pacote endereçado a mim." A Sra. Balaban disse que cada pacote que chegava à sua porta parecia um pote de ervilhas. Parafraseando o Dr. Salvatore Raiti, um renomado endocrinologista, mil hipófises poderiam caber em um recipiente de meio litro de leite.

Na maioria das vezes, os patologistas colocavam as glândulas cerebrais em acetona e as entregavam aos Balabans ou a um amigo em comum. Normalmente, o Dr. Balaban as buscava no consultório do patologista, mas às vezes ele ia ao necrotério. Em seguida, os Balabans descarregavam os frascos em frascos de vidro maiores, cheios de acetona fresca, e os armazenavam em um armário na lavanderia.

Naquela época, qualquer um podia colocar uma hipófise em um frasco com removedor de esmalte e fazer o que quisesse. Você poderia entregá-lo a um pai necessitado. Você poderia colocá-lo no correio. Alguns patologistas congelaram suas glândulas cerebrais, que assim produziam mais hormônios do que as não congeladas, mas, se descongelassem acidentalmente (digamos que você tenha ficado preso em um engarrafamento), você perderia tudo. Passados quarenta anos, esses mesmos fragmentos cerebrais seriam classificados como um risco biológico, exigindo permissões e precauções quando fossem movidos – sem mencionar que agora você precisa da permissão dos membros da família para doar uma parte do corpo de seu ente querido.

Frascos de hipófises. Ralph Morse / Coleção de imagens da vida / Getty Images.

"Nós não pensamos se isso era legal", disse a Sra. Balaban. "Foram os dias que antecederam o HIPAA [ato de privacidade do paciente]. As glândulas estavam disponíveis apenas na autópsia. As famílias não estavam dando permissão. Nós apenas estávamos fazendo, sem nunca pensar em nenhum desses aspectos.

"O que aconteceu foi que uma pessoa nos indicava para outra e, um dia, recebia uma ligação de um cara dizendo: 'Eu tenho três hipófises' e eu disse: 'Estou indo'. Ele respondeu: 'Você está planejando vir para o Texas?'. Então ele disse que iria enviá-las para nós pelos Correios. Ele nos enviou um recipiente cilíndrico envolto em papelão e dentro dele havia acetona e três glândulas. Então olhamos um para o outro e dissemos: 'É assim que se faz'. Então saímos e pegamos algumas coisas."

"E foi aí que começamos a enviar pacotes junto com as nossas cartas. Conseguimos um frasco com tampa de rosca e algodão, tubos para correspondência, etiquetas autoendereçadas, muitos selos postais e papel de embrulho. Enviávamos a qualquer pessoa que pudesse obter glândulas para nós. Não custava nada à pessoa. Sempre que elas nos mandavam coisas, enviávamos mais embalagens para a próxima."

A Sra. Balaban mantinha um registro de todos os que doavam uma hipófise, todos que a encaminhavam para outra pessoa, todos que batiam nas portas para pedir ajuda, em cartões contendo de três a cinco registros. Os cartões estavam em ordem alfabética e com código de cores: verde para fornecedor ativo, vermelho para encaminhador ativo. Todos recebiam uma nota de agradecimento.

Os Balabans passaram o Natal com amigos em New Jersey. Quando chegaram em casa, havia um pequeno pacote na caixa de correio: as últimas glândulas necessárias para atingir cem. "Outras pessoas precisaram de seis meses para conseguir cem", disse a Sra. Balaban. "Fizemos em um mês."

Ela voltou ao hospital no Bronx com seu primeiro lote de cem hipófises, assumindo que a Dra. Sobel ficaria em êxtase e Jeff começaria o tratamento logo em seguida. Em vez disso, a Dra. Sobel ficou surpreendentemente indiferente. "Minha suspeita quando a conheci um pouco e vi seus anúncios de página inteira contra a Guerra do Vietnã e o Agente Laranja era que ela estava pensando que nós, os privilegiados, tínhamos acesso a isso [ao tratamento].

141

E as crianças que ela estava tratando neste hospital da cidade não tinham os recursos ou a experiência da vida."

Ainda mais impressionante para a Sra. Balaban foi quando a Dra. Sobel disse que eles teriam que esperar pelo menos três meses enquanto as glândulas se transformavam em um tratamento hormonal.

Havia três laboratórios no país que extraíam hormônio do crescimento: na Universidade da Califórnia, Berkeley; Universidade Tufts; e Universidade de Emory. Purificar o hormônio era, em certo sentido, como afiar uma pedra preciosa de um pedaço de rocha. Era preciso persistência, cuidado e destreza. Cada laboratório desenvolveu sua própria técnica para obter o produto mais puro. As hipófises dos Balabans foram ao laboratório do Dr. Alfred Wilhelmi em Emory, com o acordo de que a Sra. Balaban teria metade para o tratamento do seu filho e o Dr. Wilhelmi ficaria com a outra metade para sua própria pesquisa. Ela não teve escolha; ela precisava arranjar alguém para extrair o hormônio e todos os extratores insistiam em manter uma parte do estoque.

Jeff odiava a coisa toda desde o início. Seu pai lhe deu as injeções, e elas doíam. "Lembro-me da expressão de angústia em seu rosto", disse o Dr. Balaban. Mas eles acreditavam que estavam fazendo a coisa certa pelo filho. O Dr. Balaban disse a Jeff que ele não tinha voz ativa no assunto até que fosse mais velho e pudesse entender as implicações do tratamento, ou melhor, as implicações de não o receber.

Todo mês era necessário um dia de folga para Jeff se consultar com a médica. Ele ficava ali nu, enquanto ela media cada parte do seu corpo. "Eles mediram o pênis dele. Foi horrível", disse a Sra. Balaban.

"Um dia, mais ou menos depois de um ano em tratamento", ela disse, "um cara veio nos procurar. Alguém que o governo havia enviado. E ele nos disse que somos os terceiros maiores colecionadores de hipófises do país, superados apenas pelos Institutos Nacionais de Saúde e pela Administração de Veteranos. Eles queriam que liberássemos nossos recursos. Ele disse que, aonde quer que fosse, ele pedia a um patologista que se juntasse ao programa do governo e eles respondiam que já estavam comprometidos com Balaban. Ele não sabia o que era Balaban. Então, oferecemos a ele o mesmo termo que demos a todos os outros." Os Balabans compartilhariam seu estoque desde que sempre houvesse o suficiente para Jeff.

Robert Blizzard, um endocrinologista pediátrico que havia feito muitos experimentos originais com hormônio do crescimento, colecionava hipófises para pacientes no Hospital Johns Hopkins, oferecendo aos patologistas dois dólares por glândula. Os Balabans não pagavam os patologistas.[10]

A competição entre os médicos para colher sua parte na recompensa da hipófise estava começando a ficar feia. Alguns médicos aumentaram o preço para patologistas, na esperança de garantir mais hipófises. O Dr. Blizzard preocupava-se com um mercado negro, onde apenas os pais mais insistentes ou aqueles com mais dinheiro receberiam tratamento. Em 1963, ele organizou uma reunião com os maiores extratores, junto com cientistas e alguns pais de filhos pequenos. Os Balabans estavam lá.

O Dr. Blizzard propôs que eles se juntassem e compartilhassem os recursos. Os maiores coletores de hipófises se preocupavam com o fato de uma instalação central de coleta diminuir seus suprimentos; portanto, o Dr. Blizzard sugeriu que ninguém recebesse menos hipófises do que antes da colaboração. Eles se autodenominaram Agência Nacional da Hipófise e foram lançados em 1963, patrocinados pelos Institutos Nacionais de Saúde. A agência foi administrada pela primeira vez em Hopkins, com o Dr. Blizzard a liderando, e mais tarde foi dirigida pelo Dr. Salvatore Raiti, na Universidade de Maryland.

Como os Institutos Nacionais de Saúde financiam experimentos, não tratamentos, qualquer pessoa que tivesse uma hipófise através da Agência Nacional de Hipófise teria que fazer parte de um estudo científico. Pensava-se que o tratamento era crucial, então ninguém no estudo receberia um placebo; fazer parte de um estudo significava apenas que você estava sendo cuidadosamente monitorado e suas informações médicas eram mantidas em um registro, embora de forma anônima.

---

10 Gil Solitaire, um neuropatologista aposentado que esteve em Yale durante a "corrida" da hipófise, lembra-se de transportar hipófises e qualquer outra coisa de interesse para Hopkins, embora ele não se lembre de ser pago. "Eu sabia que se tivéssemos uma hipófise, enviaria para Hopkins. E se tivéssemos um cérebro com alguma coisa interessante, Hopkins também queria metade disso. Então, eu costumava dizer que, se você quer entrar no Hopkins, tudo o que você precisa é de meio cérebro."

Os médicos da Agência Nacional da Hipófise fizeram todo o possível para divulgar sua causa e para impedir que pessoas de fora da ANP invadissem seu território. Eles pressionaram as empresas farmacêuticas estrangeiras a coletar hipófises de fora dos Estados Unidos. Eles publicaram uma carta na imprensa pedindo que qualquer pessoa que tivesse acesso ao cérebro de um cadáver contribuísse para a causa. Incentivaram os jornalistas a escrever artigos sobre nanismo e a necessidade de hipófises e tentaram (sem sucesso) incorporar histórias sobre hipopituitarismo em programas de TV, tais como Dr. Kildare e Ben Casey. Eles pediam ajuda de qualquer pessoa que tivesse contatos. Fred Mahler, um piloto da TWA, tinha dois filhos com hipopituitarismo. (Seus outros dois filhos não tinham.) Mahler concordou em coletar e entregar hipófises de graça, colocando os lotes perto dele, na cabine do piloto. Sua organização, Pilotos por Hipófises, cresceu e chegou a incluir seiscentos médicos e cinquenta pilotos. Em 1968, em uma reunião do College of American Pathologists, onde Mahler foi homenageado por seu trabalho, ele disse que queria ajudar a Agência da Hipófise porque "caso contrário, teria sido uma guerra na selva, com cada pai tentando obter o que seu filho necessitava".

A agência também emitiu diretrizes. Por exemplo, eles recomendaram que as doses de hormônios parassem quando os meninos atingissem 1,67 metro e as meninas 1,59 metro. A preocupação não era sobre overdose ou permanência com hormônios por muito tempo, mas sim sobre compartilhar a droga escassa, para que toda criança pudesse ter a oportunidade de atingir uma altura adequada.

Enquanto isso, as empresas de biotecnologia tentavam descobrir uma maneira de produzir hormônio do crescimento a partir do zero, evitando a necessidade de cadáveres e aumentando a oferta. Mas muitos médicos se preocuparam com os produtos sintéticos e consideraram o hormônio derivado do cérebro como a escolha natural e mais segura. A potência variou de lote para lote. Nos primeiros dias, os médicos testavam cada amostra dando uma pequena quantidade a um rato que teve sua hipófise removida e depois aguardando algumas semanas para ver se funcionava. Era grosseiro, mas era o melhor método disponível.

Apesar da pressão pelo tratamento, apesar da empolgação e das manchetes sensacionalistas dos jornais, como "Podemos acabar com o nanismo", nunca houve garantia de que o hormônio do crescimento – mesmo um miligrama por dia durante pelo menos dez anos – funcionaria. Não houve experimentos comparando aqueles que tomavam o medicamento com aqueles que não o tomavam. Para algumas crianças parecia funcionar, esticando-as de menos de 1,20 metro até algo além de 1,50 metro e talvez uns centímetros a mais. Outros não viam efeito algum. De qualquer maneira, era impossível saber quanto a criança teria crescido sem ele.

Jeff Balaban recebeu injeções três vezes por semana, dos oito aos dezessete anos. Ele alcançou 1,60 metro – que seus pais acreditam ser devido ao hormônio do crescimento. Talvez ele tivesse ganhado alguns centímetros de qualquer maneira. Jeff odiava toda a rigidez do tratamento, porque era um lembrete constante de que ele era diferente – de que não se encaixava. Em 8 de julho de 1971, Jeff anunciou que havia terminado. Seus pais concordaram que ele tinha idade suficiente para entender as consequências. Embora o filho tivesse abandonado o programa, os Balaban continuaram envolvidos com grupos de apoio aos pais de crianças consideradas anãs.

Por um tempo, a coleta e a distribuição do hormônio do crescimento pareciam funcionar ainda melhor do que o esperado. Em 1977, a extração estava centralizada em um laboratório: Dr. Albert Parlow, na Universidade da Califórnia, Los Angeles. O Dr. Parlow conseguiu colher sete vezes mais hormônio de cada hipófise do que os outros extratores gerenciados. Mais importante, o Dr. Parlow – que havia sido um jovem cientista nos primeiros dias da purificação hormonal – acreditava que sua experiência e sua meticulosidade obsessiva resultavam no produto mais puro.

Hipófises de todo o país foram enviadas para Los Angeles e depois distribuídas às crianças necessitadas pelo país. Era um sistema construído sobre a complexa coordenação de pais voluntários, pediatras, bioquímicos e endocrinologistas. Por um breve momento, parecia representar o melhor da medicina americana. Até que os dados provassem o contrário.

9
Medindo o incomensurável

Na década de 1970, uma doença peculiar atingiu uma em cada quatro mil crianças. Suas cabeças eram muito grandes e seus pescoços, muito gordos. A pele deles estava escamosa e seca. Suas línguas eram grossas, flácidas e caídas sobre o queixo como uma flor murcha. Mães se preocupavam porque seus bebês, apesar de rechonchudos, mal conseguiam comer e eram flexíveis como bonecas de pano. À medida que as crianças cresceram, outros sintomas perturbadores surgiam. As crianças se atrapalharam para encontrar as palavras certas. Elas mal conseguiam completar a jornada de levar uma colher até a boca. Até mesmo olhar alguém nos olhos era difícil. Havia um nome para essas crianças: os médicos as chamavam de cretinas. A palavra logo se tornou gíria para "estúpido" ou "idiota".

Curiosamente, uma cura para essa condição já era conhecida há quase cem anos. Os médicos sabiam o que desencadeava a doença: uma deficiência no hormônio da tireoide. E sabiam como aumentar o nível hormonal: comprimidos de tireoide, fáceis de encontrar no mercado e baratos. Esses medicamentos aceleravam o metabolismo. Os recém-nascidos podiam tomar pílulas que se dissolvem em água, fórmula ou leite materno. Ainda assim, as crianças sofriam – porque a doença só poderia ser contida se fosse detectada no nascimento. E como os bebês pareciam perfeitamente saudáveis ao nascerem, a maioria não era diagnosticada de forma correta. Quando os médicos viam os sinais indicativos dessa condição – muitas vezes só quando a criança completava seis meses – já era tarde demais. Comprimidos de hormônios da tireoide não poderiam reverter os danos cerebrais já sofridos.

Na década de 1980, quando eu estava no terceiro ano da faculdade de medicina – quando finalmente entramos em um hospital para aprender com pacientes reais, não apenas com imagens e descrições em livros didáticos –, um professor chegou um dia acompanhado por uma mulher que descreveu como uma cretina. Ela fora convidada, ou talvez seduzida, a passar mais ou menos uma hora conversando conosco em uma apertada sala de conferências. Ela tinha vinte e poucos anos, mais ou menos a minha idade e era atarracada e de rosto redondo, com cabelos castanhos curtos. Ela era sorridente e tímida. Não me lembro da conversa, apenas que foi algo estranho. Ela parecia se sentir especial, como se tivesse sido convidada como oradora especialista, o que de certa forma era verdade. Ela estava lá para nos ensinar: para nos mostrar que era assim porque alguém cometera um erro, décadas antes, ao não fazer o diagnóstico correto quando ela nasceu.

Hoje em dia raramente ouvimos falar de cretinismo. Os médicos não desfilam mais com essas pessoas nas enfermarias pediátricas. Os *millennials* talvez nem conheçam essa palavra. Essa moléstia foi exterminada – pelo menos no mundo desenvolvido. Esse sucesso se deve a uma tecnologia inventada por uma cientista pouco conhecida, mas muito importante: uma mulher do Bronx que inventou uma maneira de medir o incomensurável.

Rosalyn Yalow foi uma história de sucesso improvável, uma mulher judia que cresceu numa época em que os judeus tinham acesso restrito às principais instituições e as mulheres eram frequentemente proibidas por completo. E, no entanto, quase todo mundo teve algum problema cujo tratamento foi influenciado por seu trabalho.

A segunda de dois filhos, Yalow nasceu em 19 de julho de 1921, de imigrantes pobres da Rússia. Seus pais não se formaram no ensino médio, mas eram leitores vorazes, tentando sempre se manter atualizados por meio da leitura dos livros escolares dos filhos. Yalow foi criada para se contentar com pouco – uma lição que viria a calhar anos depois, quando lhe deram um armário para ser seu laboratório e pouco financiamento, o que de qualquer forma foi suficiente para que realizasse um avanço extraordinário. Quando tinha oito anos e as finanças familiares, já apertadas, ficaram ainda piores, sua mãe começou a trabalhar em casa costurando golas em camisas masculinas. O papel de Yalow era esticar o tecido para que sua mãe pudesse costurar. Como observou seu biógrafo, Yalow sabia desde a tenra idade como "aguentar, enfrentar problemas e se concentrar no trabalho".

Ela frequentou a escola pública local e, em seguida, a Hunter, a faculdade pública da região, formando-se com louvor em licenciatura em física. Yalow queria ser cientista, mas os professores sugeriram que ela se tornasse a secretária de um cientista. Desanimada, mas não a ponto de abandonar seus sonhos, Yalow assumiu o cargo de secretária de um professor de bioquímica da Universidade Columbia, esperando que, como funcionária, pudesse ter aulas. Yalow estava pensando em aulas de ciência. O professor sugeriu estenografia.

Yalow quase conseguiu ser admitida na Universidade Purdue como estudante de graduação. "Ela é de Nova York. Ela é judia. Ela é uma mulher", escreveu o oficial de admissões a um de seus professores em Hunter. "Se depois você puder garantir um emprego a ela, daremos uma assistência." Como não havia garantia, Purdue a rejeitou, não querendo ceder a vaga para um aluno sem perspectivas de emprego. Yalow acabou ingressando em um programa de pós-graduação apenas porque muitos homens estavam fora lutando na Segunda Guerra Mundial. "Foi preciso ter uma guerra para que eu conseguisse um doutorado e um emprego em física", dizia ela anos depois, mostrando um vislumbre de seu humor sombrio. Yalow agarrou a oportunidade quando surgiu uma vaga para mulheres na Universidade de Engenharia de Illinois. Assim que abriu a carta de admissão, jogou os livros de estenografia no lixo e foi para o oeste. Nos primeiros dias lá, conheceu Aaron Yalow, um colega de turma. Eles se casaram no ano seguinte.

Um dia, quando estava quase completando o curso, o presidente do departamento chamou-a em seu escritório. Suas notas eram quase todas "A+". Ele apontou para o único "A-" dela e disse: "Isso confirma que as mulheres não se dão bem no trabalho de laboratório".

No entanto, Yalow estava a caminho de desenvolver uma das inovações mais cruciais na medicina do século 20. Ela concluiu o doutorado em 1945, um ano antes do marido, e voltou para Nova York. Yalow desejava trabalhar em um laboratório de física nuclear afiliado a uma universidade, mas não recebeu nenhuma oferta. Ela aceitou um emprego como professora assistente temporária de física no Hunter College, mas considerou o cargo ruim porque era uma faculdade de mulheres que não levava a física a sério. (Hunter tornou-se uma instituição coeducacional em 1964.) Yalow nutria seus alunos, incentivando particularmente os poucos estudantes que eram interessados em ciências. Ela não estava treinando a próxima geração de secretárias. "Yalow me empurrou para um mundo mais amplo. Ela sempre dizia... você não deve desistir de nada", disse Mildred Dresselhaus, uma de suas ex-alunas. (Dresselhaus se tornou a primeira professora de física do Instituto de Tecnologia de Massachusetts e teve seu momento de maior fama quando estrelou um comercial da General Electric de 2017 em que divulgava mulheres na ciência que mostravam paparazzi e adolescentes desmaiando diante da pesquisadora de 86 anos, como se ela fosse uma estrela pop.)

Aaron Yalow, que conseguiu um emprego como professor de física na Cooper Union em Manhattan, era a parte acolhedora do casamento, incentivando a carreira da esposa e cultivando uma comunidade de vizinhos e amigos da sinagoga local. Rosalyn não era muito ligada à religião, mas concordou em manter um lar *kosher* por causa de Aaron. Ela fazia o jantar todas as noites e enchia o freezer com refeições caseiras, embaladas individualmente, para os períodos em que estivesse dando aulas ou participando de reuniões científicas, o que era bem frequente.

Enquanto lecionava na Hunter, Yalow procurou os físicos da Universidade Columbia, inscrevendo-se para qualquer trabalho de laboratório que pudesse surgir. Sua rede de contatos deu retorno. Quando a Administração de Veteranos do Bronx criou um departamento de medicina nuclear, eles ligaram para Columbia, que sugeriu Yalow. Em 1950, ela foi até o local de seu novo emprego, entusiasmada com a oportunidade, mas irritada pelo fato de o laboratório não existir ainda. Então, Yalow transformou o que havia sido o armário de um zelador em um laboratório.

Quase nenhuma mulher cientista foi contratada pela Administração de Veteranos do Bronx, e as poucas que haviam sido, tinham que sair se engravidassem. Yalow se recusou. "Quando chegou a hora de ter filhos", ela disse à Dra. Eugene Straus, sua biógrafa, "eu era importante demais para ser demitida. A regra da instituição dizia que você deveria pedir demissão no quinto mês de gravidez. Abandonar o cargo. Não podia tirar uma licença. Eu sempre provocava, dizendo que eu era a única pessoa ali a ter um bebê com cinco meses."

Sua vida resumia-se a trabalho e família, e as duas coisas frequentemente se confundiam. Seus colegas eram convidados a comer com os Yalows e viajar com eles nas férias. Seus filhos passavam fins de semana no laboratório. Ela ia lá todos os dias e com frequência ficava até depois da hora do jantar, mesmo aos sábados. As regras da instituição proibiam crianças no laboratório, de modo que, quando passavam pelos portões da entrada principal, Yalow gritava: "escondam-se", e as crianças se agachavam no banco de trás até passar pela segurança. Depois, passavam o dia com os roedores ou faziam a lição de casa enquanto a mamãe fazia experimentos.

Na Administração de Veteranos, Yalow conheceu Solomon Berson, um interno ansioso para fazer pesquisas. Na reunião, Yallow deveria entrevistar Berson, um clínico com pouca experiência em pesquisa. Mas, em vez de ela fazer perguntas, Berson a desafiou com um enigma de matemática após o outro. O intelecto e a coragem de Berson a surpreenderam, e ela o contratou na mesma hora. Ele tinha 32 anos, ela, 29. Aquele primeiro encontro deu início a uma amizade e parceria que durou muitos anos, um vínculo intelectual – uma combinação feita, se não no céu, então em algum equivalente científico.

Yalow não tinha hobbies e tinha pouca tolerância para aqueles que não eram intelectualmente curiosos, o que limitava seu círculo de amigos a um pequeno grupo de cientistas. Ela tinha um ponto fraco: os roedores de laboratório. Ela os acariciava enquanto os alimentava todas as manhãs e recusava-se a matá-los após o término do experimento – o que era o procedimento padrão de descarte. Em vez disso, Yalow levava-os consigo, tornando sua casa um refúgio com um fluxo constante de porquinhos-da-índia e coelhos.

O cerne da ideia que culminou em sua contribuição histórica para a ciência médica começou com estudos básicos de endocrinologia. O pensamento na época era de que os hormônios eram tão escassos que era impossível medi-los. Da mesma forma, os médicos assumiram que, quando tratavam seus pacientes com hormônios, eles não precisavam se preocupar com a resposta imune. Quando algo estranho (um órgão transplantado, digamos) entra no corpo, geralmente há algum tipo de resposta das células imunológicas. A insulina, por exemplo, era produzida em animais naquela época e, embora a maioria dos produtos animais provocasse uma resposta imune, os médicos pensavam que a terapia hormonal não geraria uma reação no sistema imunológico, porque os hormônios eram administrados em quantidades muito pequenas.

Yalow e Berson provaram que essa noção estava errada, mostrando que muitos pacientes apresentavam uma resposta imune à terapia. Apesar da metodologia escrupulosa descrita no artigo científico que detalhou o estudo, o trabalho foi rejeitado por duas publicações importantes: a revista *Science* e o *Journal of Clinical Investigation* (Jornal de Investigação Clínica). O estudo era válido, conforme confirmado pelos revisores que verificaram a metodologia, mas os editores das revistas se recusaram a acreditar.

Yalow escreveu cartas enfurecidas aos editores. insistindo que os dados da equipe mudariam o paradigma conhecido até então. Eventualmente, o *Journal of Clinical Investigation* concordou em publicar o artigo, com a condição de que a dupla concordasse em excluir a palavra "anticorpo". Um anticorpo é uma substância específica do sistema imunológico; enquanto Yalow e Berman provaram que o corpo de fato criou anticorpos em reação ao tratamento com insulina, os editores simplesmente não conseguiram aceitar esse fato. Eles insistiram que a palavra fosse substituída pelo termo não específico "globulina" – algo semelhante a um meteorologista, que, hesitante, chamasse de vento forte um fenômeno como o tornado. Yalow e Berson concordaram relutantes com a semântica do editor. O artigo foi publicado em 1956 e, sem demora, outros laboratórios confirmaram suas descobertas.

A pesquisa dos anticorpos reagindo contra a insulina convenceu a dupla de viciados em trabalho de que estavam diante de algo ainda mais revolucionário. A questão principal era como poderiam medir essas pequenas quantidades de insulina. Embora o senso comum afirmasse que os hormônios não eram mensuráveis, certamente deveria haver uma maneira. Eles combinaram sua experiência individual em física e endocrinologia para criar uma solução. A ferramenta que inventaram baseou-se nos princípios fundamentais segundo os quais os produtos químicos no corpo se ligam. Os professores de biologia gostam de dizer que quando um produto químico se liga a outro, eles se juntam como chave e fechadura. Uma chave cabe em uma porta. Um hormônio se liga a um tipo específico de célula imune. Os casais estão destinados uns ao outro.

Essa imagem evoca pedaços de metal selados – e é aí que a metáfora não fica legal. Quando os hormônios se ligam a seus equivalentes químicos, eles não ficam totalmente presos, mas em uma espécie de abraço, como um casal dançando. Eles andam juntos; se afastam; eles se reconectam e se afastam de novo; e às vezes um hormônio concorrente entra em cena e afasta o outro de seu parceiro de dança. Embora pareça que os anticorpos devam ser aqueles que entram em cena na história, como se fossem as entidades que perseguem os invasores hormonais, na prática, são os hormônios que afastam outros hormônios dos anticorpos.

Berson e Yalow aproveitaram essa promiscuidade microscópica para desenvolver uma técnica que denominaram de radioimunoensaio, ou RIA, para abreviar. Vejamos como isso funciona. Um cientista precisa de uma quantidade conhecida de hormônio e de uma quantidade conhecida de anticorpos, a célula imunológica que se liga ao hormônio – os parceiros de dança. Então, adiciona a essa mistura o sangue do paciente, que contém uma quantidade desconhecida de hormônio. Agora, temos uma quantidade conhecida do hormônio da amostra, uma quantidade conhecida de anticorpos e uma quantidade desconhecida do hormônio do próprio paciente.

Parte do hormônio do paciente repele o hormônio original do anticorpo. Medir a quantidade de hormônio que é repelido sinaliza a quantidade de hormônio no sangue do paciente. Embora os hormônios sejam pequenos demais para serem medidos diretamente, a ligação hormônio-anticorpo cria um pedaço maior. E provocar irradiação no hormônio da amostra, para que brilhe, facilita a identificação. Foi assim que Yalow e Berson conseguiram rastrear quanto do hormônio da amostra caiu do anticorpo.

Eles criaram uma fórmula baseada na força da ligação hormônio-anticorpo (que varia entre os hormônios). Eles colocaram em sua fórmula a medida da quantidade de hormônio irradiado que havia sido eliminada. Uma grande quantidade de hormônio eliminado significava que deve haver uma grande quantidade de hormônio do paciente para fazer isso. Assim, eles foram capazes de quantificar a quantidade de hormônio na amostra do paciente, até um bilionésimo de grama em um mililitro de sangue.

Antes da RIA, se os médicos quisessem estimar a potência da terapia com hormônio do crescimento, por exemplo, eles injetariam uma amostra em um rato, esperariam duas semanas para que o material penetrasse e depois mediriam a taxa de crescimento no osso da perna do roedor. Era algo demorado e complicado. Em comparação, a RIA praticamente cuspia os resultados.

Com a RIA, os médicos puderam medir hormônios pela primeira vez. Nas décadas de 1940 e 1950, os médicos diagnosticaram pacientes com deficiência hormonal sem saber quão deficientes eles realmente eram. Administraram hormônios sem saber quanto o paciente de fato precisava. Quando Jeff Balaban viu a Dra. Sobel pela primeira vez em 1961, ela realizou muitos testes, mas não mediu os níveis de hormônio do crescimento, pois isso ainda não era possível.

Alguns colegas sugeriram que Yalow e Berson patenteassem a RIA, mas a dupla preferiu torná-la amplamente disponível. "Não tivemos tempo para essas bobagens", disse Yalow. "As patentes servem para manter as coisas longe das pessoas com o objetivo de ganhar dinheiro." Então, Yalow e Berson publicaram os detalhes do funcionamento interno do teste em um artigo de 1960 no *Journal of Clinical Investigation* e convidaram qualquer pessoa que quisesse aprender RIA a visitar seu laboratório, atraindo cientistas de todas as partes do planeta. Em alguns anos, a RIA tornou-se um teste padrão usado em todo o mundo.

Em 11 de abril de 1972, alguns dias antes de seu aniversário de 54 anos, Berson morreu de ataque cardíaco enquanto participava de uma conferência médica em Atlantic City. Embora raramente demonstrasse emoção, Yalow chorou no funeral do amigo. Yalow nomeou o laboratório deles como Laboratório de Pesquisa Solomon A. Berson, para que o nome dele continuasse em todos os seus trabalhos. Ela temia que as chances de ganhar o Prêmio Nobel fossem nulas sem ele, assumindo que o mundo científico o considerasse o cérebro e ela uma mera ajudante técnica, em virtude de seu sexo. Ela também acreditava que ninguém respeitaria um laboratório dirigido por um PhD, e não por um médico. Yalow tinha 51 anos na época e pensava em cursar medicina, não porque quisesse praticar, mas para superar potenciais barreiras ao Prêmio Nobel. Por fim, ela não se formou em medicina, mas dedicou seu tempo a trabalhar ainda mais no laboratório, continuando a publicar pesquisas louváveis. Em 1976, recebeu o Prêmio de Pesquisa Médica Albert Lasker, considerado o precursor do Nobel. Yalow ganhou o Nobel no ano seguinte.

A história da endocrinologia não pode ser totalmente compreendida sem o conhecimento da RIA. A descoberta da RIA não pode ser apreciada por completo sem conhecer Rosalyn Yalow, porque sua vida não é apenas a história de uma mente brilhante, mas de dedicação e resiliência. Como o comitê do Prêmio Nobel afirmou quando entregou o prêmio, em 10 de dezembro de 1977: "Estamos testemunhando o nascimento de uma nova era da endocrinologia".

Yalow pode ter seguido adiante, mas não esqueceu as barreiras ao longo do caminho. Quando ganhou o Nobel, era sabido que os hormônios provocam anticorpos, que provocam células imunes – exatamente como ela e Berson haviam provado em 1956, antes que alguém acreditasse. No discurso de recebimento, ela trouxe seu estudo original, aquele que ninguém queria publicar. E incluiu suas cartas rejeitadas na exposição de seu trabalho.

Dizem que, desde o momento da cerimônia de premiação em Estocolmo, ela passou a usar um amuleto do Prêmio Nobel em volta do pescoço (dado pelo marido) e assinava todas as correspondências como "Rosalyn Yalow, PhD, ganhadora do Prêmio Nobel". Também foi dito que Yalow colocou uma placa no quadro de avisos em seu laboratório dizendo: "Para ser considerada metade do que é um homem, uma mulher deve trabalhar duas vezes mais e ser duas vezes melhor". Essa é uma conhecida máxima feminista. Mas Yalow acrescentou a frase: "Felizmente, isso não é difícil". Seus filhos desmentiram a história do amuleto e da assinatura, afirmando serem apenas boatos criados por colegas do sexo masculino. Mas eles se lembram bem da frase.

Yalow continuou a dar palestras com frequência e continuou a realizar experimentos até não poder mais. Em uma de suas últimas palestras, conversou com um grupo de crianças do ensino fundamental na cidade de Nova York, explicando como a ciência costuma funcionar: "A princípio", ela disse, "novas ideias são rejeitadas. Mais tarde, elas se tornam dogmas, se você estiver certo. E se você tiver muita sorte, poderá publicar suas rejeições como parte da sua apresentação no Nobel".

Em meados dos anos 1990, quando tinha setenta anos, teve o primeiro de vários derrames. Ela morreu em 30 de maio de 2011, aos 89 anos.

Logo o radioimunoensaio havia se tornado um item indispensável na caixa de ferramentas de um pesquisador, assim como os estetoscópios fazem parte do uniforme de um médico. Na década de 1970, apenas uma década depois, todo endocrinologista possuía um aparelho para medir hormônios até um bilionésimo de grama. É como ser capaz de medir a água extra em uma piscina depois que um nadador derrama uma lágrima. E não apenas podiam medir hormônios; podiam também distinguir um hormônio de outro, mesmo sendo notavelmente semelhantes. A RIA fez a endocrinologia passar de uma adivinhação a uma ciência precisa. Você pode dizer que a única coisa incomensurável sobre a RIA foi seu impacto incalculável na medicina.

O Dr. Thomas Foley era um jovem endocrinologista pediátrico da Universidade de Pittsburgh e fazia parte de uma equipe de médicos que decidiu usar a RIA para detectar hipotireoidismo. Ele ouvira falar de um estudo piloto em Quebec e decidiu realizar um estudo semelhante. Foley ainda se lembra do primeiro bebê cujo teste deu positivo, um dos 3.577 bebês testados. "Melhorou claramente nossa capacidade de determinar os níveis hormonais em relação à doença. Nós não sabíamos muito na época, mas estava bem claro o quão benéfico isso foi", lembrou recentemente. Hoje, alguns momentos após o nascimento, os pediatras coletam um pouco de sangue de uma picada no calcanhar e examinam os recém-nascidos em busca de hipotireoidismo, para que possam receber tratamento hormonal antes que qualquer dano seja causado. Uma glândula tireoide hipoativa também é causada pela falta de iodo, um mineral que o corpo precisa para produzir o hormônio tireoidiano; daí a campanha global de saúde pública para adicionar iodo ao sal. Na década de

1980, ambas as formas de "cretinismo", congênitas e adquiridas, foram praticamente erradicadas.

A detecção de hipotireoidismo foi apenas uma pequena parte do impacto da RIA. A RIA foi usada para medir hormônios em todos os tipos de suspeitas de distúrbios. Os tratamentos de fertilidade de hoje não seriam possíveis sem essa técnica. Além da endocrinologia, a ferramenta tem sido usada para medir outras substâncias consideradas pequenas demais para quantificar. Os médicos puderam monitorar os níveis de drogas e detectar os germes. A RIA foi usada para detectar o HIV, o vírus que causa a AIDS. Tornou-se tão difundida que os médicos não conseguem imaginar como trabalhariam sem essa técnica. Sem dúvida, os métodos atuais de RIA não são exatamente os mesmos que Yalow e Berson criaram; tecnologias ainda mais sofisticadas acrescentaram ajustes à receita original. Mas a ideia fundamental permanece a mesma.

Seria fácil subestimar ou ignorar completamente a RIA. É técnico, difícil de entender. Não é uma cura nem uma descoberta; é simplesmente uma maneira de medir algo. E, no entanto, é difícil subestimar o significado dessa invenção, o impacto que teve na maneira como a ciência é feita hoje. O radioimunoensaio forneceu aos médicos uma visão totalmente nova. Era como se alguém tivesse levantado suas vendas e eles por fim pudessem ver o que estavam fazendo.

10
Dores de crescimento

Na primavera de 1984, Joey Rodriguez, de vinte anos, estava em um voo indo da Califórnia para o Maine para visitar os avós. Após algumas horas dentro do avião, ele se levantou e uma tontura forte quase o derrubou. Sua mãe lhe deu um doce. Ela imaginou que sua glicemia estivesse baixa novamente. Parecia não haver motivos para se preocupar.

Joey tinha uma série de problemas médicos. Quando criança, ele foi diagnosticado com deficiências na tireoide e no hormônio do crescimento. Seu sistema de insulina, que mantém o equilíbrio do açúcar no sangue, não funcionava. Ele recebeu injeções dos três hormônios (tireoide, hormônio do crescimento e insulina) durante a adolescência. Em vez das habituais três vezes por semana, Joey tinha permissão especial da Agência Nacional da Hipófise para tomar doses diárias de hormônio do crescimento, porque, se pulasse um dia desse hormônio, sua insulina oscilava sem controle. (O hormônio do crescimento afeta não apenas o crescimento, mas também o metabolismo do açúcar.) Às vezes, mesmo com as doses certas de cada injeção, o açúcar no sangue despencava e ele sofria um episódio de tontura. Um pouco de açúcar resolvia o problema, então sua mãe sempre levava doces na bolsa.

Durante a semana que Joey passou no Maine, a vertigem atingiu-o novamente. Durante dias, ele não estava se sentindo bem. Quando o avô se ofereceu para levá-lo para um passeio de lancha, Joey respondeu que "não precisava dar uma volta porque já estava tonto". A princípio, sua mãe não deu atenção, mas, quando estavam voltando para casa, Joey piorou. Não era apenas vertigem: Joey parecia diferente; ele não era ele mesmo. Tropeçou ao sair do avião. Andava como se estivesse tendo problemas para equilibrar o peso do próprio corpo magro. Parecia bêbado, mas não estava. Pela primeira vez, falar era trabalhoso. Ele falava como se pequenos pesos estivessem segurando a língua no fundo da boca.

A Sra. Rodriguez imediatamente levou o filho à Universidade de Stanford, para consultar os médicos que monitoravam seus hormônios. Eles não conseguiram encontrar nada de errado. Então, ela ligou para o especialista que cuidou dele quando era mais jovem. O Dr. Raymond Hintz iniciou Joey em todos os medicamentos e atuou como seu principal cuidador por mais de uma década, até Joey crescer demais para frequentar uma clínica pediátrica. Do ponto de vista médico, Hintz conhecia Joey melhor do que ninguém.

Quando o Dr. Hintz percebeu o medo na voz da Sra. Rodriguez – uma mulher que ele considerava estoica –, disse a ela que levasse Joey para a sala de emergência. Ele os encontrou lá. Todos os exames de imagem, todos os exames cerebrais, todos os exames de sangue estavam normais, então o hospital mandou mãe e filho para casa. Mas a mãe de Joey não estava pronta para aceitar que o filho, que estava caindo por todos os lados e com dificuldades na fala, estivesse bem. Para ela, a cada dia, Joey parecia estar pior.

Ela marcou uma consulta com um neurologista. Joey entrou em seu escritório, as pernas afastadas, como se fosse tombar se as mantivesse mais unidas. Ele babou. Seus ombros desabaram. A sua cabeça cambaleou para a frente e para trás. Pronunciando palavras que esticaram sua mandíbula. E o pior de tudo, ele não parecia se importar nem um pouco.

Totalmente confuso, o neurologista admitiu Joey no hospital e discutiu seu caso em uma conferência semanal de especialistas – desde a tontura no avião até o declínio cognitivo. Os médicos sugeriram algumas possibilidades, incluindo uma infecção que poderia ter sido pega na floresta do Maine. Mas isso não explicaria o episódio do avião, que ocorreu antes de ele chegar ao Maine. Eles se perguntaram se ele havia herdado uma doença degenerativa, mas não conseguiram descobrir que doença seria essa. O Dr. Michael Aminoff, um jovem membro da faculdade – ainda não era um professor titular – levantou a mão. "Doença de Creutzfeldt-Jakob", disse ele, referindo-se a uma rara doença cerebral fatal, denominada CJD. Aminoff estava trabalhando no laboratório de eletroencefalograma, realizando exames cerebrais. Ele vira as alterações elétricas no cérebro de Joey e achava que eram similares as que vira em vítimas adultas de CJD. Ele também disse que Joey parecia um paciente com CJD – sofrendo de uma demência que progride rapidamente, sem qualquer outra causa.

Os médicos mais velhos rejeitaram a sugestão. Antes de tudo, jovens não tinham CJD; o paciente típico da doença tem cerca de oitenta anos de idade. Em segundo lugar, CJD não começa com um corpo desengonçado. Já começa com sintomas de demência.

O CJD não pode ser diagnosticado por nenhum teste. O EEG, um tipo de exame cerebral, pode fornecer algumas pistas, mas não um diagnóstico definitivo. A única maneira de saber se o paciente tem isso é examinando o cérebro na autópsia. Um patologista pode identificar facilmente o sinal revelador da doença: um cérebro esponjoso e oco.

Quando Aminoff – que hoje é neurologista e diretor da Universidade da Califórnia e da Clínica de Doença de Parkinson e de Distúrbios do Movimento de São Francisco – leu sobre Joey, perguntou o hormônio de crescimento que recebera estava contaminado. "Eu disse que eles deveriam voltar e perguntar sobre os doadores" – os cadáveres cujas hipófises haviam sido extraídas para a retirada do hormônio do crescimento – para ver se tinham alguma doença cerebral. Os médicos mais experientes também não haviam prestado atenção nisso. Suas palavras foram descartadas como ideias ingênuas de um jovem excessivamente entusiasmado e inexperiente.

Seis meses após o voo do avião, Joey morreu, não tendo vivido para ver o seu vigésimo primeiro aniversário. A autópsia mostrou que seu cérebro estava esponjoso e vazio. Estava claro que ele havia morrido de CJD. Alguns anos depois, a doença que matou Joey – e centenas de crianças como ele – estaria ligada a um hormônio do crescimento contaminado.

A história do hormônio do crescimento é um exemplo de tudo o que pode dar certo e tudo o que pode dar errado com uma descoberta médica. Combina a engenhosidade dos cientistas, a arrogância dos médicos e o compromisso desesperado dos pais. O maior medo era que ele não funcionasse, que não fizesse uma criança crescer. A trágica realidade dos casos de contaminação não emergiu por anos.

No começo, todos estavam a bordo. Os pais da década de 1960 eram crianças na década de 1940, quando os antibióticos entraram em cena, que foram defendidos como uma maneira de acabar com as doenças infecciosas de uma vez por todas. Eles eram adolescentes na década de 1950, quando as pessoas estavam fazendo fila para a vacina contra a poliomielite, que erradicou essa ameaça incapacitante do planeta. Eles não eram os céticos que somos hoje, sempre desconfiados de toxinas ocultas. Eles acreditavam na ciência médica. Eles acreditavam em todo o bem que isso tinha a oferecer.

E eles eram ativistas. Eles marcharam contra a guerra, pelos direitos civis, contra a segregação. Eles tinham uma mentalidade de "nós podemos fazer" e exigiram remédios que consideravam serem seus por direito. Eles estavam preocupados, mas otimistas, desesperados, mas organizados. O mesmo otimismo que motivou Barbara Balaban a coletar hipófises impediu que enxergasse as possíveis desvantagens.

A saga do hormônio do crescimento também faz parte da história dos médicos, que estavam bastante empolgados com as manchetes dos hormônios, tão ansiosos quanto os pais em ajudar esses pacientes jovens a se sentirem um pouco mais normais. Eles estavam na linha de frente distribuindo as vacinas e os antibióticos, por isso estavam igualmente entusiasmados com tudo o que os remédios tinham para oferecer. Muitos médicos da velha guarda haviam observado a queda da taxa de mortalidade no parto e viam pacientes viverem mais do que nunca, graças às maravilhas da medicina moderna. Mas há mais personagens nessa história do que pais ingênuos e médicos audaciosos. Como disse um endocrinologista anos depois, tudo é mais fácil quando visto através de um retrospectoscópio. Em outras palavras, é sempre fácil achar um caminho até o culpado, mas na neblina da jornada, as pistas – e até os avisos – são com frequência vistas como aleatórias, ervas daninhas sem importância alguma.

Quando a causa da morte de Joey foi revelada, Ray Hintz, seu pediatra, entrou em pânico. A CJD é algo muito raro. Atinge cerca de uma em um milhão de pessoas todos os anos. Existem muitas doenças cerebrais semelhantes à CJD:

Dores de crescimento

a doença da vaca louca no gado britânico, tremor epizoótico nos animais ovinos e kuru em uma tribo na Papua-Nova Guiné, só para citar algumas. Os médicos agrupam todos eles em uma categoria chamada encefalopatias espongiformes transmissíveis, ou EET. O próprio nome revela muito sobre o que sabemos e o que não sabemos: a doença pode ser transmitida; cria buracos esponjosos; e tem como alvo o cérebro.

Hintz lembrou de ter ouvido alguém dizer algo sobre a possibilidade de tecido cerebral infectado entrar no medicamento para hormônios do crescimento em uma conferência sobre hormônios dois anos antes. Na época, parecia uma situação altamente improvável e hipotética. Agora parecia realidade.

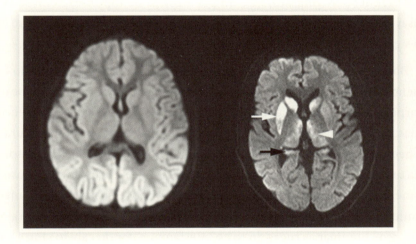

O cérebro à esquerda é a imagem de um cérebro saudável normal; o cérebro à direita é um cérebro infectado por DCJ a partir do hormônio do crescimento retirado de cadáveres.

Imagem à esquerda, cortesia do Dr. William P. Dillon, Universidade da Califórnia, São Francisco; imagem à direita, cortesia de Peter Rudge, MRC Unidade Prion, Uviversidade College de Londres.

Em 25 de fevereiro de 1985, Hintz escreveu uma carta expressando seus medos à Administração de Alimentos e Medicamentos dos Estados Unidos, ao Instituto Nacional de Saúde e à Agência Nacional da Hipófise. Os

163

administradores do Instituto Nacional de Saúde, por sua vez, telefonaram para endocrinologistas pediátricos, exortando-os a procurar informações sobre seus ex-pacientes que usaram hormônio do crescimento. Eles precisavam descobrir se Hintz havia pegado uma situação ao acaso ou se havia descoberto uma conexão.

Em 8 de março de 1985, um grupo de especialistas em hormônios do crescimento se reuniu em Washington, DC. A maioria deles era cética. Muitos estavam com raiva. Afinal, estavam falando de apenas um garoto. Eles estavam mais preocupados com um pânico nacional do que com uma epidemia nacional. Se o medo se espalhasse desnecessariamente, milhares de crianças poderiam ser privadas de um tratamento crucial – tudo por causa de uma morte aleatória.

O Dr. Robert Blizzard, que dirigia a coleta de hipófises, lembra-se de pensar que Hintz, um amigo íntimo, estava reagindo rápido demais. Um caso não significa uma tendência, disse ele.

Blizzard, por sua vez, também havia tomado doses de hormônio do crescimento. Quando tratava crianças com problemas de crescimento, o que mais o surpreendeu, além da falta de altura, foi o fato de muitas delas parecerem velhas. A pele delas estava enrugada; seus rostos haviam perdido gordura nas bochechas. Blizzard se perguntou se a falta de hormônio de crescimento causaria um envelhecimento mais acelerado. Então, ele se perguntou se doses de hormônio do crescimento poderiam retardar o processo de envelhecimento. Ou melhor, será que o hormônio do crescimento poderia reverter o relógio biológico? Eliminar as rugas do rosto? Restaurar a cor do cabelo? Em 1982 – alguns anos antes de Ray Hintz soar o alarme –, Blizzard havia injetado em si mesmo e convencido alguns amigos a fazerem o mesmo. Eles tomavam um miligrama por dia. "Eu fiz isso por dois anos e meio, os outros por um ano e meio", Blizzard me disse.

Blizzard monitorou os principais indicadores metabólicos e mediu a densidade óssea. Ele até estudou as unhas dos homens que tomaram as injeções. "Eu nunca divulguei isso para a imprensa", disse a Blizzard, "mas aprendi o que queria saber, que o hormônio não fazia o cabelo voltar a ficar preto e não fazia as meninas assobiarem para você."

Mas a possibilidade de o hormônio do crescimento matar crianças? Era um absurdo!

Carol Hintz, a viúva de Ray Hintz, lembrava-se bem daqueles dias. (Ray Hintz morreu em 2014.) "Foi um momento muito difícil", lembrou ela. "Alguns dos endocrinologistas ficaram perturbados e pensaram que ele estivesse apenas jogando lenha na fogueira. Eles simplesmente não podiam acreditar. Os médicos ligavam para ele em casa e diziam: 'O que pensa que está fazendo? Não há nada de errado aqui!'. O Dr. Blizzard havia usado o hormônio em si mesmo e estava bem e continuava forte. Outras pessoas tentaram dizer que Joey estava usando drogas ou algo assim. Meu marido conhecia bem a família e disse que isso não era possível."

Um mês após a convocação dos especialistas, e um mês após ter desmentido a ideia de que o hormônio do crescimento era perigoso, Blizzard recebeu uma ligação de um médico sobre um de seus ex-pacientes. Um homem de 32 anos de Dallas, Texas, morreu da mesma forma que Joey Rodriguez: problemas motores e um rápido declínio em demência. Ele também usava hormônio do crescimento há anos. Seus médicos haviam imaginado que ele sofresse de uma doença nos nervos motores, talvez esclerose múltipla.

A Dra. Margaret MacGillivray, endocrinologista pediátrica, recebeu uma ligação da família de um ex-paciente, um homem de 22 anos de Buffalo, Nova York. A mesma coisa: perda de controle motor, senilidade e morte. Ninguém havia ligado a doença ao hormônio do crescimento também. Ninguém pensou em ligar para seu antigo endocrinologista pediátrico quando surgissem sintomas neurológicos.

Três casos transformaram a indiferença do Dr. Blizzard em preocupação. Ou, como escreveria o neurocientista Paul Brown em um artigo sobre a história do hormônio do crescimento: "O efeito da nova informação foi como duas trovoadas e selou para sempre o destino da terapia com hormônio do crescimento nativo".

Os especialistas em hormônio do crescimento se reuniram novamente em 19 de abril de 1985. Desta vez, ninguém estava chamando o Dr. Hintz de alarmista. A Agência de Administração de Alimentos e Drogas proibiu quase toda terapia com hormônio de crescimento humano. Foi permitida apenas para crianças com deficiências hormonais tão graves que morreriam sem o remédio.

Pouco tempo depois, a agência liberou o uso de uma versão feita em laboratório pela Genentech, transformando a empresa de uma pequena *startup* em uma gigante de biotecnologia. Como o Dr. Brown observou sarcasticamente: "Apenas a Genentech não está de luto". Até o fiasco do hormônio do crescimento, hormônios de humanos ou animais eram considerados naturais e, portanto, mais seguros. As pessoas tinham mais medo das versões feitas em laboratório. Essa situação mudou após o início das mortes. De repente, os sintéticos pareciam mais puros, menos tóxicos. A proibição não parou completamente a terapia com hormônio do crescimento; apenas trocou um tipo (derivado da hipófise) por outro (fabricado em laboratório).

Os médicos, como todo mundo, são influenciados pela política, por medos em larga escala, pela cultura da época. O hormônio do crescimento humano, do tipo vindo de cadáveres, foi distribuído nas décadas de 1960 e 1970, antes que houvesse uma preocupação generalizada de que algum tipo de contágio pudesse existir. Certamente, os tecidos foram testados para uma lista curta de vírus conhecidos, mas não houve grande ênfase na prevenção de doenças desconhecidas. O pensamento era, como disse um bioquímico, que o produto provinha de tecido humano e como o tecido humano poderia prejudicar outros seres humanos? A trágica realidade de que lotes de hormônio do crescimento haviam transmitido uma doença mortal veio à tona durante a epidemia de AIDS em meados dos anos 1980. De repente, a ideia de que existiriam doenças ocultas fez todo o sentido.

Enquanto isso, o Instituto Nacional de Saúde iniciou o difícil processo de contactar todos os usuários de hormônio do crescimento, todos os 7.700. Não foi fácil, porque o contrato de privacidade exigia que os nomes dos pacientes não fossem registrados. Oficiais do governo investigaram bancos de dados onde os nomes dos pacientes foram substituídos por códigos, rastreando médicos que poderiam se lembrar de pacientes de anos anteriores. Alguns médicos já haviam se aposentado. Alguns registros haviam sido jogados fora.

Mas encontrar os pacientes não foi o maior desafio. Quando o hormônio do crescimento era extraído das hipófises humanas, os laboratórios agrupavam-nos em grandes lotes. Não havia como saber quem recebeu hormônio de qual glândula. Mesmo que os funcionários do Instituto pudessem identificar os lotes contaminados, ninguém sabia se o hormônio doente tinha sido misturado com o material em perfeito estado.

Centenas de usuários de hormônios que antes se consideravam sortudos, porque tinham sua porção do suprimento limitado, agora se viam potencialmente condenados. Os Mahlers, Balabans e milhares de outros receberam uma carta de duas páginas do Instituto Nacional de Diabetes e Doenças Digestivas e Renais, datada de 27 de novembro de 1987. Dizia, em parte, que o hormônio de crescimento que seus filhos haviam recebido anos atrás poderia ter sido contaminado por uma doença mortal. A carta advertia os pais a não deixarem seus filhos doarem sangue, porque eles poderiam repassar um agente mortal. O que os pais realmente queriam saber era se seus filhos já estariam contaminados.

Ninguém poderia dizer. O agente da doença pode espreitar no cérebro por décadas antes de provocar um declínio físico e depois cognitivo. Uma vez ativado, matava depressa – em geral seis meses após o aparecimento dos primeiros sintomas. Ninguém sabia se as cinco mortes haviam sido um acaso, o fim de um pequeno, porém trágico episódio, ou o início de uma epidemia. Só o tempo poderia dizer.

Os Balabans receberam a carta quando Jeff tinha 35 anos e morava na Califórnia. "Acho que não contei a Jeff imediatamente", disse Barbara Balaban. "Acho que estudamos o que iríamos dizer. Tivemos cuidado com a maneira de colocar a situação, pois algumas crianças tiveram uma reação ruim." Eles não se lembram de dizer as palavras "doença cerebral mortal".

Larry Samuel, advogado em New Orleans, também recebeu uma injeção de hormônio do crescimento. Ele disse que não estava "em pânico ou com raiva, mas tinha perguntas, e Bob [Blizzard] sempre foi franco comigo e estava preocupado. Quero dizer que, tudo bem, ah, nossa, cerca de cinco anos atrás, depois do Katrina – é assim que baseamos nossas vidas aqui –, desenvolvi um tremor e foi rapidamente diagnosticado como não Parkinson. Eu liguei para ele [Dr. Blizzard] e disse: 'Isso é algo relacionado à CJD?'".

David Davis é um jornalista que recebeu doses de hormônio do crescimento. Ele entrevistou outros pacientes e escreveu que "o sentimento avassalador das entrevistas com os outros era de abandono: as pessoas que nos meteram nessa confusão nos abandonaram completamente. Uma vez por ano – no máximo – eles nos enviam uma atualização".

As notícias do hormônio contaminado levaram outros países a pensar se esse era um problema americano ou mundial. Com certeza, quando fizeram uma investigação, encontraram mortes semelhantes. Sarah Lay, uma jovem na Inglaterra que usava hormônio do crescimento, morreu de CJD em 1988. Outros casos surgiriam. Os oficiais britânicos decidiram, a princípio, não alertar os pacientes, pois não queriam aterrorizar o público.

Então, houve uma morte na Austrália. A Austrália decidiu entrar em contato com os médicos e deixar que eles passassem as notícias.

Logo, quase o mundo inteiro fechou os empreendimentos de hormônios derivados de cadáveres. Reino Unido, Nova Zelândia, Hong Kong, Bélgica, Finlândia, Grécia, Suécia, Hungria, Alemanha Ocidental, Argentina e Holanda encerraram as atividades do hormônio natural. Mas a França não. O Dr. Jean-Claude Job, pediatra que chefiava a France Hypophyse, a agência hipofisária francesa, decidiu adicionar um protocolo de purificação em vez de substituir pela versão laboratorial. Ele não interromperia a produção de hormônio do crescimento humano por mais três anos, um atraso que voltaria a assombrá-lo.

Job teve opositores desde o início. O Dr. Alan Dickinson, diretor da Unidade de Neuropatogênese em Edimburgo, era especialista em tremor epizoótico, a versão ovina da CJD, que já existia há anos. Em 1976, ele escreveu uma carta para o Conselho de Pesquisa Médica do Reino Unido, alertando que as hipófises poderiam estar contaminadas com a CJD. Segundo ele, ninguém se importou.

Outro opositor foi o Dr. Albert Parlow, que dirigia um laboratório no Centro Médico Harbor – UCLA em Torrance, Califórnia, que processava hormônio da hipófise. Na mesma época em que o Dr. Dickinson tocou o alarme, o Dr. Parlow expressou preocupação de que os processos usados em outras instalações dos Estados Unidos para extrair o hormônio da hipófise não incluíssem purificação suficiente. Alguns acreditavam que a inclusão de etapas adicionais de purificação resultaria em um menor rendimento do hormônio, o que sempre foi uma preocupação, uma vez que as fontes do hormônio eram escassas. Mas o método de Parlow incluía uma etapa adicional de purificação, que, segundo ele, produzia um produto mais confiável.

Um estudo publicado em 2011 com 5.570 pessoas tratadas entre 1963 e 1985 pareceu confirmar os medos de Parlow. Em 1977, a Agência Nacional da Hipófise havia transferido todo o processamento de hipófise para o laboratório do Dr. Parlow, não por questões de segurança, mas porque o método de extração de Parlow realmente coletava mais hormônio de cada hipófise em comparação com outros processos: sete miligramas *versus* um miligrama do método padrão. O estudo de 2011 constatou que todas as 22 vítimas de CJD nos Estados Unidos haviam adquirido seus hormônios antes do laboratório do Parlow assumir o processamento. A equipe de pesquisadores, que incluiu estudiosos dos Centros de Controle e Prevenção de Doenças e do Instituto Nacional de Saúde, concluiu que o método de purificação de Parlow "reduziu bastante ou eliminou" o agente da CJD. O Dr. Salvatore Raiti, que era o diretor da Agência Nacional da Hipófise, disse que não tinha dúvida de que "aqui não houve casos de doenças relacionadas ao hormônio, porque tínhamos técnicas de extração e conhecimento melhores".

Até hoje, o INS continua monitorando o hormônio do crescimento e receptores nos Estados Unidos. Desde 1985, quando o mapeamento começou, houve 33 mortes confirmadas entre 7.700 americanos tratados. Na França, o total alcançou 119 mortes, entre 1.700 pessoas tratadas (tanto quanto a soma das mortes em todos os países combinados, e de longe a pior proporção.) No Reino Unido, houve 78 mortes e uma pessoa diagnosticada com o CJD em agosto 2017 que ainda está viva entre 1.849 pessoas tratadas; na Nova Zelândia, seis mortes entre 159 pessoas tratadas. Holanda e Brasil relataram dois casos cada. Áustria, Catar e Irlanda relataram uma morte. Todos as mortes foram atribuídas à DCJ.

Algumas famílias americanas tentaram processar seus médicos ou o INS, mas nenhum indivíduo ou organização foi considerado culpado de negligência ou más práticas. Na maior parte dos casos, os tribunais concluíram que os médicos estavam receitando remédios padronizados. A maioria dos processos nem chegou tão longe.

Em 1996, os tribunais britânicos decidiram em favor dos pacientes, reservando US$ 7,5 milhões de dólares para compensar não apenas as famílias daqueles que morreram, mas qualquer pessoa que pudesse ter sido tratada com hormônio de crescimento potencialmente contaminado.

Em 2008, um grupo de famílias francesas processou sete médicos e uma empresa farmacêutica por acusações de homicídio culposo e fraude. Eles perderam o caso. "Receio que não tenhamos aprendido nenhuma lição com este caso e que possamos enfrentar outros escândalos maiores de saúde pública na ausência de cuidados médicos e científicos adequados sobre os efeitos de novos tratamentos nos jovens e nas gerações futuras", anunciou o Dr. Luc Montagnier, que ganhou o Prêmio Nobel por isolar o HIV, o vírus que causa a AIDS. Ele havia servido como testemunha especializada para as famílias.

É fácil culpar a categoria médica pela tragédia do hormônio do crescimento. Mas muitos médicos, incluindo Blizzard, acreditam que mais coisas positivas do que danos surgiram da ciência. Jeff Balaban foi um dos sortudos, junto com Larry Samuel; os dois cresceram alguns centímetros graças ao medicamento e nunca sofreram efeitos colaterais tóxicos. Se há um herói na história, é Ray Hintz, o médico que fez a conexão aparentemente improvável. Quando seu paciente, Joey Rodriguez, morreu de uma doença cerebral rara, o médico poderia ter assumido que era azar, alguma mutação inata, uma infecção rara que ele pegou em algum lugar. Mas Hintz tinha duas coisas com ele: a lembrança do comentário em uma reunião anos antes e, o mais importante, ele conhecia Joey e sua família. Quando Joey ficou doente, ele estava lá ao seu lado, ouvindo e observando, captando as pistas cruciais, do tipo que não depende de testes de laboratório, mas de médicos que entendam o que seus pacientes lhes dizem. Hintz soou o alarme de forma correta e acabou descobrindo um mistério que poderia facilmente ter ficado escondido por anos.

11
Cabeça quente: os mistérios da menopausa

Lorence Haseltine, obstetra e ginecologista, estava tão absorta nos temas da saúde feminina quanto alguém pudesse estar. Ela fundou a Sociedade de Pesquisa da Saúde da Mulher e atuou no Conselho Americano das Mulheres na Ciência. Ela era diretora dos Institutos Nacionais e Centro de Pesquisa da Saúde da População e professora associada na Universidade de Yale. Além do diploma médico, ela obteve um PhD em biofísica pelo MIT. Ela também foi coautora do livro *Menopause: Evaluation, Treatment and Health Concerns* (Menopausa: avaliação, tratamento e preocupações com a saúde), um resumo das informações mais atualizadas na área. Haseltine era uma pessoa com informações privilegiadas. Ela tinha acesso a conversas sigilosas entre médicos especialistas.

No entanto, quando percebeu os primeiros indícios de sua própria menopausa, optou por um tratamento médico que chocou seus colegas. Não há sequer uma menção em seu livro sobre que tipo de tratamento ela prescreveu para si mesma.

No verão de 1990, quando Florence Haseltine tinha 48 anos, ela convenceu um ginecologista a fazer uma histerectomia, uma operação para remover seu útero. Não havia nenhum motivo médico urgente. Ela não apresentava um crescimento doloroso nem um câncer, os motivos habituais para uma cirurgia como essa.

Quando Haseltine tomou sua decisão, não estava mais na equipe de Yale, mas viajava semanalmente para ver o marido e as filhas em New Haven e para o seu trabalho no Instituto Nacional de Saúde em Bethesda, Maryland. Ela não queria que a histerectomia fosse realizada em Yale, porque sabia que isso irritaria os ex-colegas. Haseltine nunca foi do tipo que evitava uma discussão, mas não queria que sua decisão pessoal se transformasse em assunto de fofocas. Então, ela voltou ao hospital onde havia feito parte de seu treinamento médico. "Liguei para o meu ginecologista favorito em Boston e disse: 'Vamos marcar antes do Dia do Trabalho.'"

Haseltine queria tomar estrogênio para reprimir suas ondas de calor – surtos de sudorese, calor intenso e rubor. Mas o estrogênio, ela sabia, aumentava o risco de câncer endometrial, no revestimento do útero. Por isso ela desejava retirar o útero. Sem útero, ela poderia tomar o hormônio sem se preocupar.

"Eu tinha terríveis ondas de calor, mesmo ainda nos períodos menstruais", explicou ela anos após a cirurgia. "Eu havia analisado todos os dados sobre hormônios na década de 1980 e está tudo documentado lá."

Haseltine sabia muito bem que poderia ter fugido da cirurgia e adicionado progesterona às doses de estrogênio. A progesterona, como ela bem sabia, combateria o aumento do risco de câncer uterino. Mas ela não queria tomar progesterona. "Faz você se sentir uma merda e aumenta o sangramento", disse ela. "Não há uma palavra no nosso idioma que possa descrever o quão miserável isso faz você se sentir. Foi por isso que fiz a histerectomia – porque queria estrogênio e não progesterona, e isso também eliminaria o risco de câncer do colo do útero." Com a remoção do útero, não há como ter câncer cervical ou câncer no colo do útero. O risco de câncer do colo do útero é aumentado pelo HPV, um vírus sexualmente transmissível. Ou, como ela disse: "Eu sou uma criança dos anos 1960 e nós tivemos muitos parceiros, portanto, eliminamos dois problemas em um".

Desde então, Haseltine consome um miligrama de estrogênio por dia. Na época em que Haseltine tentava minimizar os sintomas da menopausa, Helen E. Fisher, antropóloga do Museu Americano de História Natural, escreveu um artigo enaltecendo as maravilhas das oscilações hormonais da meia-idade. Ela afirmou, em um artigo de opinião do *New York Times* de 1992, que os níveis mais baixos de estrogênio e níveis de testosterona um pouco mais altos das mulheres na menopausa as tornam mais assertivas e agressivas no meio profissional. "E as mudanças biológicas provocadas pela menopausa aumentarão seu interesse e desejo por poder, aumentando a habilidade de fazer uso dele."

Possivelmente, sim. Talvez a confiança renovada permitiria que "as mulheres da geração conhecida como *boomer* alcancem posições políticas de comando", como Fisher disse. Ela não fez menção a nenhum dado científico no editorial para apoiar suas reivindicações. Parecia mais uma maneira de fazer as mulheres se sentirem melhor com o envelhecimento do corpo e com a perspectiva de envelhecer no local de trabalho. Ou talvez fosse uma maneira de dizer ao mundo que as mulheres na menopausa tinham muito a oferecer no ambiente de trabalho e não deveriam ser descartadas quando seus anos férteis terminassem.

Apesar dos argumentos de Fisher, a menopausa faz com que muitas mulheres se sintam péssimas. O fim dos períodos menstruais, como gerações já sabiam, pode ser muito similar ao início deles. Muitas mulheres são atingidas por acessos de raiva, do tipo que não experimentavam desde a adolescência. Muitas vezes, podem surgir pensamentos raivosos no diálogo interno, que facilmente podem extrapolar em palavras.

Depois, há as ondas de calor. O nome engana. "Ondas de calor" soa como algo passageiro: curto e rápido, nada demais. Mas é mais como um forno abdominal a todo vapor, criando uma sensação sufocante. Para a maioria das mulheres – cerca de oitenta por cento – as ondas de calor acontecem quando se aproximam dos cinquenta anos e duram alguns anos, às vezes aparecendo durante o dia, às vezes, durante noites em claro. Os britânicos as chamam de descargas de calor, o que soa mais como uma metáfora do banheiro, também lembrando um redemoinho lento, mais próximo ao que realmente são. Para algumas mulheres infelizes, os sintomas perduram por décadas. Para uma minoria de sorte, os calores nunca acontecem. Algumas mulheres pulam tudo isso: seus períodos simplesmente param e pronto. Nenhuma mudança de temperatura, oscilações de humor, sem nevoeiro cerebral e a libido de sempre. Essas mulheres devem ver o resto de nós como um bando de chatas que só reclamam.

Haseltine fez a cirurgia nos anos 1990, uma década que, como ela dizia, deu início a um "grande interesse na menopausa". Muitas das mulheres que exigiram informações sobre a menopausa foram as mesmas que pediram versões mais seguras da pílula anticoncepcional anos antes. Suas preocupações envelheceram com elas. Quando chegaram ao fim de seus anos férteis, o foco de seu ativismo mudou de hormônios contraceptivos para hormônios da menopausa. A menopausa e as questões que a acompanham tornaram-se manchetes da primeira página, conquistando o primeiro lugar no noticiário da noite e até figurando em algumas comédias. Não é que ninguém tenha falado sobre menopausa antes dos anos 1990, mas o nível do discurso assumiu uma nova urgência. As questões femininas vieram à tona, em parte graças a Bernadine Healy, a primeira diretora do Instituto Nacional de Saúde, nomeada em 1991. Sob sua liderança, o financiamento para a pesquisas em saúde da mulher aumentou.

Alguns estudos do INS sugeriram que tomar hormônios após a menopausa não apenas aliviava os sintomas, mas também evitava algumas doenças da velhice, como Alzheimer e doenças cardíacas. Médicos e a indústria farmacêutica estavam entusiasmados com os supostos benefícios. No entanto, apesar do entusiasmo, as mulheres estavam confusas. Elas queriam saber duas coisas: 1) o que fazer com a menopausa e 2) o que estava acontecendo dentro de seus corpos em processo de envelhecimento. Algumas pistas estavam começando a surgir.

O Dr. Robert Freedman, professor de psiquiatria, obstetrícia e ginecologia da Wayne State University, é um dos principais pesquisadores das ondas de calor. Sua pesquisa inicial não tinha nada a ver com menopausa. Em 1984, ele estudava se o *feedback* biológico (usando pensamentos para alterar os sintomas físicos) ajudou pessoas com a doença de Raynaud, que deixa as mãos e os pés dolorosamente frios quando o clima esfria. "Numa sexta-feira à tarde", lembrou Freedman, "uma estudante de graduação entrou no meu escritório e disse: 'Li seus estudos e descobri que você sabe como aquecer mulheres com frio. Será que pode fazer o inverso, refrescar mulheres que sofrem com calor?'".

A mãe da aluna sofria de ondas de calor. Freedman não havia pensado muito a respeito da menopausa, mas ficou intrigado com o desafio. Então ele fez um anúncio no jornal local em busca de voluntárias para realizar um estudo.

Ele esperava que aparecessem apenas algumas pessoas, mas recebeu inúmeras respostas de mulheres ansiosas para tentar qualquer coisa que pudesse ajudá-las a ter uma boa noite de sono, livrando-as das torrentes de suor.

Freedman desenvolveu um método para iniciar as ondas de calor no laboratório e outra técnica para monitorá-las de maneira objetiva. Durante cada sessão, a mulher se deitava em uma poltrona reclinável em uma sala que progressivamente ia ficando mais quente. Ela também era embrulhada em almofadas que continham água aquecida, como um cobertor elétrico ou, como explicou Freedman, como a capa usada para aquecer recém-nascidos ou animais de laboratório. Para saber com precisão se a mulher estava com ondas de calor, posicionava fios de eletrocardiograma no peito. Os fios registravam a condutividade elétrica. O sal presente no suor aumenta a condução elétrica. Isso sinalizava o início da onda de calor. Por fim, para obter informações sobre a temperatura corporal central da mulher, ele usou um termômetro digerível, do tamanho de uma pílula grande. As mulheres o engoliam, como uma aspirina. O dispositivo transmitia a temperatura a cada trinta segundos para um receptor usado em um cinto ou localizado em outro local do laboratório, enquanto viajava da boca ao ânus. "Ele atravessa seu intestino por qualquer que seja o seu tempo de trânsito", explicou Freedman, "e depois é excretado com fezes. Eles não precisam ser recuperados. Embora meu excelente engenheiro-chefe, Sam Wasson, tenha recuperado o primeiro para analisar e determinar como havia sido o funcionamento."

Freedman tentou todo tipo de técnica para descobrir qual delas minimizaria as ondas de calor. O método mais eficaz, disse ele, era fazer uma respiração profunda e abdominal por quinze minutos, duas vezes por dia. Isso aliviava as ondas de calor diurnas, mas não as noturnas. "É complicado à noite", disse ele. "Não descobrimos uma maneira de implementar isso em um horário noturno."

A maioria das pessoas não percebe uma pequena flutuação, cerca de meio grau Fahrenheit, na temperatura corporal central – o calor profundo dentro do corpo. Um decréscimo maior na temperatura faz com que o corpo trema para se aquecer. Uma mudança ascendente faz com que o corpo transpire para se refrescar. Nas mulheres na menopausa, essa estreita janela do controle de temperatura se fecha. Um pequeno aumento na temperatura corporal pode provocar um *tsunami* de suor. É por isso que uma mulher na menopausa pode estar se abanando em uma sala levemente quente quando ninguém mais parece estar incomodado. É por isso que, quando a temperatura aumenta um pouco durante a noite, uma mulher na menopausa retira os cobertores e travesseiros enquanto todo mundo está dormindo confortável (todos, exceto o companheiro de cama atolado em cobertores).

Como as ondas de calor ocorrem quando o estrogênio despenca, os cientistas há muito tempo acreditam que os dois estão relacionados – embora o nível de estrogênio não seja o mais importante, mas sua queda vertiginosa. Mulheres com níveis cronicamente baixos de estrogênio não sofrem ondas de calor, mas os pesquisadores podem desencadear uma onda de calor se administrarem hormônio em mulheres com baixo nível de estrogênio e depois suspenderem a medicação, levando a uma queda brusca. Eles também notaram que, durante as ondas de calor, a adrenalina, o hormônio de luta ou fuga, aumenta. Pode ser por isso que algumas mulheres na menopausa dizem que se sentem em pânico, principalmente em espaços quentes e fechados – uma terrível ansiedade que nunca havia sido experimentada antes da menopausa.

Mas, embora esses vários eventos fisiológicos tenham sido documentados (queda de estrogênio, aumento de adrenalina, dilatação dos vasos sanguíneos), ainda não se sabe como estão conectados. A queda no nível de estrogênio causa aumento da adrenalina ou outro hormônio está envolvido?

A maneira como as pessoas reagem à mudança de temperatura é algo complicado. Um emaranhado de nervos e hormônios conecta receptores de temperatura na pele aos órgãos internos. Quando as temperaturas flutuam e alteram o corpo, os cientistas podem apenas observar as consequências. Mas é complicado descobrir a ordem dos eventos. É como encontrar uma teia de aranha e tentar decifrar como tudo começou.

Um grande impedimento para a pesquisa é que não existem bons modelos animais. Os seres humanos parecem ser as únicas criaturas que apresentam ondas de calor. "Passei quatro anos da minha vida tentando fazer macacos fêmeas sentirem isso", disse Freedman. "Tiramos os ovários delas. Tiramos os estrógenos. Nós as aquecemos. Nada funcionou."

Alguns cientistas dizem que as baleias-assassinas têm ondas de calor – tornando-as o único mamífero com sintomas de menopausa com exceção dos seres humanos. Essa evidência é tentadora. As baleias-assassinas vivem muitos anos depois que param de produzir bebês, levando os cientistas a postular que possuem menopausa. Elas começam a procriar quando estão com doze anos de idade e param no final dos seus trinta ou quarenta anos. No entanto, elas vivem até os oitenta anos. Isso sugere que elas podem experimentar as mesmas alterações hormonais que os seres humanos. Mesmo se essa teoria se comprovasse, não seria útil para Freedman. Ele precisava de voluntários dentro de seu laboratório, algo mais simples do que baleias-assassinas na menopausa.

Enquanto Freedman fazia as experiências para aquecer as mulheres, a Dra. Naomi Rance, professora de patologia da Universidade do Arizona, estava investigando profundamente os aspectos celulares da menopausa, examinando o cérebro de mulheres mortas. Na década de 1980, a Dra. Rance completou seu treinamento médico e estava terminando seu doutorado em neuropatologia na Universidade Johns Hopkins, explorando as mudanças hormonais da puberdade. Mas, à medida que envelhecia, seus interesses mudaram. Ela deixou de investigar a puberdade e passou a explorar a menopausa.

Coletar cérebros de mulheres mortas não era fácil. Rance precisava de pessoas que não tivessem morrido cheias de doenças, como Alzheimer ou câncer, o que atrapalharia um estudo com tantas variáveis. E ela não queria contar com a ajuda de outros patologistas, porque precisava garantir que os órgãos fossem removidos com cuidado, sem danificar as partes que precisavam ser examinadas. Rance só confiava em suas próprias técnicas.

"Tirei pessoalmente os cérebros porque, como neuropatologista, parte do que você faz na autópsia é tirar cérebros e cortá-los, examiná-los e descobrir o que há de errado com eles e a causa da morte." Rance precisava do hipotálamo, que contém hormônios que controlam a reprodução. Essa glândula fica localizada na base do cérebro. Ela também precisava da hipófise, que fica pendurada no cérebro e contém hormônios responsáveis por controlar a reprodução. "Você tem que ter cuidado para não rasgar o caule do tronco cerebral", disse ela. Além disso, ela precisava que o cérebro estivesse fresco. "Eu precisava de cérebros com menos de dezesseis horas após a morte. Meu limite era de 24 horas." Um atraso maior poderia alterar as células que ela desejava examinar.

Em seu primeiro estudo, Rance coletou três cérebros de mulheres mais jovens e os comparou com três cérebros de mulheres mais velhas. Foi um estudo pequeno, mas as diferenças foram surpreendentes. Rance descobriu que uma célula cerebral específica, um neurônio no hipotálamo, era trinta por cento maior nas mulheres mais velhas do que nas mulheres mais jovens. A diferença, disse ela, era "como noite e dia". Em uma imagem em seu artigo publicado na edição de julho de 1990 do *Journal of Clinical Endocrinology and Metabolism* (Jornal de Endocrinologia Clínica e Metabolismo), os neurônios hipotalâmicos das mulheres na pós-menopausa são do tamanho de mirtilos. Nas mulheres em pré-menopausa são do tamanho de alcaparras.

Rance examinou o mesmo ciclo de *feedback* – o fluxo e refluxo do sistema hormonal – que levou ao desenvolvimento da pílula anticoncepcional. Ela suspeitava que, na menopausa, o cérebro recebe o sinal de que o estrogênio está baixo e dispara células que deveriam levar a um aumento do estrogênio. Mas como os ovários não estão mais funcionando, o nível de estrogênio não aumenta. O cérebro continua sendo bombardeado com mensagens de que precisamos de mais estrogênio. O bombardeamento contínuo acaba inchando as células.

Para testar sua teoria, ela estudou mais seis cérebros, de três mulheres em pré-menopausa e três mulheres em pós-menopausa. Desta vez, descobriu que um tipo específico de célula estava inchado nas mulheres mais velhas e encontrou uma abundância de receptores de estrogênio. Ela também se concentrou em uma substância química, a neurocinina-B, que pode ser responsável por algumas das mudanças nos cérebros das mulheres na menopausa.

Há pouco tempo, uma equipe britânica descobriu que injeções de neurocinina-B provocavam ondas de calor em mulheres – uma pista, mas nada conclusivo. A teoria atual é que as células inchadas no hipotálamo provavelmente atrapalham o sistema interno de controle de temperatura das mulheres mais velhas. Não é uma teoria completa, mas o começo de um esboço. Com base nessas descobertas, os médicos começaram recentemente a testar um medicamento que bloqueia a neurocinina-B como uma forma não hormonal de controlar as ondas de calor. Os resultados preliminares são promissores.

Na década de 1990, quando Rance estava envolvida nas minuciosas pesquisas sobre o cérebro, esperava que suas ideias conduzissem a melhores tratamentos para mulheres na menopausa. Ao mesmo tempo, outro grupo de pesquisadores de hormônios estava analisando os mesmos problemas, mas de uma perspectiva muito mais ampla. Rance estava pesquisando do ponto de vista de dentro para fora, aprofundando-se nas células do cérebro. Os outros pesquisadores estavam olhando de fora para dentro. Eles não estavam pensando nas células e em suas proteínas, mas nas pessoas e no risco de doenças. Eles notaram, por exemplo, que, em comparação às mais jovens, mulheres mais velhas tinham maior probabilidade de sofrer ataques cardíacos, doença de Alzheimer, osteoporose (afinamento ósseo) e certos tipos de câncer. Também observaram que mulheres mais velhas têm menos estrogênio. Os dois poderiam estar conectados em algum tipo de relação de causa e efeito? Em outras palavras, o estrogênio protege as mulheres mais jovens dessas doenças? E se sim, as mulheres mais velhas poderiam se proteger dessas mesmas doenças tomando estrogênio?

Noções como essas mudaram a maneira como tratamos a menopausa: passou a ser vista mais como uma deficiência hormonal, como o diabetes, do que como parte natural do envelhecimento. Isso deu início a uma série de estudos sobre o valor da terapia de reposição hormonal. Para quem tentou acompanhar as notícias, parecia que os médicos mudavam de ideia toda hora.

A terapia de reposição hormonal é boa para você; faz mal para você; tome os remédios por alguns anos; tome para sempre. Na maioria das vezes, a maioria das mulheres que tomava os medicamentos era branca e de classe alta. Um estudo de 1997 que examinou as estatísticas nacionais de 1970 a 1992 descobriu que mulheres negras estavam sessenta por cento menos propensas que mulheres brancas a fazer terapia de reposição hormonal. Outro estudo, que reuniu dados de mais de trinta mil visitas a consultórios na primeira metade da década de 1990, descobriu que, embora as prescrições de terapia de reposição hormonal tivessem aumentado de maneira geral, as mulheres brancas tinham duas vezes mais chances de obterem receita, e pacientes com plano de saúde estavam quase oito vezes mais propensas a receber os medicamentos do que pacientes do sistema público de saúde. Isso se deve ao fato de que as empresas farmacêuticas visavam mulheres brancas da classe alta? Ou seria mais provável que essas mulheres pedissem aos médicos um remédio para a menopausa?

Olhando para trás, um grupo de historiadores e cientistas que se reuniu para uma conferência de dois dias em 2004 se perguntou se as coisas teriam tomado um rumo diferente se, em vez de chamar a reposição hormonal de "terapia", ela tivesse sido chamada de manipulação hormonal. Possivelmente. Mas é muito difícil que um vendedor quisesse rotular seus medicamentos de "manipuladores". Nas décadas de 1910 e 1920, extratos de ovários de vacas e ovelhas foram usados para tratar mulheres incomodadas pelas ondas de calor e dores de cabeça da menopausa. O Vinho de Cardui, criado por McElree, era tomado três vezes ao dia, e afirmava-se ser capaz de ajudar com as irregularidades menstruais e com a "mudança de vida", como chamavam o período da menopausa. O extrato continha 20% de álcool. A partir das décadas de 1940 e 1950, as mulheres passaram a receber a substância purificada, o estrogênio puro. As pílulas tornaram-se muito populares após a publicação em 1968 de Feminine Forever (Feminina para sempre), um livro do Dr. Robert Wilson que aconselhava mulheres a tomar estrogênio não apenas para aliviar os sintomas da menopausa, mas para manter o ar juvenil. "Nenhuma mulher pode escapar do horror dessa decadência", escreveu ele. Mas havia uma solução. "Se fornecermos o hormônio necessário ao corpo da mulher por meio de pílulas de estrogênio (não mais fornecido pelos ovários), o rápido declínio físico nos anos pós-menopausa é interrompido. O corpo se mantém relativamente jovem, assim como o do homem. O que Wilson não mencionou em seu livro foi que havia fundado uma organização, a Wilson Foundation, financiada por três empresas farmacêuticas: Searle, fabricante da Enovid, a pílula anticoncepcional; Ayerst, fabricante da Premarin, uma pílula de estrogênio; e Upjohn, fabricante do Provera, uma progestina, uma forma sintética de progesterona. Seu livro foi vendido como o conselho de um especialista, mas na verdade era uma grande propaganda.

Cabeça quente: os mistérios da menopausa

Vinho de Cardui da farmacêutica McElree, para irregularidades menstruais e "mudança de vida" (um termo do início do século 20 para a menopausa). Divisão de Medicina e Ciência do Museu Nacional de História Americana, Instituto Smithsonian.

De muitas maneiras, a história do hormônio da menopausa é uma extensão da história da pílula anticoncepcional. Os hormônios são os mesmos – uma mistura de estrogênio e progesterona. Para a menopausa, eles são chamados de "terapia de reposição hormonal" ou TRH. A pílula anticoncepcional e a TRH foram aclamadas como um triunfo para a saúde da mulher e, em seguida, temidas por causa de seus efeitos colaterais tóxicos. Nos dois casos, a decisão de tomar o remédio era complicada porque não havia uma doença real: os medicamentos nem curavam nem preveniam uma doença. As mulheres estavam tomando pílulas para ajudá-las a passar por dois momentos cruciais de suas vidas: para evitar uma gravidez indesejada e para evitar sintomas da menopausa indesejados.

A pílula anticoncepcional, aprovada pela Food and Drug Administration dos Estados Unidos em 1960, foi a primeira droga prescrita a pessoas saudáveis

181

por razões sociais – uma droga que nem sequer promove o bem-estar. É a única pílula chamada de "a pílula". Os cientistas a descobriram a partir de algo que os agricultores observaram durante séculos: você não pode engravidar quando já está grávida. Então, criaram uma terapia que imitava algumas mudanças hormonais da gravidez. Na década de 1970, o entusiasmo havia diminuído; a pílula anticoncepcional estava relacionada a derrames e ataques cardíacos, e a efeitos colaterais desagradáveis, incluindo depressão e inchaço. Essas descobertas, transmitidas por ativistas da saúde das mulheres, levaram as empresas farmacêuticas a criar uma pílula de doses mais baixas e pressionaram o governo a exigir folhetos informativos que listassem os riscos.

Ao mesmo tempo, na década de 1970, os cientistas descobriram a ligação entre o estrogênio usado na menopausa e o câncer uterino. As mulheres ficaram confusas. Elas ouviram falar apenas dos benefícios da terapia hormonal para manter o corpo equilibrado, e agora aparentemente estavam sendo envenenadas. As prescrições para a terapia de reposição hormonal foram reduzidas quase pela metade, de 28 milhões em 1975 para quinze milhões no final da década. Logo depois, pesquisadores descobriram que a adição de progesterona ao estrogênio neutralizava o risco de contrair câncer no útero. As vendas voltaram a subir.

Na época em que Haseltine começou a tomar hormônios, o estrogênio (sozinho ou em combinação com a progesterona) começou a recuperar a popularidade. Sem muitas evidências científicas, mas com base em teorias e pistas, surgiu um consenso de que o estrogênio evitava as doenças da terceira idade. A notícia mudou de hormônios que aumentariam o apelo sexual para hormônios que trariam o bem-estar. Um estudo, chamado PEPI, descobriu que mulheres que ingeriam estrogênio tinham melhores chances de ter um coração saudável, com níveis mais baixos de colesterol. Outro importante estudo, que acompanhou a saúde de mais de cem mil enfermeiras, sugeriu que aquelas que tomavam estrogênio tinham menores chances de apresentar doenças cardíacas. Em 1992, o Faculdade Americana de Médicos aconselhou que todas as mulheres fizessem uso da terapia hormonal de longo prazo, a fim de reduzir os riscos de ataque cardíaco (a causa número um de mortes de mulheres) e a doença de Alzheimer (o medo número um). Pouco tempo depois, outros estudos sugeriram que a terapia hormonal (estrogênio ou estrogênio–progesterona combinados) reduzia o risco de câncer no colo do útero. Houve algumas más notícias (um estudo ligou o estrogênio ao câncer de mama), mas foram enterradas em meio a tantas boas notícias. Por algum tempo, na década de 1990, as mulheres requisitavam a terapia de reposição hormonal porque achavam que era o melhor a se fazer a longo prazo – e não simplesmente para reprimir os sintomas desagradáveis. O número de prescrições mais que dobrou, de 36,5 milhões em 1992 para 89,6 milhões em 1999. A terapia de reposição hormonal foi a droga mais popular na América.

Entretanto, as perguntas persistiram. Muitos médicos notaram a escassez de dados. E foi assim que um grupo de especialistas iniciou um dos maiores estudos já realizados sobre os efeitos a longo prazo da terapia hormonal. O grupo foi chamado de Iniciativa de Saúde da Mulher. De 1993 a 1998, mais de 27 mil mulheres aleatoriamente escolhidas para receber hormônios (estrogênio isolado se tivessem sido submetidas a histerectomia, estrogênio associado a progestina, progesterona sintética, caso não o tivessem) ou um placebo. No começo, alguns médicos estavam tão confiantes sobre os benefícios dos hormônios que acreditavam que impedir que as mulheres do grupo placebo fizessem uso deles era antiético.

Os primeiros dados mostraram exatamente o contrário. Em 1998, outro estudo hormonal menor chegou à conclusão chocante de que mulheres que já tinham doenças cardíacas e que usavam hormônios tinham um aumento no risco de ataque cardíaco logo após o início do tratamento. No entanto, este foi o resultado de apenas um estudo, e todos estavam aguardando os resultados do estudo mais amplo da Iniciativa pela Saúde da Mulher, que analisou mulheres em geral saudáveis. Em julho de 2002, o teste de estrogênio–progesterona da Iniciativa foi interrompido de forma abrupta, três anos antes do término, pois os pesquisadores haviam detectado que mulheres que tomavam hormônios tinham mais derrames, coágulos sanguíneos e câncer de mama do que as mulheres que não estavam fazendo uso desses medicamentos. As manchetes chocaram, assustaram e enfureceram as mulheres. Eles viram as manchetes e imaginaram que toda terapia de reposição hormonal na menopausa era perigosa – que não funcionava, que era prejudicial a todas as mulheres.

Mas o estudo não focou no uso de estrogênio e progesterona para melhorar os sintomas da menopausa; não se limitava às mulheres que haviam atingido a menopausa recentemente e que era provável que tomariam hormônios por alguns anos. Foi projetado para investigar os efeitos dos hormônios nas mulheres muito depois da menopausa. A média de idade das pacientes era de 63 anos. "O objetivo do ISM era completamente diferente de como as pessoas o interpretaram", disse o Dr. Joann Manson, professor de medicina da Universidade de Harvard e um dos pesquisadores. "O objetivo era avaliar o equilíbrio entre benefícios e riscos da terapia hormonal quando usada na prevenção de doenças cardíacas e outras doenças crônicas. Não foi projetado para avaliar se a terapia hormonal era segura e eficaz para o tratamento de sintomas a curto prazo. Qualquer extrapolação das descobertas para mulheres de quarenta e cinquenta anos é inapropriada." Além disso, como Mary Jane Minkin, especialista em menopausa e obstetra-ginecologista da Universidade de Yale, apontou, a ISM usou o Provera (ou progestina), uma progesterona sintética popular nos anos 1990. Hoje em dia, muitos médicos tendem a prescrever Prometrium, uma forma natural de progesterona que, em alguns estudos, demonstrou não estar ligada a um risco aumentado de câncer de mama. A ISM também estava limitada a pílulas; existem outras opções de terapia hormonal, como adesivos e géis.

O ponto principal, como Manson explicou, é que, contrariando as expectativas anteriores de que a terapia hormonal poderia prevenir doenças na velhice, isso é o que acontece. Portanto, os hormônios não devem ser usados para prevenção de doenças. Eles devem ser usados para diminuir os sintomas da menopausa. Ainda assim, essas notícias assustaram tanto as mulheres que a demanda por terapia de reposição hormonal caiu. As prescrições caíram quase pela metade para as mulheres que tomam a combinação estrogênio–progesterona e em quase um quinto para as mulheres que tomam estrogênio isoladamente.

Os últimos resultados da ISM, divulgados em setembro de 2017, descobriram que, após dezoito anos, não havia diferença nas taxas de mortalidade entre o grupo de mulheres que tomavam hormônios e o grupo que não tomava. Manson disse em entrevista à *Reuters* que esses resultados devem tranquilizar as mulheres preocupadas com um risco maior de derrame, câncer de mama ou ataques cardíacos.

Porém, para as mulheres que optam por tomar hormônios existem tantas opções no mercado que é difícil escolher. Existem pílulas, adesivos e dispositivos intrauterinos que esguicham hormônios. Estrogênio e progesterona são vendidos em uma grande variedade de doses. Também existem hormônios manipulados, o que significa que são feitos sob medida para cada paciente. Esses hormônios são bons para as pessoas que podem ser alérgicas a um ingrediente da pílula (como o óleo de amendoim) ou para pessoas que não conseguem engolir pílulas. Mas, da maneira como são anunciados, você pensaria que está recebendo algo completamente natural e inofensivo – pílulas feitas especialmente para você em pequenas lojas especializadas.

Atenção, consumidores! Muitos dos medicamentos manipulados são feitos em fábricas, assim como as pílulas das grandes indústrias farmacêuticas. Desde os anos 1990, o negócio de terapia hormonal sob medida disparou, tornando-se uma indústria de US$ 2,5 bilhões de dólares, não se limitando ao cliente "sou-alérgico/não-consigo-engolir-comprimido". Atualmente, quase um terço das mulheres que usam hormônios para a menopausa optam pelo manipulado. Muitas das pílulas manipuladas não são cobertas pelos planos de saúde, enquanto o estrogênio e a progesterona de grandes marcas estão inclusos no contrato.

Mas aqui está a diferença crucial: devido a uma brecha legal, os produtos hormonais manipulados ficam de fora do alcance da Food and Drug Administration. Isso significa que eles não passaram pelo mesmo rigoroso controle de qualidade dos produtos de grandes empresas. Sem o controle de qualidade da FDA, as pílulas podem conter muito hormônio, pouco hormônio ou hormônios contaminados. Essas preocupações foram embasadas. Em 2010, um medicamento contaminado fornecido por uma farmácia de manipulação na Nova Inglaterra desencadeou 750 casos de meningite fúngica, incluindo 64 mortes. Em 2013, uma jornalista designada pela revista *More* preencheu doze prescrições hormonais idênticas em uma dúzia de farmácias de manipulação diferentes; uma análise laboratorial revelou enormes variações na quantidade de hormônios nos comprimidos. Manson, a médica de Harvard, disse que já ouviu relatos de algumas mulheres que tomaram hormônios manipulados sobre a ocorrência de câncer de endométrio, e suspeita que possam ter sido desencadeados pelos remédios manipulados que não possuem progesterona suficiente.

Os hormônios manipulados também não precisam de bulas, como os medicamentos aprovados pela FDA. Sem rótulos de aviso ou bulas, os medicamentos dão a falsa impressão de que não há perigo. A falta de um controle de qualidade e a ausência de etiquetas de aviso enfurecem os membros da Sociedade Endócrina, a Faculdade Americana de Obstetras e Ginecologistas, a Sociedade Americana de Medicina Reprodutiva e a Sociedade Norte-americana da Menopausa.

Leis foram aprovadas para aumentar a fiscalização dos remédios manipulados. De acordo com a Lei da Qualidade de Composição aprovada em 2013, as farmácias de manipulação não podem mais vender um medicamento se o mesmo item estiver disponível nas empresas farmacêuticas. A lógica é que é a mesma droga com um controle de qualidade menor. A nova lei também proíbe farmácias de manipulação de incluir ingredientes que o FDA não considere seguros. O estriol, um tipo de estrogênio, não é aprovado pelo FDA, mas esteve na composição de vários medicamentos manipulados. Além disso, as farmácias de manipulação que vendem a granel devem relatar os efeitos colaterais adversos ao FDA. Os médicos continuam pressionando por bulas que expliquem os perigos potenciais do uso de cada medicamento. Eles estão lutando por uma mudança, assim como as feministas da década de 1970 exigiram bulas que advertissem sobre os perigos das pílulas anticoncepcionais. (Antes da década de 1980, as pílulas anticoncepcionais não continham uma bula explicando as relações entre esse medicamento e o aparecimento de coágulos.)

Existe algum controle interno pelo Conselho de Credenciamento de Farmácias, mas em outubro de 2016, apenas 463 das 7.500 farmácias de manipulação obtiveram credenciamento.

Então como ficam as mulheres na menopausa que sofrem com as ondas de calor? Os anos 1990 deram início a uma explosão em pesquisas, mas aprendemos muito mais desde então. Em julho de 2017, a Sociedade Norte-americana de Menopausa emitiu novas diretrizes, atualizando aquelas lançadas em 2012. A grande mudança é a seguinte: as mulheres não precisam mais interromper a terapia hormonal depois de alguns anos. Pensava-se que as mulheres deveriam parar o tratamento após cinco anos, mas evidências recentes sugerem que isso pode não ser necessário. Algumas mulheres podem permanecer tomando hormônios por décadas, colhendo benefícios sem sofrer as consequências, com um ligeiro aumento no risco de doença cardíaca ou câncer de mama. O estrogênio sozinho, para mulheres que passaram por uma histerectomia, ou estrogênio e progesterona, para as demais, é a maneira mais eficaz de evitar ondas de calor e reverter a dolorosa secura vaginal. Algumas mulheres encontram alívio usando soja, ervas ou outros lubrificantes vaginais não hormonais, mas nenhum estudo comprovou a eficácia desses métodos. As diretrizes também apontaram alternativas, como uma nova pílula que combina estrogênio com o bazedoxifeno, um medicamento que penetra nos receptores de estrogênio e minimiza o risco de câncer uterino. As mulheres que fazem uso desse novo medicamento combinado, chamado Duavee, não precisam tomar progesterona.

Mas aqui está a questão real e irritante: aquelas que têm idade suficiente para estar na menopausa não deixam de se perguntar se os especialistas vão mudar de ideia novamente.

As escolhas da menopausa evidenciam a incerteza sempre presente na medicina. A esperança é que pesquisas, como os estudos realizados pelo Dr. Freedman e pela Dra. Rance, revelem informações sobre nossos corpos sedentos de estrogênio que poderão originar tratamentos melhores. Mas novas ideias sobre a menopausa também significam que os conselhos de hoje podem ser desatualizados amanhã. Isso não quer dizer que os especialistas sejam inconstantes, embora às vezes pareça assim. Eles estão fazendo julgamentos com base nas informações mais recentes, um conjunto de dados que continua a avançar.

Para aliviar parte da confusão em torno da escolha da droga certa – ou qualquer droga – a Sociedade Americana da Menopausa criou um aplicativo chamado MenoPro. Você pode baixá-lo, responder a algumas perguntas simples, como "Seus sintomas são graves?" e "Quantos anos você tem?". Depois, com alguns toques no celular, você recebe conselhos e links para mais informações que vão ajudar a descobrir qual é o melhor tratamento para você.

Haseltine, com todos os seus diplomas e conhecimentos sobre menopausa e saúde da mulher, não precisava de um aplicativo. Ela sabia o que era melhor para ela. Ela se considera uma feminista obstinada. Além de sua nomeação acadêmica e seu papel de liderança no Instituto Nacional de Saúde, ela também recebeu o prêmio de melhor cientista pela Associação Médica da Mulher Americana. Mas Haseltine disse: "As pessoas te julgam com base nas crenças delas, mas a crença de outra pessoa não é problema seu. Eu pesquisei as informações. Eu conhecia os riscos. Sempre que você opta por uma cesariana ou uma histerectomia, isso é visto pela maioria das pessoas como uma atitude emocional. Então, acabei sendo difamada. Todo movimento de libertação das mulheres afirma que, se você tem a informação, deve escolher. Mas não há escolha. Sempre acham que você deve fazer tudo naturalmente. A maioria das pessoas presumiu que, como sou feminista, eu deveria ser uma defensora da amamentação e do parto normal. Não defendo nenhum dos dois".

Nenhum médico sugeriria uma histerectomia eletiva. No entanto, a escolha de Haseline, embora impopular, demonstra que as mulheres de hoje têm a opção de fazer o que querem quando se trata de lidar com a menopausa – desde que estejam cientes dos benefícios e dos riscos. Haseltine estudou a literatura e tomou uma decisão de saúde informada. Ou, como ela disse: "Você pode usar seu conhecimento de qualquer maneira que faça com que se sinta confortável".

12
Empreendedores de testosterona

Cães copulavam em uma sala fedorenta no porão do Hospital Grace New Haven da Universidade de Yale. Alguns eram castrados, outros não, e outros haviam recebido doses de testosterona. Não se tratava de um filme pornô de animais. Tudo fazia parte de uma série de experimentos hormonais idealizados pelo Dr. Frank Beach no verão de 1947.

Quando Beach chegou a Yale, era uma estrela em ascensão, mas ainda não havia atingido o auge do sucesso. Ele obteve seu PhD em psicologia pela Universidade de Chicago em 1940 e depois trabalhou como pesquisador no departamento de biologia experimental do Museu Americano de História Natural, e fundou no local o Departamento de Comportamento Animal. Em 1946, Beach se mudou para Yale. Lá, Beach ganhou o cargo de professor titular, mas, em vez de um laboratório de luxo, ofereceram a ele um pequeno quarto não ventilado ao lado do banheiro masculino do hospital. O espaço estava disponível porque ninguém mais o queria. Antes de os cães chegarem, os zeladores deveriam almoçar lá, mas se recusaram porque disseram que o quarto fedia a banheiro. Quando os caninos chegaram, os funcionários reclamaram que o banheiro cheirava a cães.

Os testes durariam vinte anos e passariam por duas universidades – Beach deixou Yale no final da década de 1950 para assumir um cargo de professor na Universidade da Califórnia, Berkeley. Do começo ao fim, Beach observou atentamente os cães, correlacionando desempenho sexual ao *status* hormonal e classificando-os em vista de suas travessuras. A pontuação mais baixa era um, usada apenas no caso de flerte. Os artilheiros recebiam oito pontos: fornicação e travamento. O travamento, exclusivo nos cães e no lobo-marinho da África do Sul, ocorre quando o pênis fica preso dentro da vagina, devido a uma glândula extra na base do pênis que incha durante o sexo, literalmente travando o casal. Após o ato (que pode durar de alguns minutos a cerca de uma hora), tudo desincha e o pênis escapa. O artigo de Beach inclui uma fotografia de um cachorro e uma cadela que têm relações sexuais consecutivas, o que demonstra que um cachorro pode fazer uma minipirueta durante o ato sem perder o contato, graças ao seu *bulbus glandis*.[11]

Um dos objetivos de Beach era determinar o efeito do tratamento com testosterona na capacidade sexual. Ele acreditava que os estudos iriam fornecer informações muito importantes para os seres humanos. As doses de testosterona estavam apenas começando a ser promovidas como terapia de rejuvenescimento para nossa espécie, provocando controvérsia e confusão em massa. Alguns artigos científicos e um livro *best-seller* afirmavam que era a cura para a chamada menopausa masculina, um diagnóstico quase médico. "Sim, a masculinidade é química, a masculinidade é a testosterona", escreveu Paul de Kruif, PhD, em seu livro de 1945, *The Male Hormone* (O hormônio masculino). Outros descartavam a terapia de testosterona como um absurdo. "A terapia hormonal masculina em homens de meia-idade" era a manchete de um artigo da *Associated Press* de 1947, pelo eminente escritor científico Alton Blakeslee.

Beach descobriu que as injeções de testosterona funcionavam maravilhosamente em ratos, mas os resultados não eram tão previsíveis em cães. Os ratos dispararam com o hormônio cobiçando qualquer outro roedor enjaulado. Cães machos às vezes rejeitavam a cadela. Isso levou Beach à conclusão de que quanto mais complexo o cérebro masculino, menor o efeito dos disparos de testosterona no comportamento. Os ratos eram dominados pelos hormônios secretados por seus órgãos reprodutivos; os cães nem tanto; os humanos

---

11   Em seu artigo *Locks and Beagles* (Fechaduras e beagles), uma reimpressão de uma palestra em uma reunião da Associação Psicológica em Vancouver, Canadá, em 1969, Beach escreveu: "O título deste trabalho não foi escolhido por acaso. De fato, me foi sugerido há vinte anos por um de meus assistentes de pesquisa, Charles Rogers, quando estávamos começando a estudar o acasalamento em cães. Tenho certeza de que todo mundo sabe o que é um beagle, e o significado de uma fechadura ficará claro à medida que essa conversa progredir".

menos ainda. "Se a hipótese fosse confirmada", disse Beach a cientistas em uma reunião da Associação Psicológica Ocidental em Vancouver, Canadá, em 1969, "levaria à previsão de que o aumento da complexidade e dominância neocorticais, como os observados em primatas, seriam acompanhados de uma diminuição do controle do comportamento sexual por hormônios gonadais." Em outras palavras, talvez injeções para homens de meia-idade – difundidas para aumentar a libido, construir músculos e energizar cérebros envelhecidos – não fossem tão eficientes quanto diziam seus defensores.

Beach provavelmente imaginou que o debate sobre a testosterona – se o hormônio na verdade ajudava homens cansados – seria resolvido no século 21. Pelo contrário, o debate continua. De fato, a disputa se intensificou, criando o tipo de confusão vista entre candidatos políticos rivais, não entre profissionais médicos. "Hormonofóbicos", um médico chamou seus colegas cientificamente conservadores. "Endocriminologista", disse um médico sobre seus colegas entusiasmados com hormônios. No meio dessa confusão, homens envelhecidos se perguntam se devem tentar ou evitar a terapia de reposição hormonal.

A questão não é se homens mais velhos têm níveis mais baixos de testosterona do que na adolescência. Eles realmente têm. A partir dos trinta anos, a testosterona masculina cai cerca de um por cento ao ano. É uma diminuição lenta, como um pequeno furo em um pneu de bicicleta que pode não ser perceptível até que o pneu esteja quase vazio. Ao longo do caminho, à medida que os homens se aproximam da meia-idade, eles montam uma bicicleta com um pneu murcho, o que torna o passeio muito mais difícil do que costumava ser. Ou talvez se possa pensar no nível mais baixo de hormônio como um novo patamar, como mudar de uma bicicleta de corrida para uma bicicleta normal.

A verdadeira questão é se esses níveis hormonais do homem idoso constituem uma síndrome que precisa ser corrigida. E se sim, o tratamento funciona? É seguro?

A história da terapia com testosterona é notavelmente semelhante à história da terapia com estrogênio. Para recapitular: o estrogênio foi sintetizado e vendido às mulheres como o elixir da juventude, depois foi revendido como uma forma de prevenir doenças e, em uma reviravolta dramática, um estudo de longo prazo destacou os prós e os contras dessa terapia. A versão masculina ainda não chegou a seu *gran finale*.

Em 1927, o Dr. Fred Koch, professor de química fisiológica da Universidade de Chicago, com um estudante de medicina, Lemuel Clyde McGee, extraíram alguns miligramas de um "ingrediente ativo" a partir de 44 quilos de testículos de touros. Eles não sabiam o que era esse componente especial, mas uma gota injetada em um galo castrado devolveu-lhe a força do canto e a vermelhidão da crista. O experimento da dupla foi uma versão modernizada da troca de testículos no quintal do Dr. Arnold Berthold, no século 19, usando um produto químico – ainda que misterioso – em vez de toda a glândula. Koch e McGee confirmaram suas descobertas em ratos e porcos castrados. Em um artigo chamado "O hormônio testicular", Koch, com seu colega T. F. Gallagher, detalhou o processo de extração, mas afirmou que havia adiado a escolha de um nome para a substância recém-descoberta. "Acreditamos que, até que se saiba mais sobre a natureza química do hormônio, nenhum nome deve ser escolhido."

No ano seguinte, Adolf Butenandt, um cientista alemão, isolou o mesmo material da urina masculina, também com rendimentos escassos. Ele coletou 0,014 gramas de 3.960 galões de xixi. Esses feitos foram grandes avanços científicos, mas estavam muito longe de se tornarem um tratamento na prática. Seria necessário criar milhares de touros ou coletar baldes de urina masculina apenas para fazer um galo castrado cantar como um galo de pleno direito.

O misterioso hormônio foi batizado por Ernst Laqueur, químico da Universidade de Amsterdã e fundador da empresa farmacêutica Organon. Ele extraiu o hormônio testicular puro em 1935 e o nomeou de testosterona – de testículos e a junção com a palavra esteroide (a estrutura química). O nome foi rejeitado por alguns cientistas, afirmando que "testosterona" implicava que o hormônio era produzido nos testículos e apenas nos testículos, o que não acontece. O nome também dava a entender que a testosterona era exclusivamente um hormônio masculino, o que não é verdade. As glândulas suprarrenais produzem testosterona, assim como os ovários – mas em quantidades menores. Ainda assim, o nome pegou e, com ele, gerou concepções errôneas sobre hormônios masculinos e femininos. Anne Fausto-Sterling, antropóloga da Universidade Brown – que escreveu sobre gênero e levou Bo

Laurent a criar a Sociedade Intersexo – reacendeu a discussão sobre testosterona em seu livro publicado em 2000, *Sexing the Body* (Sexualizando o corpo). Ela sugeriu que o termo "hormônios sexuais" fosse alterado para "hormônios do crescimento", porque é isso que eles fazem. A testosterona e o estrogênio afetam o desenvolvimento não apenas dos ovários, testículos, vagina e pênis, mas também do fígado, músculos e ossos. De fato, esses hormônios influenciam quase todas as células do corpo. "Então, pensar neles como hormônios do crescimento", disse Fausto-Sterling ao *New York Times*, "o que na verdade são, é parar de se preocupar com o fato de que homens têm muita testosterona e mulheres, estrogênio."

Um exemplo de masculinidade ideal do início do século 20, presente no livro de Georges Rouhet e professor Desbonnet, L'Art de créer le Pur-Sang humain (A arte de criar o puro-sangue humano), Paris e Nancy: Berger-Levrault, 1908. Cortesia da Biblioteca da Academia de Medicina de Nova York.

Em 1935, no mesmo ano em que a testosterona foi batizada, dois cientistas trabalhando separadamente descobriram como sintetizar esse hormônio do zero – a chave para a produção em massa. Butenandt, que pesquisava a testosterona a partir da urina, foi financiado pela empresa alemã Schering. Seu concorrente, Leopold Ruzicka, foi patrocinado pela empresa suíça Ciba. Ambos conseguiram fazer em laboratório o que o corpo faz por si próprio: eles mexeram em algumas moléculas de colesterol e o transformaram em testosterona. O colesterol (além de sua notória reputação como entupidor de artérias) também serve como matéria-prima a partir da qual o corpo produz uma variedade de hormônios. O trabalho foi tão inovador que os dois cientistas dividiram o Prêmio Nobel de Química em 1939.

A reposição hormonal masculina não dependia mais das glândulas animais e de suas quantidades ínfimas de ingredientes ativos. O rejuvenescimento não dependia mais das vasectomias inúteis de Steinach, o procedimento que foi sensação na década de 1920. Os médicos agora tinham um medicamento produzido em massa que forneceria, como proclamou a revista *Time*, "toda a testosterona que o mundo precisa para curar homossexuais, revitalizar homens idosos".

Só que não. Para grande desgosto dos médicos, a testosterona não transformou os gays em heterossexuais. Steinach – que castrou homossexuais implantando neles um novo par de testículos de heterossexuais – também falhou nesse empreendimento. Apesar do suprimento abundante de testosterona e do grande livro de Kruif, as vendas do hormônio masculino permaneceram mornas pelo resto do século.

Certamente, muitos estudos comprovaram que a testosterona fez maravilhas em homens que perderam ou machucaram os testículos, permitindo que os médicos ajudassem homens que nunca poderiam passar pela puberdade ou aqueles que sofreram lesões mais velhos, fazendo com que sua energia e libido despencassem. Os atletas de meados do século 20 também se interessaram pelo hormônio. Ele parecia mais eficiente do que as anfetaminas, que muitos esportistas competitivos já estavam usando. Os estimulantes proporcionavam uma sensação frenética, aceleravam o coração, algo do tipo "acorda pra vida e vai", mas não o ganho de massa muscular fornecido pelos andrógenos (a categoria de hormônios que inclui testosterona e promove características sexuais masculinas). O Comitê Olímpico Internacional só criou uma comissão médica para combater o *doping* em 1967, e os andrógenos não foram incluídos até 1975.

Para criar um mercado – um que não se limitasse a pessoas com problemas nos testículos ou atletas –, os fabricantes de medicamentos precisavam de médicos dispostos a prescrever o tratamento, pacientes ansiosos para fazê-lo e uma logística viável de entrega. Os médicos do meio do século 20 ficavam receosos na hora de abordar o assunto sexo com seus pacientes. Isso prejudicava as prescrições. Apesar de alguns artigos sobre rejuvenescimento, os homens em geral consideravam uma parte inevitável do processo todas as coisas incômodas que acompanhavam o envelhecimento. Isso dificultou a criação de uma demanda. E, finalmente, a testosterona só poderia ser administrada por injeções, o que afastou muitos clientes em potencial.

Tudo isso mudaria na virada do século 21, graças a uma campanha publicitária de vários milhões de dólares destinada a remover o estigma da baixa libido e a uma nova forma de administrar a testosterona, um gel, em vez de uma injeção. Entre o ano 2000, quando o gel chegou ao mercado, e 2011, o número de homens americanos que faziam uso de testosterona quadruplicou, alimentando uma indústria de dois bilhões de dólares. A maioria dos compradores estava apostando no tratamento para fazer exatamente o que os comerciais de TV prometiam: voltar a ser como antes, homens mais magros e cheios de libido. (Outro grande impulso ao mercado foi o aumento de anúncios de medicamentos diretos ao consumidor.)

Um comercial do AndroGel, o gel de testosterona mais popular do mercado, começa com um cara bonito e magro, de cabelos castanhos estacionando seu conversível azul-marinho em um posto de gasolina. Uma linda mulher está ao seu lado. Quando sai do carro, ele olha diretamente para a câmera e diz: "Eu tenho baixa testosterona. Aí está. É o que eu digo".

O comercial foi direto ao ponto. Se esse modelo de virilidade não estava envergonhado, por que alguém deveria estar?

Então descobrimos que ele não tinha pouco desejo sexual, mas estava cansado e mal-humorado. Seu médico o diagnosticou com baixa testosterona. Ele começou a usar o AndroGel. Enquanto ele e sua gata dirigiam para o campo, a narração elogiava a facilidade de uso do gel e como isso aumenta os níveis de testosterona. Como exigia a lei, os efeitos colaterais também foram detalhados. A narração descreveu os perigos em potencial, como a possibilidade de câncer e doenças cardíacas, e um perigo adicional: o gel pode passar para parceiros e crianças por meio do contato físico, causando um aumento indesejável do hormônio. Os usuários eram aconselhados a "interromper o uso do gel e ligar para o médico caso detectassem sinais de puberdade precoce em uma criança, ou sinais em uma mulher, que podem incluir alterações nos pelos do corpo ou um grande aumento na acne possivelmente devido à exposição acidental". No The Colbert Report, da Comedy Central, Stephen Colbert mostrou um vídeo do anúncio e chamou o gel de "toxina endocrinológica de fácil comercialização e disseminação em massa".

Os fabricantes de testosterona do século 21 também renomearam a síndrome como "Baixa T", uma expressão mais moderna que as nomenclaturas anteriores: menopausa masculina ou, pior, climatério masculino. Na mesma época, a farmacêutica Organon contratou um médico para elaborar uma pesquisa simples que permitisse que homens pudessem determinar por si próprios se estavam em risco de Baixa T e procurassem tratamento. O Dr. John Morley, diretor de endocrinologia e geriatria da Universidade de St. Louis, disse que o questionário era intencionalmente vago, alcançando uma ampla rede de possíveis pacientes, incluindo homens que poderiam estar com baixa testosterona, mas também apenas deprimidos ou cansados. De qualquer maneira, isso expandiria a clientela potencial. Ele o chamou de questionário ADAM (Adão), um acrônimo com o nome em inglês do primeiro homem que significa "*androgen deficiency in the aging male*" (deficiência de andrógenio no homem mais velho). As perguntas incluem: "Você se sente cansado depois do jantar?". (Isso significa apagar na mesa do jantar ou na hora normal de dormir?) Nesse caso, uma resposta positiva acrescenta um ponto à pontuação de "precisa de testosterona". "Você está triste e/ou mal-humorado? Você notou uma diminuição na sua capacidade de praticar esportes? Você notou uma diminuição do 'prazer da vida'?"

Morley admitiu recentemente que se trata de "um questionário de baixa qualidade", que criou em vinte minutos enquanto estava sentado no banheiro rabiscando ideias em papel higiênico. Mais tarde, Morley cortou laços com a indústria farmacêutica e afirmou que doou os ganhos do questionário, cerca de quarenta mil dólares, para a universidade.

Entre outras estratégias para expandir a base de clientes, estão artigos patrocinados por empresas farmacêuticas, disfarçados de notícias. Em um ensaio revelador na revista *JAMA Internal Medicine*, Stephen Braun, escritor *freelancer*, revelou que foi contratado por um médico para escrever artigos sobre a terapia com testosterona que poderiam ser publicados em revistas de consumo. O médico, por sua vez, havia sido contratado por uma empresa farmacêutica. "O fato de os artigos terem a assinatura de um médico, sendo publicados em revistas especializadas sem menção ao financiador por trás, certamente aumentou a influência do material, pois é provável que os leitores confiem mais em informações que pareçam ser objetivas e livres da influência da indústria farmacêutica", escreveu Braun. Braun se afastou do negócio dos artigos pagos quando a questão ética começou a incomodá-lo.

Todas essas táticas – o bombardeio de anúncios, o *rebranding* da menopausa masculina como Baixa T, os artigos publicitários, o teste de diagnóstico do tipo faça-você-mesmo – fizeram disparar as vendas. Como escreveu John Hoberman, professor da Universidade do Texas em *Testosterone Dreams* (Sonhos de testosterona), "de repente, parecia que a lei que regia os medicamentos prescritos havia sido suspensa pela vontade de um público que procurava satisfazer uma fantasia farmacológica sem recorrer aos mecanismos legais e opiniões médicas oficiais".

A Agência Food and Drug Administration dos Estados Unidos não reconhece a baixa testosterona relacionada à idade como uma doença. E se uma doença não existe, como pode haver um tratamento? O FDA aprova a testosterona apenas para homens portadores de doenças que diminuem os níveis hormonais, como um tumor da hipófise, e define o baixo nível de testosterona como sendo trezentos nanogramas por decilitro de sangue ou menos, a serem verificados em dois exames de sangue separados. E determina que a testosterona, seja em gel ou granulada, deve ter uma bula, alertando que pode aumentar o risco de derrame e ataque cardíaco se usada em excesso. A Sociedade Endócrina, a Sociedade Americana de Andrologia, a Sociedade Internacional de Andrologia e a Associação Europeia de Urologia concordam. A Associação Europeia de Urologia emitiu diretrizes semelhantes.

Independentemente do conselho da FDA, os médicos podem prescrever testosterona para qualquer pessoa, segundo critérios próprios. Isso se chama usar uma droga fora do rótulo. A prática não é ilegal, mas não é autorizada pelo governo. Apesar das diretrizes da FDA que determinam o nível de testosterona duas vezes antes do tratamento, noventa por cento dos homens nos Estados Unidos que receberam testosterona não tiveram os dois exames de sangue necessários e quarenta por cento nem sequer o fizeram, de acordo com um estudo de 2016. Em um artigo chamado "Como Vender uma Doença", os pesquisadores de Dartmouth, Dra. Lisa Schwartz e Dr. Steven Woloshin, chamaram o Baixa T de "um experimento em massa descontrolado que convida os homens a se exporem aos danos de um tratamento incapaz de corrigir problemas que podem não ter relação alguma com os níveis de testosterona".

Aqui está o que sabemos:

Os níveis de testosterona variam durante o dia, atingindo um pico em torno das oito horas da manhã e atingindo seu ponto mais baixo por volta das vinte horas. Essa variação é maior em homens com menos de quarenta anos, mas os homens mais velhos também apresentam algum grau de variação.

A testosterona ajuda a restaurar o desejo sexual e o tônus muscular em homens que sofrem de doenças que diminuem a testosterona, como lesões nos testículos, defeitos genéticos ou tumores da hipófise.

Como os atletas sabem há anos, a testosterona promove um aumento na massa muscular.

Como disse o Dr. Alexander Pastuszak, professor assistente de urologia no Centro de Medicina Reprodutiva do Faculdade Baylor de Medicina em Houston, "qualquer testosterona exógena que substitua ou aprimore o que seu corpo produz irá fechar o eixo hipogonadal". Em outras palavras, tomar testosterona faz com que o corpo interrompa sua própria produção, o que significa que os testículos produzirão menos testosterona e menos esperma. Dito isso, a testosterona não é um contraceptivo confiável.

Homens gordos têm níveis mais baixos de testosterona do que seus semelhantes em forma. Apesar das alegações, não existem estudos comprovando que a testosterona queima gordura. Alguns estudos descobriram que homens que tomam testosterona têm maior probabilidade de perder gordura da barriga, mas a maioria desses homens também faz dieta.

As injeções e os géis de testosterona aumentam o número de células sanguíneas. É por isso que alguns médicos que receitam testosterona a seus pacientes também os aconselham a doar sangue.

Eis aqui o que não sabemos:

Se o uso prolongado de testosterona é bom ou ruim para o coração. Os dados estão em conflito. Um estudo do *New England Journal of Medicine* publicado em 2010, por exemplo, descobriu que homens que tomavam testosterona eram mais propensos a ter problemas cardiovasculares do que aqueles que não tomavam. Dez homens em um grupo de cem usuários de testosterona tiveram derrames ou coágulos sanguíneos contra um homem em cem no grupo placebo. Preocupados, os pesquisadores pararam o estudo. Uma pesquisa de acompanhamento feita pela mesma equipe, publicada em 2015 no *Journal of the American Medical Association*, encontrou dados contrários.

A maioria dos estudos tem se concentrado em homens com níveis gravemente baixos de testosterona. Homens com níveis muito baixos de testosterona podem se sentir melhor quando o poço é reabastecido, mas dar testosterona a homens com níveis normais não parece ter nenhum impacto. "Você não vê uma melhora significativa quando os homens estão dentro da faixa normal", disse o Dr. Shalender Bhasin, professor de medicina na Harvard Medical School e diretor do Programa de Pesquisa em Saúde do Homem: Envelhecimento e Metabolismo em Brigham e no Hospital Feminino de Boston. Bhasin estuda os efeitos da testosterona há décadas e diz que as maiores diferenças em termos de energia e desejo sexual são quando os homens passam do nível abaixo do normal para um nível normal. Em um de seus estudos anteriores, ele castrou ratos, o que pôs fim à busca por fêmeas. Então Bhasin lhes deu testosterona.

Quando os níveis de testosterona atingiram a faixa normal, o comportamento de acasalamento retornou, mas mais testosterona não aumentou a procura por fêmeas.

Apesar de existirem alegações de que a testosterona aumenta a cognição, isso ainda não foi de fato comprovado. Um estudo de 2017 no *Journal of the American Medical Association* descobriu que um ano de terapia com testosterona não foi melhor do que o placebo para homens com baixa testosterona e comprometimento cognitivo relacionado à idade.

Mais importante ainda, não temos uma definição exata do que é baixa testosterona. Os médicos dizem que os níveis normais são de trezentos a mil nanogramas por decilitro de sangue. Dr. Joel Finkelstein, professor de medicina de Harvard, conduziu um estudo que tentou identificar a linha divisória entre testosterona baixa e normal. Cerca de duzentos homens entre vinte e cinquenta anos tomaram uma droga que eliminou a testosterona e o estrogênio de seu sangue. Os pesquisadores reabasteceram os homens em doses variadas. Alguns receberam um placebo. Os outros receberam 1,25 gramas, 2,5 gramas, cinco gramas ou dez gramas de testosterona diariamente. O experimento durou dezesseis semanas. Finkelstein descobriu que o nível de testosterona correspondente aos sintomas variava entre os homens, portanto, não era apropriado definir uma taxa única que significasse baixa testosterona.

Esse problema é agravado pelo fato de que todo laboratório de fabricação tem seus próprios métodos de medir a testosterona; portanto, um homem pode ter trezentos nanogramas com a técnica de uma empresa, mas quatrocentos com outra. A Parceria para Exatidão em Testes Hormonais (PATH, em inglês) é um grupo de médicos e pesquisadores que defende a padronização dos testes hormonais.

A mais impressionante descoberta de pesquisa contradiz o que muitos médicos acreditavam. Pensava-se que, quando o nível de testosterona de um homem diminui, o nível de estrogênio aumenta. Isso remonta à teoria, no início dos anos 1900, de que o estrogênio e a testosterona são hormônios concorrentes, ideia promovida por Eugen Steinach, famoso pela vasectomia rejuvenescedora. Hoje, existe um boato a respeito da prescrição de testosterona de que homens com baixa libido têm gordura extra na barriga devido à uma sobrecarga de estrogênio. Um estudo recente descobriu exatamente o oposto: homens com baixo nível de testosterona também tinham pouco estrogênio.

E, no entanto, ainda existem muitos médicos que defendem a prescrição de testosterona. A alternativa a essa falta de consenso é esperar décadas pelos resultados de um estudo importante que ainda não foi lançado. E, convenhamos: quanto tempo um homem de setenta anos pode esperar por resultados?

O Dr. Mohit Khera, professor associado de urologia da Faculdade de Medicina de Baylor, reconhece que, uma vez que os médicos podem oferecer estrogênio na menopausa para tratar as ondas de calor sem antes testar os níveis hormonais, os homens devem ser tratados da mesma maneira. "Por alguma razão, pensamos que, com os homens, não devemos prestar atenção aos sintomas e sim dar atenção aos números. Isso não faz muito sentido", disse Khera, que também é consultor de dois fabricantes de testosterona, AbbVie e Lipocine.

A diferença é que o estrogênio é comprovadamente eficaz para evitar ondas de calor. Não foi comprovado que a testosterona aumenta a libido e combate a gordura entre homens que não sejam severamente deficientes desse hormônio. "Você de fato não pode recomendar um tratamento quando poderia estar causando danos", disse Finkelstein, de Harvard.

O que enfurece Finkelstein e sua classe são os médicos antienvelhecimento que divulgam os benefícios dos hormônios para aumentar a longevidade e a qualidade de vida. Os endocrinologistas comparam as táticas promocionais grosseiras aos organoterapeutas do passado: os charlatões da década de 1920 que vendiam glândulas de cabra e macaco.

Em uma reunião sobre hormônios patrocinada pela Academia Americana de Medicina Antienvelhecimento, em setembro de 2016, o Dr. Ron Rothenberg divulgou os benefícios da testosterona para homens idosos. Rothenberg, de 71 anos, é diretor médico do Instituto de Saúde em Encinitas, Califórnia. Ele faz uso de hormônios para rejuvenescer, assim como seus pacientes. O site do médico é enfeitado com fotos dele surfando. Rothenberg é baixo e atlético, com braços torneados e uma tez alaranjada. Ele andava de um lado para o outro no palco como um evangelista enquanto pregava para a multidão de médicos em um salão de baile no Hyatt Regency, em Dallas.

"Como você define o que é uma deficiência?", ele perguntou, sem esperar por uma resposta. "Um conceito mais antigo era que, se você é normal para a sua idade, está dentro do esperado. Se você tem oitenta anos e está usando óculos para corrigir a visão, isso é normal para uma pessoa de oitenta anos? Na verdade, é algo bobo. A testosterona está diminuindo a cada ano em todos os homens. Em algum momento, chegará a zero. É como um filme de catástrofe."

Rothenberg culpou a sociedade médica e a mídia por zombarem dos diagnósticos de baixa testosterona. Nos últimos anos, houve uma grande quantidade de artigos afetando a indústria. Enquanto outros médicos se preocupam com os perigos potenciais de tomar testosterona, Rothenberg se preocupa com os riscos à saúde de se viver com pouca testosterona. Ele argumentou que baixos níveis de testosterona aumentam o risco de doenças cardíacas, o que é o oposto do que outros médicos dizem. Ele também afirmou que homens com baixo nível de testosterona têm uma chance maior de desenvolver a doença de Alzheimer. (Não há dados significativos que apoiem essas afirmações.)

Rothenberg, como outros médicos na reunião, declarou que trata o paciente como um todo, e não como uma lista de resultados laboratoriais. "Eu não fico restrito aos resultados dos exames. Vamos dizer que [testosterona] estava em trezentos e passa a quinhentos, como você se sente? Ótimo, digamos que estava em trezentos e passa a 1.100, tudo bem também. Não estou tentando atingir um número exato."

Após a palestra matinal de Rothenberg, uma multidão de médicos se reuniu ao redor dele no palco, como se fosse J.K. Rowling em uma sessão de autógrafos de Harry Potter. Entrei na multidão porque queria perguntar a Rothenberg por que havia tão poucos endocrinologistas naquela conferência hormonal, e que parecia haver uma abundância de ex-médicos de pronto-socorro.

"Médicos de pronto-socorro", respondeu ele, "estão mais dispostos a aceitar ideias sem saber de tudo, não têm uma compulsão por saber de tudo." Eles estão, ele disse, dispostos a tentar.

Havia algo estranho nessa conferência em comparação com outras reuniões médicas em que eu já estive, mas não consegui descobrir imediatamente o quê. Então, durante um intervalo entre as sessões, encontrei o Dr. Roby Mitchell, que tem diploma de medicina e um PhD. Ele acertou em cheio: a reunião era mais comercial do que um seminário educacional. Na maioria das reuniões médicas, existe tempo para debate, no qual os médicos se divertem com as discussões intelectuais. Naquela ocasião, as informações foram apresentadas como dogmas, sem tempo ou possibilidade de contestação. Mitchell admitiu que se trata de marketing, mas "como consumidor, é seu trabalho filtrar o que é útil e o que é besteira".

A Academia Americana de Medicina Antienvelhecimento não é reconhecida pela Associação Médica Americana, nem seus conselhos são certificados pelo Conselho Americano de Especialidades Médicas. Para se tornar certificado em endocrinologia da forma tradicional, o médico deve concluir dois ou três anos de treinamento intensivo após a residência e depois fazer um exame. Para ser certificado em endocrinologia pela Academia Americana de Medicina Antienvelhecimento, o médico deve concluir quatro módulos, cada um dos quais envolve oito horas de aprendizado *on-line* e cem horas de créditos de educação médica continuada (fornecidos pela Academia), submeter três estudos de caso e passar em um exame escrito. A certificação é em Medicina Metabólica e Nutricional, mas inclui informações sobre hormônios, disse um porta-voz da Academia.

Na reunião de Dallas, vi um médico entrando na sala de exames e perguntei por que ele gastaria tempo e dinheiro em um teste que não era reconhecido como certificação pela sociedade médica. Ele olhou para mim como se eu tivesse doze cabeças, como se fosse a pessoa na festa que não entendeu a piada.

"Pelo menos você ganha um papel para pendurar na parede", disse ele, rindo. "Os pacientes gostam desse tipo de coisa."

Em *Selling the Fountain of Youth: How the Anti-Aging Industry Made a Disease Out of Getting Old—And Made Billions* (Vendendo a fonte da juventude: como a indústria antienvelhecimento transformou a velhice em doença – e ganhou bilhões), Arlene Weintraub escreveu que "esses capitalistas construíram uma nova indústria gigante aproveitando a profunda aversão de toda uma geração a envelhecer". Ela está certa. Eu acrescentaria que não é apenas esta geração, mas um desejo de rejuvenescimento que abrange a história da terapia hormonal.

Muitos urologistas e endocrinologistas acreditam que, embora a testosterona esteja sendo usada por muitos homens, ela é subutilizada entre os homens que de verdade precisam. Não há evidências. Sem registros em massa, ninguém sabe ao certo se homens com níveis severamente baixos estão sendo deixados de lado. Em 2015, a Academia Americana de Médicos da Família publicou duas opiniões opostas a essa questão: os médicos de família deveriam investigar a deficiência de testosterona? Dra. Adriane Fugh-Berman, professora da Universidade de Georgetown que escreve um *blog* chamado "Pharmed Out", observou que "o teste de testosterona leva ao tratamento com testosterona, o que é inadequado para a grande maioria dos pacientes". No outro campo, está o Dr. Joel Heidelbaugh, da Universidade de Michigan, que escreveu que, embora os médicos devam ser cautelosos com quem tratam, "é evidente que muitos homens provavelmente têm deficiência sintomática de testosterona não tratada". Os médicos da família deveriam fazer a triagem e, junto com os testes de laboratório, discutir sobre os riscos e benefícios potenciais do tratamento.

Enquanto isso, mais de cinco mil homens alegando que a terapia com testosterona causou ataques cardíacos, derrames ou coágulos sanguíneos estão processando a indústria. Não há estatísticas sobre o número de homens que morreram ou ficaram doentes por tomar testosterona, porque é difícil provar que foi a terapia hormonal que desencadeou o problema; poderia ter acontecido de qualquer maneira. Os processos foram reunidos em um litígio multidistrital em Chicago. Um juiz ouviu testemunhos de oito casos considerados representativos da diversidade de argumentos. Assim, as empresas farmacêuticas não precisam refazer sua defesa para cada um dos milhares de casos. Este não é um caso de ação coletiva, mas os resultados moldarão a maneira como o restante será tratado individualmente. Os primeiros casos foram ouvidos no verão de 2017 em Chicago. Em 24 de julho, um júri federal decidiu que a AbbVie deveria pagar US$ 150 milhões de dólares em danos punitivos a um homem do Oregon que havia sofrido um ataque cardíaco e acusou a empresa de deturpar os riscos, apesar do júri ter deliberado a favor da AbbVie contra alegações de que a empresa foi negligente e que não havia fornecido as informações adequadas.

Frank Beach, o pesquisador de sexo entre cães, pode nunca ter imaginado que seus pequenos achados promoveriam uma indústria multibilionária. Ele faleceu em 1988. Muito antes disso, ele expandiu o escopo da pesquisa para além da testosterona, analisando a tireoide, as suprarrenais e outros hormônios que afetam o comportamento. Beach ficou famoso como pioneiro no campo da endocrinologia comportamental. Para ele, o estímulo era uma busca científica para desvendar os mistérios do sistema endócrino.

Beach era um homem grande, com uma barba branca, uma leve barriga e trajes desalinhados. Ele era engraçado e acolhedor e nunca perdera o sotaque do Kansas. Beach dava aulas de inglês no ensino médio antes e durante o doutorado. Um dia, no final da década de 1950, quando estava em seu escritório em Yale, um estudante de pós-graduação chamado Peter Klopfer bateu à sua porta. Klopfer foi aconselhado a se apresentar ao pesquisador ilustre e esperava encontrar alguém elegante, vestindo um blazer de tweed e calça cáqui, sentado atrás de uma grande mesa de mogno. Não no caso de Beach. Ele estava recostado, pernas em cima da mesa, vestindo uma camiseta rasgada e manchada e bebendo uma cerveja. "Eu fiquei completamente chocado", recordou Klopfer anos mais tarde. O escritório era decorado com fotografias de pênis de animais eretos. "Ele parecia um mendigo das ruas de Nova York."

Beach sugeriu que fossem até o pub local para conversar tomando cervejas e comendo pizza. E assim fizeram. "Beach foi uma das pessoas mais brilhantes que já conheci", disse Klopfer, agora professor emérito da Duke University. "Havia uma diferença incrível entre sua aparência e sua inteligência. Levei anos para perceber isso."

Klopfer estava no departamento de biologia, mas frequentemente lamentava não ter mudado para a psicologia apenas para ficar sob a tutela de Beach. Klopfer, no entanto, seguiria os passos de Beach, mergulhando em estudos com animais. Ele estudou o vínculo materno-fetal, fornecendo pistas que levariam à descoberta da ocitocina. E embora os campos de atuação fossem muito diferentes, Beach e Klopfer estavam cada um na vanguarda de suas especialidades, fundamentadas em pesquisas sólidas e depois exploradas por todos os tipos de mercadoria endocrinológica.

Quanto aos cães de Beach, um vira-lata chamado John Broadly Watson liderou a lista com cem por cento de aprovação, o que significa que nenhuma das cadelas o rejeitou. Ele era – para surpresa de Beach – o menos dominante dos cinco machos.

13
Ocitocina: aquele sentimento de amor

A Dra. Prudence Hall deu ocitocina, um hormônio, ao filho antes de ele sair com os amigos para um bar da faculdade. Todas as meninas flertaram com ele, supostamente seduzidas pelos poderes da aura endócrina. Outra vez, sua filha tomou ocitocina antes de um exame da pós-graduação e disse que estava mais relaxada e concentrada do que teria ficado sem a droga. Hall é diretora médica do Hall Center, uma clínica de saúde em Wilshire Boulevard em Santa Monica, Califórnia, e vende ocitocina para seus pacientes que sofrem de ansiedade social antes das festas, que perderam o desejo sexual ou já não se sentem mais tão amigáveis, amáveis e confiantes. Ela compartilhou um comprimido de ocitocina com sua editora, a assistente e comigo, antes de nos sentarmos para conversar. Pareciam pedras brancas opacas, mas com sabor de cubos de açúcar. Nós os colocamos sob nossas línguas, para que experimentássemos os efeitos mais rápido. Esse método, explicou ela, leva a droga ao cérebro mais rapidamente do que os sprays nasais de ocitocina.

Você pode comprar o medicamento *on-line*.

A Dra. Hall tem formação em ginecologia obstetrícia, mas, em um novo papel mais amplo, ela também cuida dos homens. Ela tem cabelos loiros esvoaçantes e uma maneira suave de falar. No dia em que nos conhecemos, ela usava uma túnica roxa com um longo colar de cristais. A clínica é decorada com móveis de teca tailandeses, sofás confortáveis e imagens de natureza nas paredes cor de açafrão. Hall parecia alguém que comandaria um retiro de meditação. Todo o lugar parecia um spa, e não um consultório médico.

Há uma loja no centro da clínica que vende, entre outros remédios à base de plantas, a própria linha cosmética de Hall, chamada Body Software. O frasco cor-de-rosa é o Segredo do Esplendor Feminino; o verde é a Proteção da Próstata. Há também Mega Adrenal e Super Adrenal, que dizem aumentar a motivação. Hall esteve na televisão, tanto no Dr. Phil como na Oprah, onde foi entrevistada pelo Dr. Mehmet Oz antes de ele ter seu próprio programa médico. Entre seus pacientes, está Suzanne Somers, atriz e autora de livros de dieta, e Sarah Ferguson, duquesa de York e ex-embaixadora dos Vigilantes do Peso.

"Você está percebendo? Estou me sentindo um pouco mais viva", disse a Dra. Hall, enquanto esperávamos a ocitocina entrar em ação. Então ela se inclinou para mais perto de mim e acrescentou: "Eu quero olhar nos seus olhos".

Sua assistente disse que estava sentindo a mesma coisa. E ela se inclinou em minha direção. Eu não senti nada.

A ocitocina – não deve ser confundida com a oxicodona, o narcótico – é um hormônio cerebral. Durante o trabalho de parto, a ocitocina leva o útero a se contrair, empurrando o bebê pelo canal do parto. Depois, estimula os ductos mamários a soltarem o leite. A forma sintética da ocitocina, a pitocina, inicia o trabalho de parto, proporcionando um impulso extra para o útero. Porém, pesquisas recentes transformaram essa substância inebriante em algo mais comercializável, além de suas funções maternais conhecidas anteriormente. Diz-se que a ocitocina promove os laços entre mães e recém-nascidos e entre amantes, provoca ereções, orgasmo e ejaculação, e melhora a percepção do que outras pessoas estão pensando. Não está claro se tudo isso acontece ao mesmo tempo ou se há uma ordem específica de eventos. A ocitocina também tem sido associada à confiança e à empatia. Um pequeno estudo revelou que o uso dessa substância aumentou a compaixão entre israelenses e palestinos. Mas aqui está o problema: entre a enxurrada de estudos (mais de 3.500 estudos sobre o comportamento da ocitocina na última década), a ocitocina está ligada à confiança, mas também à desconfiança; amar, mas também invejar; à empatia, mas também ao racismo. Esses dados deveriam confundir um usuário de ocitocina.

As primeiras pistas dos poderes da ocitocina surgiram em um estudo de 1906 realizado por Henry Dale. Dale acabara de se formar na universidade e, enquanto preparava suas inscrições para a faculdade de medicina, foi nomeado diretor dos Laboratórios de Pesquisa Fisiológica Wellcome de Londres. O título elevado – diretor de um laboratório em uma idade tão jovem – veio com uma ressalva; ele foi encarregado de investigar a ciência por trás do ergot, um fungo. Para Dale, a pesquisa com o ergot foi um insulto. "Francamente, eu não estava nem um pouco atraído pela perspectiva de fazer minha primeira excursão ao pântano do ergot", escreveu ele. Ergot era um remédio popular usado por parteiras para acelerar o parto e curar dores de cabeça. Outros fisiologistas estavam investigando as secreções internas da hipófise, da tireoide e do pâncreas – assuntos sérios, com potencial revolucionário para a área.

Dale fez os experimentos óbvios, injetando ergot em uma variedade de animais – gatos, cães, macacos, pássaros, coelhos e roedores. Ele registrou o aumento da pressão arterial e o aparecimento de contrações musculares. Então ele acrescentou algo, dando a alguns animais uma combinação de ergot e adrenalina, o hormônio da luta ou fuga. O fungo ergot suspendeu a carga de adrenalina. Essas descobertas levaram à primeira geração de medicamentos para pressão arterial.[12]

Em meio ao que chamou de pântano ergot, entre injetar o remédio popular em roedores e macacos, Dale injetou hipófise de boi em uma gata grávida. Talvez ele tenha se inspirado em Harvey Cushing; o neurocirurgião e endocrinologista pioneiro estava naquele momento em uma turnê de palestras, falando sobre a hipófise e as substâncias que podem mudar a vida de uma pessoa. Os cientistas começaram a perceber que os dois lóbulos da hipófise continham substâncias químicas completamente diferentes. Dale usou o lóbulo posterior, e eis que o útero da gata se contraiu. Em um artigo de 43 páginas, "Sobre alguns aspectos fisiológicos de ergot", Dale não diz o que o levou a adquirir uma hipófise de

---

[12] Dale ganhou o Prêmio Nobel de Química em 1936 por seu trabalho sobre transmissões químicas em impulsos nervosos. Seu genro, Lord Todd, ganhou o Nobel de Química em 1957.

boi, nem porque deu a uma gata grávida, nem porque usou a parte posterior, e não o lóbulo anterior.

As hipófises e suas secreções secretas eram o assunto dos fisiologistas da época. O longo artigo de Dale incluía um gráfico – entre outros 28 – que demonstrava o aumento da pressão uterina após a injeção de hipófise seca. Sua conclusão resume as funções do ergot, mas também afirma o seguinte: "O princípio pressórico da hipófise (porção infundibular) atua sobre alguns constituintes da fibra muscular lisa, além da excitada pela adrenalina". Simplificando: alguma substância produzida no lóbulo posterior da hipófise pressiona os músculos.[13]

A descoberta de Dale permaneceu enterrada na revista, negligenciada pela comunidade médica. Era, de várias maneiras, uma reminiscência do estudo com galos de 1848, feito pelo Dr. Arnold Berthold. A importância de ambos os experimentos foi ignorada por décadas, até médicos curiosos escavarem o passado criando um caminho para o futuro. Starling e Bayliss foram os responsáveis pela redescoberta do trabalho de Berthold e popularizaram o conceito de hormônios. O trabalho de Dale perdurou até a década de 1940, quando uma equipe de médicos retomou a pesquisa de onde ele havia parado e confirmou que o extrato da hipófise do lóbulo posterior injetado faz com que o útero de um animal gestante se contraia. Em seguida, descobriram a ligação com o leite materno, conforme registrado em uma carta ao editor do *British Medical Journal* em 1948, descrevendo como gotas de leite escorriam do mamilo de uma mulher em trabalho de parto a cada contração (ela ainda estava amamentando o filho anterior no hospital quando deu à luz). A mesma substância química que estava contraindo o útero poderia provocar o fluxo de leite? Foi exatamente o que ficou comprovado. O misterioso hormônio da hipófise foi por fim isolado e sintetizado em 1953, rendendo ao cientista americano Vincent du Vigneaud o Prêmio Nobel de Química de 1955. Foi batizada de ocitocina, do grego para "nascimento rápido".

O isolamento do hormônio gerou uma série de estudos sobre sua natureza. É produzido no hipotálamo, uma glândula do tamanho de uma amêndoa no

---

13   O artigo de Dale, publicado no *Journal of Physiology*, entrou em detalhes sobre os cuidados dedicados aos animais experimentais. Ele foi o assistente que matou o vira-lata em meio ao caso do Cachorro Marrom em 1903, por isso ficou na defensiva ao descrever seu estudo atual.

fundo do cérebro; a partir daí, desliza para o lóbulo posterior da hipófise, que libera o hormônio em rajadas.

Na mesma época, outro grupo de cientistas estava investigando a base química do vínculo materno, um tópico que parecia muito diferente dos estudos da ocitocina. Mas logo os dois campos seriam unidos.

Os cientistas que estudavam o vínculo mãe-filho se perguntavam se havia algo que compelia uma nova mãe a nutrir e proteger seu recém-nascido. Era o cheiro do bebê? O som do seu primeiro choro? A visão de uma miniatura dela mesma? Ou hormônios?

Novas pesquisas com animais sugeriram que havia uma janela na qual o amor materno se desenvolvia. Um estudo com cabras de Peter Klopfer – o estudante da Universidade de Yale que ficou tão chocado e impressionado com Frank Beach – mostrou que se você levasse um recém-nascido para longe imediatamente após o nascimento e o devolvesse apenas cinco minutos depois, a mãe o rejeitaria, tratando o pequeno como um estranho, batendo na cabeça e empurrando-o para longe de seus mamilos. O mesmo aconteceu com os ratos, que rejeitariam o recém-nascido se separados por alguns minutos após o nascimento. Isso sugeria que, se houvesse um hormônio que controlasse o vínculo materno, ele deveria disparar durante o parto e despencar rápido depois. Klopfer lera alguns artigos sobre a ocitocina. Ele sabia que esse hormônio surge durante a gravidez, contraindo o útero e os dutos de leite, e se desintegra depressa – o que significa que o nível do hormônio no sangue aumenta e diminui drasticamente. Essa mesma substância, a ocitocina, poderia ser responsável por consolidar o vínculo entre mãe e filho?

Klopfer iniciou seus estudos de mãe-bebê-cabra como aluno de pós-graduação nos anos 1950, trabalhando em uma fazenda nos arredores de New Haven. Ele se cansou de dormir no celeiro para arrebatar os recém-nascidos logo após o nascimento, então levou algumas cabras grávidas para uma casa que alugou de um professor em período de férias. Ele transformou a sala em um celeiro improvisado, forrando o chão com grama. Funcionou bem até o professor voltar para casa sem aviso prévio e ficar horrorizado com a nova decoração e com as novas moradoras: cabras grávidas.

Klopfer logo deixou Yale por um cargo de professor na Universidade Duke. Ele comprou uma casa na Carolina do Norte com um quintal grande o suficiente para todos os seus animais, o que lhe permitiu expandir seus estudos mãe-recém-nascido. Em uma afortunada coincidência, Klopfer contratou Cort Pedersen, um recém-formado em Duke, para pintar sua casa. Pedersen estava fazendo alguns bicos para ganhar dinheiro enquanto se inscrevia na faculdade de medicina. Os dois conversaram sobre cabras e laços maternos, e Klopfer compartilhou sua ideia de que a ocitocina pode ter algo a ver com isso. Pedersen perguntou se ele poderia se juntar ao laboratório de Klopfer. Assim começou uma amizade e colaboração científica que durou décadas.

Uma das coisas que acontece durante o parto, e somente durante o parto, é que o colo do útero e a vagina se esticam tremendamente. Foi demonstrado que essa expansão física desencadeia a liberação de ocitocina. Pedersen criou uma engenhoca em forma de balão que expandia a vagina. O objetivo era provocar um aumento de ocitocina em cabras que não eram mães e observar como se relacionavam com recém-nascidos aleatórios. Normalmente, uma fêmea virgem rejeita um filhote estranho.

Funcionou. Duas fêmeas equipadas com o dispositivo em forma de balão acariciavam filhotes recém-nascidos e até permitiam que eles mamassem em suas mamas sem leite. As outras cabras tratavam com hostilidade os filhotes. O estudo foi concluído antes mesmo de Pedersen começar a faculdade de medicina, embora os resultados nunca tenham sido publicados. Alguns anos depois, em 1983, suas descobertas foram confirmadas por uma equipe da Universidade de Cambridge. Nesse estudo, publicado na prestigiosa revista *Science*, oito das dez ovelhas fêmeas estimuladas pela vagina roçavam e lambiam recém-nascidos aleatórios. Oito de dez ovelhas sem o dispositivo vaginal atacaram o cordeirinho estranho. Para estimular as condições hormonais da gravidez, os pesquisadores também prepararam ovelhas não grávidas com estrogênio e progesterona; eles descobriram que esses hormônios também aumentavam os vínculos com os recém-nascidos, mas não na mesma medida que a ocitocina. O estrogênio e a progesterona levaram algumas horas para entrar em ação, em vez de alguns minutos, e funcionou com apenas metade das ovelhas. "O mecanismo pelo qual a estimulação vaginal permite a expressão imediata do comportamento materno em ovelhas não é conhecido", concluíram os pesquisadores em seu artigo. "No entanto, uma discussão sobre a importância da estimulação vaginal para o cuidado materno em cabras sugeriu um papel para a ocitocina, cuja liberação pode ser de alguma importância, uma vez que a injeção direta nos ventrículos cerebrais estimula o comportamento materno em ratos que não estejam prenhes." Em outras palavras, cresceram as evidências de que a oxitocina ajuda a cimentar os laços mãe-filho. Pedersen continuaria com a pesquisa com ocitocina e se tornaria professor de psiquiatria e neurobiologia na Universidade da Carolina do Norte, e um especialista em ocitocina.

Depois que Pedersen terminou a faculdade de medicina, conduziu o que Klopfer descreveu como "um estudo brilhante". Klopfer havia injetado ocitocina nos corpos de ratas virgens e machos, para ver se isso desencadearia um comportamento maternal. Não funcionou. Ele teve um palpite de que o hormônio foi quebrado antes de chegar ao cérebro. "Ele acertou em cheio", disse Klopfer. Pedersen injetou uma pequena quantidade de ocitocina direto no cérebro de um rato fêmea virgem, em uma área chamada ventrículo lateral, perto do hipotálamo, onde a ocitocina é produzida. Normalmente, as virgens são hostis aos recém-nascidos, mas as que receberam ocitocina no cérebro lamberam e aninharam os filhotes. Elas até expuseram seus mamilos, como se estivessem tentando amamentar. Estudos posteriores realizados por outros cientistas mostraram que interferir com a via da ocitocina em ratos prenhes bloqueou o início do comportamento maternal pós-parto. As novas mães não nutriram seus filhotes. Algumas agiram de maneira visivelmente desagradável, afastando os pequenos.

Outros experimentos investigaram se a ocitocina desempenhava algum papel em outros comportamentos ligados ao amor ou ao cuidado. Algumas doses de ocitocina no cérebro de ratos fêmeas as encorajaram a adotar uma postura conhecida por ser receptiva ao sexo: bunda alta. As fêmeas que não receberam ocitocina permaneceram distantes. Ratos machos que receberam ocitocina passaram mais tempo farejando e se cuidando, mas, como as injeções de ocitocina não aceleram a ejaculação, os pesquisadores concluíram que a ocitocina pode melhorar as interações sociais, mas não o desempenho sexual. Também foi constatado que o hormônio atinge os receptores de odor, possivelmente aumentando a sensibilidade da mãe ao aroma do recém-nascido. Esses estudos, por sua vez, levaram outro grupo de pesquisadores a verificar se a ocitocina poderia explicar o comportamento diferenciado de três tipos de ratazanas (pequenos roedores peludos marrons). Depois que as ratazanas da pradaria acasalam pela primeira vez, elas permanecem juntas por toda a vida. Elas produzem bebês, cuidam um do outro e compartilham os cuidados com os filhotes de maneira igualitária. Mas seus primos, ratazanas do prado e ratazanas montanas (ou montanhosas) trocam de parceiros frequentemente, jamais se estabelecendo. Sue Carter, diretora do Instituto Kinsey, encontrou um aumento no nível de ocitocina nas ratazanas da pradaria depois de acasalarem, mas não nos outros tipos de ratazanas, o que sugere que a ocitocina é a responsável pela diferença entre "até que a morte nos separe" e "vou dar o fora daqui". Mas houve uma reviravolta na história das ratazanas da pradaria aparentemente leais e cheias de ocitocina: os machos ficaram por perto para criar os filhotes, mas traíram suas fêmeas. Carter conduziu estudos de DNA e descobriu que os machos tiveram muitas crias, dentro e fora do vínculo do parceiro.

Uma mamãe cabra sem o fluxo de ocitocina dando cabeçadas no filho. Cortesia de Peter Klopfer.

Estudos em outros lugares investigaram o papel da ocitocina na contração de outros músculos, como os vasos sanguíneos em outras partes do corpo. Em 1987, os cientistas da Universidade de Stanford recrutaram uma dúzia de mulheres e oito homens que concordaram em se masturbar enquanto amostras de sangue foram coletadas e descobriram que os níveis de ocitocina atingiram o pico no início do orgasmo. É difícil concluir se a ocitocina provoca orgasmos ou vice-versa.

Como isso se traduz nos seres humanos e na maneira como pensamos e sentimos? Em 1990, Carter comparou vinte mães que amamentam com vinte que não estavam amamentando. As mães que amamentavam apresentaram níveis mais altos de ocitocina, como era esperado; elas também estavam mais calmas, uma descoberta inesperada. Carter suspeitava que a ocitocina provocasse sentimentos de paz, que ajudam as mães a suportar a monotonia da amamentação. Outros estudos sugerem que a ocitocina está relacionada com fazer as pessoas se sentirem bem em geral, não apenas após o orgasmo ou durante a amamentação.

O experimento realmente dramático – aquele que lançou o assunto nas revistas científicas e nas manchetes – foi aquele que usou a ocitocina em um jogo de confiança. Vamos ver como foi feito. Os voluntários foram separados em pares. Cada jogador recebeu doze unidades de dinheiro virtual. Um jogador, rotulado como "investidor", poderia optar por manter seu dinheiro ou dar quatro, oito ou doze unidades ao parceiro, rotulado como "administrador". O dinheiro que o administrador obtivesse seria triplicado. Portanto, se o administrador tivesse doze, ele terminaria com 48 (a transferência de doze unidades triplicaria para 36, mais os doze originais). O administrador tinha a opção de devolver qualquer valor, ou nenhum, ao investidor. Havia quatro resultados possíveis: ambos os jogadores poderiam acabar com mais dinheiro do que tinham antes do jogo; somente o investidor acabaria com mais; somente o administrador acabaria com mais; ou ambos terminariam onde começaram. Os pesquisadores, uma equipe combinada de suíços e americanos, imaginaram que, se o investidor não confiasse no administrador, ele ficaria com todo o dinheiro, mas se confiasse nele, entregaria todas as doze unidades e assumiria que receberia pelo menos a mesma quantia e talvez até um pouco mais. Eles descobriram que, quando os voluntários inalavam ocitocina, eles ficavam mais propensos a gastar o dinheiro. As descobertas foram publicadas em 2005 na revista científica *Nature*.

A evidência de que cheirar ocitocina aumentava a confiança virou manchete nos Estados Unidos e na Europa. Também deu origem ao apelido "a molécula moral", juntamente com uma série de livros de autoajuda (*35 Tips for a Happy Brain* [35 dicas para um cérebro feliz], por exemplo), um spray para roupas chamado Confiança Líquida e uma palestra no TED que promove a confiança baseada nos efeitos da ocitocina com mais de 1,5 milhão de visualizações até o momento. Paul Zak, PhD, um dos pesquisadores e orador do TED, proclamou que os países com uma proporção maior de pessoas confiáveis são mais prósperos; portanto, entender a biologia da confiança aliviará a pobreza. Zak, professor da Universidade de Claremont e autor de *The Moral Molecule* (A molécula moral), é um cara bonito e divertido, com belos cabelos loiros e um belo rosto. "Trata-se realmente de uma molécula moral?", ele perguntou durante sua palestra no TED. E então depressa respondeu: "Realizamos estudos que aumentaram a generosidade, assim como as doações para instituições de caridade em cinquenta por cento". Então ele foi até a plateia e ofereceu comprimidos de ocitocina.

Certa vez, Zak escreveu em seu *blog* que a ocitocina "nos faz zelar por nossos parceiros românticos, nossos filhos e nossos animais de estimação. Mas aqui está a parte estranha: quando o cérebro libera ocitocina, nos conectamos com pessoas estranhas e zelamos por eles de maneiras tangíveis. Como doando dinheiro a eles". Ele escreveu outro artigo sobre estar sendo perseguido por uma ex-namorada. Por quê? A ocitocina dos dois estava fora de sincronia, o que fez o amor dele desaparecer e o dela persistir.

Na realidade, a ocitocina não causa a sensação que parece. No estudo sobre confiança original, apenas seis dos 29 cheiradores de ocitocina doaram todas as suas unidades monetárias. Ao contrário de Zak, que fez carreira extrapolando as descobertas hormonais, seus coautores consideraram o estudo intrigante, mas não conclusivo. Os resultados não foram replicados, mas isso pode ter ocorrido devido a falhas nos testes subsequentes, disse Ernst Fehr, da Universidade de Zurique, um dos pesquisadores originais do Jogo de Confiança, ao *Atlantic*.

"O que nos resta é a falta de evidências", disse ele. "Concordo que não temos réplicas do nosso estudo original e, até então, precisamos ser cautelosos com a alegação de que a ocitocina promove a confiança." Ainda assim, os fatos não impedem a criação de uma boa história. Estudos adicionais que ligam o spray nasal de ocitocina ao amor e à confiança atraíram a atenção da mídia. Outros estudos descobriram o oposto: a ocitocina diminuiu a confiança e aumentou o racismo. Os achados contrários são explicados pela suposição de que a ocitocina não apenas estimula os bons sentimentos, mas amplifica o que você está sentindo no momento.

"É uma bela história dizer que a ocitocina, o mesmo hormônio que aumenta a monogamia nas ratazanas e está envolvida na lactação e na facilitação do parto, está fazendo você enviar dinheiro para estranhos", disse Gideon Nave, professor assistente de marketing da Wharton School, da Universidade da Pensilvânia. "De alguma forma, isso se tornou uma história coerente. Se você ligar os pontos, poderá desenhar uma linha e contar uma boa história, mesmo que seja apenas a sua imaginação. Foi bem escrita e muito popularizada pela imprensa."

Nave analisou os estudos. Ele não é um especialista em hormônios; é um estatístico. Ele descobriu que, na maior parte das vezes, esses estudos eram muito pequenos, tendenciosos ou desleixados demais para provar qualquer coisa. A maioria não pôde ser replicada, o que significa que os resultados podem ter sido apenas um acaso. Além disso, Nave vasculhou as gavetas da mesa dos pesquisadores da ocitocina e encontrou alguns estudos humanos mostrando que a ocitocina não era capaz de influenciar comportamentos. Esses estudos nunca foram publicados. Revistas profissionais (e os jornalistas que reescrevem artigos científicos para jornais) tendem a preferir descobertas positivas. Mas são precisamente o que chamam de estudos negativos que fornecem uma descrição detalhada da realidade.

Deixando de lado as tendências do estudo, pode parecer que não há nenhum indício de que a ocitocina afete o comportamento humano, mas isso não significa que o hormônio não cause nenhuma modificação. Significa apenas que ainda não temos provas. Endocrinologistas céticos afirmam que os estudos extrapolaram demais os resultados. O debate lembra uma carta que Harvey

Cushing recebeu quase cem anos atrás, após uma de suas palestras sobre a hipófise. "É patético, se não nojento, testemunhar essa orgia endocrinológica galopante em nossa profissão, em grande parte resultado de uma ignorância absurda, muito disso motivado por ganância comercial", escreveu o Dr. Hans Lisser, chefe da clínica das glândulas da Universidade da Califórnia em São Francisco. "A endocrinologia está rapidamente se tornando uma palhaçada e uma especialidade de reputação duvidosa, e já está na hora de dizer algumas verdades." Larry Young, diretor do Centro Silvio O. Conte de Ocitocina e Cognição Social da Universidade Emory, disse que não é tão diferente nos dias de hoje. Há muitas coisas boas misturadas com as ruins. Depois de ler a carta de Lisser para Cushing, ele disse que há "uma orgia de ocitocina por aí".

Young faz parte de um grupo de neurocientistas, incluindo Robert Froemke, da Universidade de Nova York, que está conduzindo estudos cuidadosos sobre a ocitocina, tentando entender o hormônio, concentrando-se na localização precisa dos receptores de ocitocina no cérebro. O trabalho de Froemke se baseou no trabalho de Young e em um estudo de 1983 com dez mulheres que amamentavam, descobrindo que apenas o som de uma criança chorando aumentava os níveis de ocitocina. "De uma perspectiva neurocientífica, esses choros infantis chegam ao ouvido e são processados no cérebro pelo sistema auditivo", acrescentou. Ele encontrou uma abundância de receptores no centro auditivo esquerdo, mais do que no lado direito, e relatou que camundongos com receptores de ocitocina bloqueados no centro auditivo esquerdo não responderam aos bebês chorando da mesma forma que os ratos sem os bloqueadores. Como muitos de seus colegas, ele não acredita que a ocitocina desperte o vínculo materno, mas sim que aprimore as informações recebidas. Como ele disse: "Esse tipo de coisa adquire uma nova importância". E explicou assim: "Todo mundo já esteve em um avião com um bebê chorando e temos experiências diferentes. Alguns acham irritante, é óbvio. Mas muitas vezes há mulheres que começam a liberar leite ao som do bebê chorando. Biologicamente, isso é de fato incrível". Em outras palavras, a ocitocina pode agir aumentando sentimentos adormecidos.

Embora Froemke tenha se concentrado na audição, outros cientistas estudaram respostas sociais, esperando que, ao decodificar os efeitos da ocitocina no corpo, pudessem fabricar terapias com impacto real. Como alguns desses efeitos sugerem que a ocitocina melhora as habilidades sociais, ela foi testada como tratamento para autismo e esquizofrenia. Até agora, os resultados foram confusos. Uma questão importante é que a injeção de ocitocina no cérebro – que funciona em roedores – não é algo que possa ser feito em humanos, mesmo que seja de forma experimental, e ainda não há estudos que demonstraram que a inalação de spray nasal de ocitocina aumente os níveis cerebrais do hormônio. "Pode ser útil, mas ainda é muito cedo, e as pessoas estão otimistas quanto à rota intranasal", disse Young, pesquisador de ocitocina em Emory. "Talvez seja algo inofensivo", disse ele. "Mas eu pessoalmente não acho que estamos no ponto em que podemos ficar de fato confiantes. Mesmo que alguns dos artigos estejam certos, os efeitos são relativamente pequenos. Não consigo imaginar que você dê uma cheirada na ocitocina, vá para a escola, volte para casa e cheire outra vez, e isso vai melhorar o funcionamento do seu cérebro."

Young acrescentou que, mesmo que esses primeiros estudos apresentem falhas, não devemos desistir de tudo. Ele acredita que, ao decifrarmos as peculiaridades de como a ocitocina funciona, podemos encontrar novos tratamentos para ajudar pessoas com autismo ou ansiedades sociais. "Mas ainda não tem a aprovação da FDA para nada", adverte. "Os médicos podem ter acesso a essa substância e há pais implorando por esse medicamento para seus filhos."

O que está em questão não é se a ocitocina desempenha algum papel no nascimento, sexo e comportamento. Certamente sim. O que nós – clientes em potencial, cientistas e jornalistas – precisamos é de clareza. No vasto oceano de estudos, há pérolas de evidências, pistas tentadoras que orientarão futuros pesquisadores a descobrir o que a ocitocina realmente faz e de que forma, se é que podemos explorar todo o seu potencial. "Algumas das coisas que eles dizem podem ser verdadeiras: que a ocitocina está envolvida no amor e no sexo, diminuindo a ansiedade, o estresse e todo esse tipo de coisa", disse Pedersen, pesquisador da Universidade da Carolina do Norte. "Só que traduzi-lo em um tratamento útil exigirá muito mais trabalho."

A Dra. Prudence Hall não está preocupada com a conversa negativa sobre a ocitocina. Como disse, ela não é pesquisadora, é clínica e sabe o que funciona para seus pacientes. Ela não se importa com o que os dados dizem sobre quanto do hormônio chega ao cérebro. Ela presenciou o impacto de seus comprimidos sublinguais. Quando terminamos de falar sobre a ocitocina, a Dra. Hall me abraçou. Então a editora dela me abraçou. Então a assistente dela me abraçou. Quando eu estava indo embora, Hall acrescentou: "Abraçar também gera ocitocina".

14
Transição

Mel Wymore começou a tomar testosterona pouco antes de chegar à menopausa.

O resultado foi que ele e o filho passaram pela puberdade juntos, mas o jovem desenvolveu o pomo de Adão e uma voz mais grave primeiro. "Eu o segui", disse Mel.

Mel estava divorciado há quase dez anos quando tomou a decisão de começar sua transição. "Sentei-me com meus filhos, abri um álbum da minha infância e falei: 'Vocês sabem que eu não sou a mãe usual, porque namoro mulheres e já me viram cortando o cabelo bem curto. Estou descobrindo que existe um menino dentro de mim que eu venho escondendo. Vou deixar esse garoto sair.'"

Mel adotou um novo guarda-roupa e outro estilo de corte de cabelo, ambos tradicionalmente usados por homens, e enfaixou os seios para achatá-los. "Uma das primeiras coisas que fiz foi enfaixar meus seios. Senti um grande alívio em me livrar dos sutiãs e masculinizar minhas características femininas."

Seus filhos o apoiaram; eles tinham doze e quinze anos na época. Mas Mel diz que eles não tinham ideia do que estava por vir. Ele também não.

Mel, como outros na comunidade de transgêneros, tinha uma convicção profunda de que sua anatomia feminina não combinava com o que ele sentia internamente. Não se trata de orientação sexual, que tem a ver com desejo. Os membros da comunidade trans gostam de dizer que orientação sexual é com quem você quer ir para a cama; identidade de gênero é quem você é na cama.

Segundo pesquisas mundiais, entre 0,3 e 0,6 por cento dos indivíduos em todo o mundo se consideram transgêneros. Um questionário realizado em 2016, nos Estados Unidos, apresentou números semelhantes, uma soma de pelo menos 1,4 milhão de adultos americanos transgêneros. Esse total não leva em consideração aqueles que têm medo de admitir como se sentem. Não é nenhuma surpresa que a taxa de indivíduos que se identificam como transgêneros pareça ser maior em lugares com leis antidiscriminação.

As estatísticas, assim como diversos tipos de mídia (artigos, livros, documentários e programas de televisão com personagens transgêneros), podem dar a impressão de que ser transgênero é uma criação do século 21. No entanto, relatos de homens e mulheres que sentem que nasceram no corpo errado já existem há séculos. Em gerações anteriores, isso significava mudar o guarda-roupa e adotar um novo nome. Mas a ascensão da cirurgia plástica no início do século 20 permitiu que algumas pessoas fizessem operações para remover ou alterar órgãos indesejados. Em 1930, por exemplo, a pintora dinamarquesa Lili Elbe iniciou a primeira de quatro operações que incluíam castração, moldagem do pênis em vagina e implantação de ovários e útero.[14] A grande diferença entre aquela época e hoje é que a terapia hormonal disponibilizou meios seguros de completar as mudanças físicas. E tudo começou com o acesso à testosterona em 1935 e a uma forma sintética de estrogênio em 1938.

No dia 1º de dezembro de 1952, o *Daily News* de Nova York divulgou a história de Christine Jorgensen, anteriormente George Jorgensen, um introvertido soldado de 26 anos da cidade de Nova York, que realizou a transição com o auxílio de cirurgias e hormônios. "Ex-soldado vira Beleza Loira", foi a manchete publicada. A metade inferior da página mostrava duas imagens lado a lado: uma era o perfil de Christine com um corte de cabelo curto, estilo Marilyn Monroe, e a outra, a fotografia de seu rosto com a cabeça raspada, parcialmente coberta por um bibico do exército. Christine Jorgensen foi a Caitlyn Jenner dos anos de 1950, ou seja, ela não foi a única a ser submetida ao tratamento transgênero, mas foi a mais eloquente.

---

14   Elbe faleceu em setembro de 1931, durante uma cirurgia que incluía moldar sua vagina e implantar um útero.

Transição

Christine Jorgensen, 4 de novembro de 1953. A legenda original dizia: "A atriz Christine Jorgensen em sua primeira foto de maiô". Bettmann/Getty Imagens.

Nos anos anteriores à cirurgia, Jorgensen considerou fazer psicanálise. Também pensou em tomar testosterona, uma ideia desencadeada pela leitura do popular livro de Paul de Kruif, *The Male Hormone* (O hormônio masculino). Mas Jorgensen estava certa de que nada disso poderia mudar o sentimento arraigado de um eu feminino. O livro, que apregoava o uso de testosterona para homens, fazia com que ela pensasse exatamente o oposto. "Seria possível que a transição para a feminilidade fosse realizada através da magia da química?"

A jovem Jorgensen conseguiu fazer com que um farmacêutico lhe fornecesse pílulas de estrogênio, mesmo sem ter uma prescrição médica, alegando ser assistente hospitalar em treinamento (o que era verdade) e que precisava de cem pílulas para uma experiência com animais (o que não era verdade). O rótulo dizia: "Não deve ser consumido sem a orientação de um médico". Jorgensen tomou um comprimido por noite. Após a primeira semana, seus seios ficaram macios. Também se sentiu mais descansada do que nunca – talvez por estar mais feliz e não por causa das drogas, relatou, anos mais tarde, em uma autobiografia.

Em New Jersey, Jorgensen conheceu um médico simpatizante disposto a lhe fornecer receitas e a monitorar os efeitos. Depois de cerca de um ano recebendo hormônios, ela soube, através do médico, de um cirurgião na Suécia que realizava operações em transgêneros. Então, resolveu partir para a Europa, pensando em passar um tempo com parentes na Dinamarca antes de seguir para a Suécia. Por fim, Jorgensen conheceu um médico dinamarquês, o Dr. Christian Hamburger, disposto a realizar a cirurgia sem nenhum custo. (Era coberta pelo governo por ser considerada experimental, e, por ser filha de dinamarqueses, Jorgensen foi qualificada para recebê-la.) Em 24 de setembro de 1951, Jorgensen fez a primeira de três operações para a remoção dos testículos e moldagem de seu pênis em uma vagina. Três meses mais tarde, após a última cirurgia, as notícias chegaram à imprensa americana.

Uma matéria de primeira página no *Chicago Daily Tribune* dizia que os pais de Jorgensen receberam uma carta do filho "contando como as cirurgias e as injeções o transformaram em uma mulher normal". Outro artigo no Austin Statesman incluía uma entrevista por telefone com Jorgensen. O repórter perguntou a ela se seus hobbies eram masculinos ou femininos. "Quero dizer, você estaria mais inclinada a responder bordado em vez de jogo de bola?" Jorgensen respondeu: "Se é um interesse feminino comum, então me interessa".

Ao voltar para casa, Jorgensen havia se tornado uma sensação da mídia e começou uma carreira como artista de casa noturna. Segundo o que ela mesma afirmou, não sabia cantar nem dançar, mas completou: "De alguma forma, eu parti de um fracasso devastador em Los Angeles e alcancei o *status* de estrela em uma boate mundialmente famosa e meu nome nas luzes da Broadway, tudo em menos de um ano". Muitos americanos leram as matérias e assistiram às apresentações de Jorgensen com um fascínio lascivo. O consultório do Dr. Hamburger na Dinamarca recebeu uma enxurrada de cartas de estrangeiros desesperados para fazer a cirurgia. Ele encaminhou os americanos aos consultórios do Dr. Harry Benjamin, endocrinologista especializado em questões de gênero e sexualidade, em Nova York e São Francisco.

Benjamin escreveu o livro *The Transsexual Phenomenon* (O fenômeno transexual), uma referência que popularizou a ideia de que a identidade transgênero possui uma causa biológica e não se deve a um trauma psicológico ou a má criação por parte dos pais, como se pensava anteriormente. Ele também escreveu a introdução da biografia de Jorgensen, descrevendo a sua saúde, a família normal a qual pertencia, com uma mãe encantadora e o pai que serviu como um modelo apropriado para o filho. Benjamin explicou que evidências científicas indicam que o sentimento de ser homem ou mulher é criado no cérebro do feto em desenvolvimento. Embora os detalhes ainda estivessem confusos, ele afirmou que "há uma possibilidade bastante forte de enfraquecer a visão da psicanálise a respeito do condicionamento infantil como a única causa do transexualismo". Ele também apontou a diferença entre "transexuais", aqueles que querem mudar de sexo, e "travestis", que querem se vestir como indivíduos do sexo oposto, mas que não têm a convicção de que estão no corpo errado. (O termo "transexual" foi usado até ser substituído por transgênero, na década de 1990). Benjamin encaminhou muitos dos pacientes que buscavam cirurgia para a equipe do Johns Hopkins, onde crianças intersexo já haviam sido operadas. O cirurgião ginecológico do hospital, Dr. Howard Jones, estava ansioso. Anos mais tarde, ele afirmou que assim que leu as reportagens a respeito de Jorgensen nos jornais percebeu que, assim como os europeus, ele também podia realizar cirurgias transgênero.

Jones encarou a cirurgia como um desafio, aperfeiçoou e criou técnicas que ainda não estavam nos manuais. Ele acreditava que o Johns Hopkins tinha a equipe ideal de especialistas para cuidar da população trans: endocrinologistas, psicólogos, urologistas e cirurgiões plásticos, acostumados a trabalhar juntos por causa de sua experiência com bebês nascidos com genitália ambígua. A Clínica de Identidade de Gênero Johns Hopkins foi inaugurada oficialmente em 1966, a primeira clínica transgênero dentro de um cenário médico consagrado. (Eles também haviam tratado alguns pacientes trans na década de 1950). A equipe do hospital exigia que os pacientes se mantivessem crossdressers por dois anos e passassem por uma avaliação psicológica antes de começarem a terapia hormonal e da cirurgia – um protocolo que se baseava em suposições e não em evidências científicas.

Jones reiterou que sua esposa, Georgeanna, diretora do departamento de endocrinologia reprodutiva, compartilhava seu entusiasmo, mas que se preocupava com manifestações de protesto. No entanto, os temores eram infundados, e a clínica foi aberta com pouco alarde. (Quatorze anos mais tarde, quando os Jones inauguraram as primeiras clínicas de fertilização *in vitro* dos Estados Unidos, em Norfolk, Virgínia, os manifestantes tentaram bloquear a entrada.)

Muitos daqueles que se sentiam no corpo errado foram encorajados a ir para Baltimore por causa da ampla visão de gênero proposta por John Money, um membro da equipe do Johns Hopkins: a de que há sete fatores que moldam o gênero, incluindo não apenas os cromossomos e a anatomia genital, mas também o comportamento e senso de identidade. Mas, ao mesmo tempo, o fluxo constante de pacientes afirmando ter uma identidade de gênero diferente daquela de sua criação abalou um dos princípios centrais de Money – que diz que a identidade de gênero é maleável antes dos dezoito meses de vida. Esse foi o pensamento que levou os médicos a operarem crianças intersexo, como Bo Laurent, na década de 1950, e a fazerem a transição de alguns bebês do sexo masculino, com micropênis ou circuncisões mal executadas, em meninas antes do prazo de dezoito meses.

Atualmente, os cientistas compreendem que o desenvolvimento do cérebro no útero desempenha um papel crucial na formação da identidade de gênero. Estudos com animais fornecem pistas. Um estudo clássico de 1959 mostrou que ratas que nasceram depois da injeção de testosterona em suas mães grávidas tinham genitália ambígua e tentavam montar nas fêmeas como os machos fazem. Mas o que chocou os pesquisadores foi que, mesmo depois da diminuição do nível de testosterona e de receberem injeções de estrogênio, elas continuaram tentando montar em outras fêmeas. Essa foi uma das primeiras pistas que sugerem uma confusão no cérebro que não poderia ser modificada com tratamento hormonal.

Entretanto, esse estudo, e outros semelhantes realizados mais tarde, se concentraram no comportamento de acasalamento, que é bastante diferente de identidade de gênero.

"As pessoas, até mesmo alguns cientistas, falam sobre gênero em animais o tempo todo e é possível que eles tenham gênero, mas não temos meios de saber. O que sabemos sobre os animais é o sexo deles", disse Leslie Henderson, PhD, professora de fisiologia e neurobiologia da Faculdade de Medicina Geisel da Dartmouth College. Outros cientistas têm demonstrado que o comportamento sexual em animais não é relevante apenas para a reprodução, mas também para indicar sua agressividade ou afirmação de domínio. Às vezes, o sexo é uma permuta por alimento. Por isso, acrescentou Henderson, precisamos ter cautela em nossas conclusões sobre "orientação sexual" ou "identidade de gênero" a partir de tais comportamentos.

Novos estudos com roedores apontam para diferenças de tamanho entre machos e fêmeas em pequenas regiões próximas ao hipotálamo.[15] Em humanos, um aglomerado de células na região das amígdalas chamado de núcleo central do núcleo leito da estria terminal é aproximadamente duas vezes maior nos homens do que nas mulheres. O mesmo acontece em outra região do cérebro próxima ao hipotálamo, denominada INAH3 (abreviação de núcleo intersticial do hipotálamo anterior). Ainda é um mistério se, ou como, essas diferenças de tamanho afetam a identidade de gênero e, como Henderson adverte, tamanho não é tudo: "Pode ser outra coisa, os neurotransmissores ou o número de ligações, ou algo diferente".

Vários estudos têm examinado os cérebros de indivíduos transgêneros para constatar se eles estão de acordo com sua identidade de gênero ou com sua anatomia sexual externa. Em outras palavras, o cérebro de Mel pareceria mais masculino ou mais feminino? A maioria desses estudos era pequena e frágil, e quando encontrava alguma correlação, costumava ser minúscula.

---

15   Os ratos machos, por exemplo, têm uma área pré-óptica medial maior e um núcleo anteroventral periventricular menor em comparação às fêmeas. Mas em camundongos, a área pré-óptica é do mesmo tamanho em machos e fêmeas, o que significa que não se pode fazer grandes estimativas de ratos para seres humanos (ou até mesmo para camundongos).

"Parece muito claro para mim que existe um componente biológico estável", disse o Dr. Joshua Safer, diretor do Grupo de Pesquisa em Medicina Transgênero da Universidade de Boston. "Mas", acrescentou, "realmente não temos ideia dos pormenores. As ressonâncias magnéticas mais sofisticadas que temos podem mostrar as diferenças sutis, mas oferecem a um especialista um grande número de imagens do cérebro e seria impossível saber qual delas veio de uma pessoa transgênero, assim como seria difícil distinguir se um cérebro pertence a um homem ou mulher."

A sensação de que se está no corpo errado é provavelmente o resultado de uma série de fatores, incluindo hormônios, genes e talvez substâncias do ambiente. E o que causa a identidade transgênero em uma pessoa pode não ser o mesmo que em outra.

Quando criança, Mel queria ser um menino. Ele insistia em usar calças da seção de roupas para garotos, não saias, e nada de babados. E sua mãe o ajudava. Ela até mesmo costurava camisas e calças para ele usar na escola, mas exigia que usasse vestido no dia da foto para o anuário escolar. Sua família supunha que ele fosse uma moleca e que um dia seu lado feminino despertaria.

Quando Mel entrou no ensino médio, ele quis se encaixar, então, deixou o cabelo crescer e passou a se vestir como uma garota. "Externamente, eu era muito feliz, sociável e animado, mas muito distante do meu eu interior." Na Universidade do Arizona, ele conheceu o homem que se tornou seu marido. "Eu me senti extremamente atraído por ele", disse Mel. Eles mantiveram um relacionamento a distância depois da formatura e se casaram em 1989.

Em 1999, Mel começou a acreditar que seu crescente sentimento de infelicidade se devia ao fato de ela ser lésbica. O casal se separou e, no ano seguinte, se divorciou, apesar de permanecerem conectados como amigos e pais de seus filhos, que eram crianças na época. A mãe de Mel teve dificuldade em aceitar quando ele se revelou, e isso provocou um relacionamento tenso entre os dois por alguns anos – além disso, ele também não estava feliz consigo mesmo. Seus relacionamentos com mulheres, embora fisicamente agradáveis, costumavam ser cheios de turbulência. "Por todo aquele tempo, estive em terapia e já devia ser uma lésbica emancipada, mas tinha relacionamentos difíceis e me perguntava por que a vida adulta era tão infeliz", disse ele. "Havia começado minha vida com tudo o que poderia desejar: uma carreira da qual ninguém reclamaria [como engenheiro]; um marido perfeito; dois filhos lindos. Mas algo realmente estava faltando para mim. E eu ficava tentando descobrir o que era. A questão de gênero nunca surgiu em nenhuma sessão."

À esquerda, Mel aos seis anos de idade com a irmã mais velha; à direita, Mel no ensino médio. Cortesia de Mel Wymore.

A virada aconteceu durante uma tarefa que realizou no ensino médio.

Como chefe do comitê de diversidade da Associação de Pais e Mestres, ele convidou o Instituto Yes, que trabalha com educadores para criar ambientes seguros fortalecendo jovens gays, lésbicas e transgêneros, para promover uma palestra.

"Como eu era o coordenador dos pais, fiquei no fundo da sala de aula. Enquanto estava sentado lá, eles apresentaram um clipe em que Oprah Winfrey e Barbara Walters entrevistavam crianças transgêneros. Uma delas se parecia muito comigo quando criança e comecei a me perguntar se era por isso que era tão infeliz."

Então, Mel se inscreveu para um seminário de uma semana na sede do Instituto Yes em Miami, na Flórida. "Havia vários travestis na sala e um desfile de pessoas em várias etapas de transição, e isso me assustou. Eu já tinha me assumido e detonado minha família. Daí pensei: 'Que merda, vou fazer isso de novo.'"

Mel fez seu primeiro anúncio público depois de contar à família, e foi apoiado por seu irmão e duas irmãs. Depois de presidir uma reunião do conselho da comunidade no Upper West Side de Manhattan, em que estavam presentes pelo menos cinquenta pessoas, ele fez um comunicado: "Descobri recentemente que minha identidade de gênero tem sido uma fonte de dor para mim e decidi explorar o que isso significa, então, é possível que vocês me vejam passando por algumas mudanças. Não sei onde isso vai me levar, mas vocês podem contar comigo para trabalhar duro como presidente e estou aberto e disposto a responder a quaisquer perguntas que vocês tiverem a respeito da transição. Isso é tão novo para mim como é para vocês. Quero suas perguntas e peço que tenham paciência". Ele fez um anúncio semelhante na reunião seguinte da Associação de Pais e Mestres (ele era o presidente na época). Algumas pessoas se aproximaram e disseram que, embora estivessem confusas, estavam felizes por ele.

Felizmente Mel vivia em um bairro de pessoas modernas. Recebeu tratamento de um endocrinologista que é considerado um dos principais especialistas mundiais no tratamento de indivíduos transgêneros. Nem todos têm tanta sorte. Apesar disso, nunca é fácil mudar a pessoa que todos pensam que você é. "Há um processo de luto", disse Mel, como ocorre com qualquer perda, até mesmo em um divórcio. "Alguém que você amou, a pessoa que imaginou como parte do seu futuro, muda de repente e esse futuro desaparece. O gênero está muito arraigado em nosso senso próprio e em nossos círculos sociais. Você abala todos os aspectos da sua vida quando faz a transição. Uma mudança que inevitavelmente causará pesar."

Em 2010, Mel fez uma mastectomia dupla. Pouco tempo depois, deu início à terapia hormonal. Primeiro, começou com a medicação que bloqueia o estrogênio e acelera a menopausa. Em alguns meses, já não precisava mais dos bloqueadores, porque seu corpo, como o de uma mulher depois da menopausa, não estava produzindo estrogênio.

"Isso imediatamente fez com que eu me sentisse melhor. Meu corpo estava começando a parecer com quem eu sou. Com a perda das sensações provocadas pelo estrogênio, eu era mais eu mesmo", disse ele.

Em seguida, começou a esfregar gel de testosterona no peito, porque seu efeito era mais lento do que o das injeções. "Eu não queria uma reação muito vigorosa e preferi controlar minhas próprias doses", disse ele. Ainda assim, a testosterona teve um enorme impacto em seu desejo sexual.

"Fui pego de surpresa com a força da testosterona em meu estímulo sexual, era como um homem na puberdade. Tudo e todos eram possíveis objetos sexuais. Parei de namorar. Senti que não era um ser emocionalmente confiável. Queria esperar até que tudo se equilibrasse. Eu era, literalmente, um garoto de dezessete anos passando pela puberdade" – embora, como ele mesmo gosta de acrescentar, tivesse atitudes adultas com desejos adolescentes.

Nos homens transgêneros (aparência feminina para masculina), a terapia com testosterona desenvolve músculos, faz nascer pelos no rosto, aumenta a libido e também pode alterar o odor corporal. Em mulheres transgêneros (aparência masculina para feminina), o estrogênio funciona não tanto devido a um impacto direto no corpo, mas porque reduz a testosterona. Níveis reduzidos de testosterona diminuem a massa muscular e alteram a distribuição de gordura, que se desloca para os quadris. Algumas mulheres transgêneros também tomam antiandrógenos para diminuir ainda mais os níveis de testosterona.

Os médicos ficam atentos a outros efeitos colaterais dos hormônios. Tomar testosterona aumenta o número de células do sangue, o que pode aumentar o risco de derrame e ataque cardíaco. De acordo com alguns estudos, o estrogênio pode aumentar o risco de depressão. No entanto, o Dr. Safer, endocrinologista da Universidade de Boston, afirmou que, na maior parte dos casos, os pacientes estão tão felizes com a transição que quaisquer possíveis efeitos do tratamento hormonal em sua saúde mental são superados.

A terapia hormonal para adultos transgêneros não eliminará todas as alterações que se deram na puberdade. A testosterona não irá reduz o tamanho dos seios. O estrogênio não vai diminuir o pomo de Adão nem transformar uma voz masculina grave em uma feminina mais aguda. Por isso, atualmente, mais médicos estão dispostos a tratar adolescentes e até começar a terapia quando aparecem os primeiros sinais da puberdade. As diretrizes mais recentes da Sociedade Endócrina, publicadas no outono de 2017, afirmam que algumas crianças com menos de dezesseis anos podem começar a terapia hormonal – uma modificação em relação às diretrizes anteriores, divulgadas há oito anos, cuja idade inicial era por volta dos dezesseis.[16] Mas os especialistas alertam que ainda faltam dados.

Nenhum acompanhamento em grande escala rastreou crianças por muitos anos, monitorando efeitos colaterais ou recolhendo informações sobre quantos dos que afirmaram ser transgêneros acabaram não o sendo de fato.

Ao mesmo tempo, os médicos estão preocupados em iniciar tratamentos em adolescentes que podem, no futuro, decidir que não queriam fazer a transição. Os bloqueadores da puberdade são reversíveis; portanto, se as crianças decidirem mais tarde que não são transgêneros, elas podem interromper o uso da medicação e passar por uma puberdade tardia. Alguns médicos sugerem que adolescentes mais novos mantenham o uso dos bloqueadores o maior tempo possível até que tenham maturidade suficiente para refletir a respeito de sua decisão, mas isso também é complicado. De acordo com a afirmação de um dos médicos, ter uma identidade transgênero já é bastante difícil, mas parecer um garoto ou garota magricela, sentindo-se minúsculo diante de colegas de classe que estão se transformando em jovens cheios de pelos e musculosos e garotas cheias de curvas pode ser igualmente traumático. As diretrizes mais recentes oferecem sugestões, mas, como especialistas (e pais) sabem, cada

---

16   As diretrizes mais recentes também foram apoiadas por várias sociedades médicas importantes, dentre elas a American Association of Clinical Endocrinologists, a American Society of Andrology, a European Society for Pediatric Endocrinology, a European Society of Endocrinology, a Pediatric Endocrine Society, e a World Professional Association for Transgender Health.

criança deve ser analisada de modo individual. Um tratamento genérico não irá funcionar para todos.

Ao contrário de Mel e de outros adultos que fazem a transição depois de já terem filhos, os adolescentes precisam considerar sua potencial infertilidade. Uma criança definida como menino ao nascer e que toma antiandrógenos e estrogênio tem a contagem de espermatozoides diminuída. Alguns adultos pararam de tomar seus medicamentos por vários meses para restaurar sua fertilidade. Adolescentes podem optar por congelar esperma ou óvulos. Mas isso não é praticável em crianças que usam bloqueadores hormonais aos primeiros sinais da puberdade. É impossível extrair esperma e óvulos maduros de meninos e meninas pré-púberes.

O pai de uma jovem que fez a transição da aparência masculina para a feminina disse que sua filha considera o dia do início de sua terapia com estrogênio seu aniversário. A mãe de outro adolescente que está pensando em fazer a transição da aparência feminina para a masculina afirmou que prefere adiar a terapia com testosterona até que o filho tenha pelo menos vinte anos, porque se preocupa com o impacto a longo prazo. "Ninguém pode nos dizer os efeitos causados em um cérebro em desenvolvimento, e isso me assusta muito mais do que qualquer outra coisa." Ela acrescentou uma ressalva: caso o filho ficasse deprimido, os benefícios da terapia hormonal iriam superar os riscos desconhecidos a longo prazo.

Mel conta que a testosterona lhe deu uma onda de confiança. Quando foi visitar a família, sua irmã lhe disse que ele estava agindo como um "homem idiota". Isso estaria acontecendo porque ele estava mais feliz, o que o fazia se sentir mais confiante? Ou seria a testosterona? Mel não tem certeza.

Durante sua transição, Mel ficou cauteloso em usar banheiros masculinos. Ele se preocupava em ser descoberto, ou que sua aparência fosse muito feminina ou transgênero, em particular porque teria que esperar por um compartimento reservado. Ao contrário dos banheiros femininos, em que as mulheres conversam enquanto se olham no espelho, ajeitando suas roupas e retocando a maquiagem, Mel logo compreendeu que os homens não são sociais quando usam o banheiro. "As pessoas fazem xixi e saem."

"Eu fiquei bastante tímido com isso e, no começo, demorei um pouco a me acostumar, porque o cheiro de um banheiro masculino é sufocante, e os homens são muito mais porcalhões quanto à condição do banheiro. Eu sofri esse atentado ao olfato", disse Mel.

Mel espera ser uma pequena peça ajudando a promover uma nova compreensão de gênero. "O binarismo existe, mas o problema é a importância que damos a ele. Eu gostaria de poder apagar os estereótipos, deixar as coisas menos definidas e duras em relação à influência que elas têm sobre tudo o que acontece em nossas vidas."

Há meio século, quando o Dr. Jones ajudou a fundar a clínica de identidade de gênero do Hospital Johns Hopkins, ele temia que as expectativas dos pacientes superassem as possibilidades médicas, que eles esperassem que o tratamento curasse sua angústia emocional. Hoje, muitos especialistas temem o contrário. Eles se preocupam com o impacto da falta de tratamento. Mais de quarenta por cento de indivíduos transgêneros tentaram suicídio – dez vezes a média nacional. A grande maioria dessas tentativas ocorreu antes da terapia. Mel nunca se considerou um suicida, mas ele sofreu dez acidentes automobilísticos entre os dezesseis e os 26 anos. "De certa forma, era emblemático não prestar atenção", disse ele, "dirigindo muito rápido em todos os lugares."

Os cientistas podem nunca descobrir o que desencadeia a inadequação entre identidade de gênero e genitália externa, mas uma comunidade de ativistas, investigadores e clínicos está trabalhando para encontrar a melhor e mais eficaz terapia para ajudar com uma transição segura da maneira mais apropriada possível.

15
Insaciável:
o hipotálamo e a obesidade

O filho de Karen Snizek, Nate, nasceu com fome. Uma fome agressiva e insaciável. Quando bebê, ele mamava o tempo todo – exceto, é claro, quando estava dormindo, mas isso nunca durava muito. Ele era acordado por seu apetite persistente e berrava por mais leite. "Eu ficava tão esgotada que era como se a força da vida estivesse sendo sugada de mim", disse Snizek. Nate não se acalmou quando começou a comer comida de verdade. Depois de cada refeição, sua mãe o tirava do cadeirão. Então, ele voltava e se agarrava à perna do cadeirão, chorando, como se não comesse há dias. Era doloroso para a mãe negar mais comida ao filho, mas ela não podia continuar alimentando-o. Nate nasceu pesando "seis quilos e pouco", disse ela, mas logo se transformou em um bebê rechonchudo e, em pouco tempo, era uma criança obesa.

Quando estava com quase dois anos de idade, Snizek teve o pressentimento de que seu filho não tinha apenas um apetite voraz, mas que algo estava terrivelmente errado. Ninguém tem tanta fome. Ela o levou à médica da família.

"Não sei quanto tempo passou, um mês ou dois, até que ela nos encaminhasse a um especialista", disse Snizek. Foi quando um exame de sangue revelou que Nate tinha um distúrbio endócrino raro. Por causa de um gene defeituoso, o hormônio que deveria fazê-lo se sentir saciado não estava cumprindo sua função. Algo conhecido como deficiência de POMC, uma abreviação para deficiência de pro-opiomelanocortina. Nate não era apenas um garoto que gostava de comida; ele estava programado para continuar comendo.

Atualmente, a visão sobre a obesidade é tão diferente quanto Blanche Grey, a Noiva Gorda do século 19, é diferente de Nate, um garoto gordo nascido em 2008. Na época de Grey, a palavra "hormônio" ainda não havia sido inventada. Indivíduos com excesso de peso eram atrações de circo ou observados interrogativamente por médicos que não tinham muito conhecimento sobre sua condição. Nos anos entre a morte de Grey e o nascimento de Nate, o campo da endocrinologia nasceu e floresceu. Os pesquisadores abriram caminhos através de uma emaranhada floresta de dados. O especialista que examinou Nate localizou o defeito hormonal na região de seus genes ausentes – 2p23.2. Esses fragmentos de informações cruciais, ligados a outras descobertas recentes, estão abrindo caminho para novos medicamentos que podem saciar a fome de indivíduos como Nate e ajudar o resto de nós a refrearmos nosso apetite. Em um nível mais básico, a pesquisa endócrina emergente está oferecendo uma nova perspectiva sobre a base biológica de um de nossos impulsos mais primitivos – o impulso hormonal, isto é – aquele que nos obriga a comer.

No início, a maioria dos estudos fisiológicos sobre ganho de peso se concentrava na vitalidade, tentando descobrir por que algumas pessoas queimavam calorias mais rapidamente que outras. Comer em excesso era domínio da psicologia, que lidava com as emoções. A fome não era considerada hormonal até os anos de 1950. Foi quando os cientistas passaram a estudar ratos gordos. Alguns deles haviam nascido assim; outros foram alimentados à força. (Os ratos não vomitam, o que torna o ganho de peso forçado mais fácil e com menos sujeira).[17] Ainda naquela época, os pesquisadores começaram a compreender a grande influência do hipotálamo, uma glândula cerebral do tamanho de uma amêndoa que mantém o corpo sob controle por meio de uma ampla gama de hormônios. O hipotálamo é o lar de hormônios que controlam, entre outras coisas, a temperatura do corpo, o estresse e a reprodução. Os pesquisadores começaram a se perguntar se ele também seria responsável pelo controle do apetite. As evidências sugeriam que sim; a remoção de uma parte do hipotálamo

---

17 De acordo com o ratbehavior.org., os ratos também não arrotam. Isso acontece porque eles não têm os músculos intestinais nem coordenação cérebro-corpo necessários para empurrar os alimentos de volta. O vômito é útil para eliminar alimentos tóxicos. Uma vez que não conseguem fazê-lo, os ratos são comedores exigentes, experimentando pedaços minúsculos primeiro para evitar ingerir algo perigoso. Acho isso difícil de acreditar, pois os ratos do meu quarteirão em Nova York parecem prontos para comer qualquer coisa jogada no lixo, incluindo veneno de rato.

de um rato levou-o a um frenesi alimentar. Talvez um hormônio crucial tivesse sido removido.

Em 1958, George R. Hervey, um cientista da Universidade de Cambridge, conduziu um experimento incrivelmente simples, mas extravagante. Ele costurou dois ratos um ao outro depois de remover suas peles. Foi como se ele tivesse criado gêmeos siameses. O sangue circulava através de ambos. A suspeita de Hervey era que, se os ratos compartilhassem sangue, eles também compartilhariam hormônios. Ele removeu o hipotálamo de um dos ratos, provocando uma fome insaciável e, com isso, a obesidade. Ele pressupôs que os hormônios deficientes do primeiro rato pudessem circular no outro roedor, fazendo com que ele também passasse a comer em excesso, mas aconteceu exatamente o contrário. O segundo rato recusou comida. Hervey conduziu o experimento com várias duplas de ratos, e o resultado foi sempre o mesmo. "Mesmo quando o alimento era oferecido com as mãos", relatou, "eles não comiam, e simplesmente desviavam o olhar". Os ratos que passaram por cirurgias no cérebro engordaram muito, enquanto seus parceiros morreram de fome.

Explicando de forma simples, consumir calorias provoca uma reação química que "desliga" a fome, explicou Hervey em um artigo no *Journal of Physiology*, em 1959. Ele concluiu que seu estudo deu suporte à teoria crescente do "*feedback* negativo" hormonal. O nível de um hormônio no corpo sobe, o que sinaliza outro hormônio que o reduz. Essa é a maneira do corpo de manter o equilíbrio, o que os médicos chamam de homeostase. É assim que o ciclo menstrual funciona, como uma gangorra de estrogênio e progesterona; e é assim que o pâncreas controla os níveis de açúcar. Hervey percebeu que, quando o rato gordo comia, o hormônio "da saciedade" era estimulado. Os roedores continuavam comendo por causa de seus cérebros danificados, mas quando esse hormônio circulava na corrente sanguínea dos ratos magros, seu sinal era recebido. Embora o rato magro não tivesse comido nada, o hormônio funcionava como um sinal de pare, avisando-o – mesmo que equivocadamente – que ele já havia comido o bastante.

Esses primeiros estudos britânicos com ratos, assim como outros realizados nos Estados Unidos, deram início à busca pela substância que causava esse efeito ilusório. Em 1949, George Snell, trabalhando no Jackson Laboratory em

Bar Harbor, no estado de Maine, descobriu uma variedade de camundongos que pesavam três vezes mais que os outros. Eles comiam com voracidade. Ele os chamou de camundongos "ob", uma referência à obesidade. Dez anos mais tarde, Douglas Coleman, também no Laboratório Jackson, descobriu outra linhagem de camundongos que eram gordos, comiam muito e tinham diabetes. Ele os chamou de ratos "db", uma referência ao diabetes. Coleman fez um estudo cirúrgico de gêmeos siameses semelhante ao de Hervey. Ele suspeitava que esses camundongos mutantes não possuíssem o "fator saciedade", mas sua descoberta permaneceu um mistério.

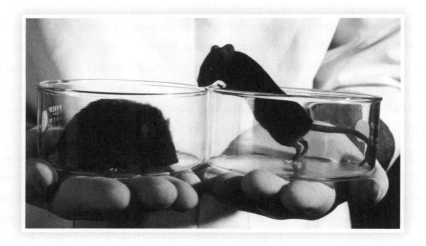

O rato da direita é normal; o da esquerda possui uma mutação genética que desencadeia uma deficiência de leptina, levando-o a comer de forma voraz. Remi Benali/Gammarapho/Getty Images.

Na década de 1970, Rosalyn Yalow – a cientista ganhadora do Prêmio Nobel pela criação da técnica de radioimunoensaio – propôs que a colecistocinina, ou CCK, que é secretada pelo intestino e pelo cérebro, era o hormônio que procuravam. Para sua decepção, seu protegido Bruce Schneider provou que ela estava enganada. Sabemos que o CCK é liberado durante a alimentação e que estimula a digestão; ele tem uma relação com a fome, mas não é o hormônio "da saciedade". A pesquisa ganhou impulso no início dos anos 1980, quando os cientistas já possuíam equipamentos mais avançados para detectar genes que produzem hormônios. Mesmo assim, foi preciso outra década, ou mais, para que o gene exato fosse identificado. (A caça aos genes é como uma caça ao tesouro – primeiro os cientistas procuram em uma região ampla, depois há um processo rigoroso para chegar cada vez mais perto, reunindo pistas, e então o prêmio é encontrado.)

Em 1994, inspirada por Coleman e explorando novas técnicas de rastreamento, a equipe liderada pelo Dr. Jeffrey Friedman, da Rockefeller University, encontrou o gene que produz o hormônio. Não foi tão simples como se imaginava; não era um hormônio "da saciedade", mas de controle de peso. Ele controla o apetite a longo prazo, estabelecendo os pontos de ajuste quando a fome ataca e quando ocorre a sensação de plenitude. Se não estiver funcionando adequadamente, a sensação de saciedade nunca chega.

O hormônio recebeu o nome de leptina, da palavra grega *leptos*, "magro". De todos os esconderijos menos prováveis, a leptina foi encontrada em uma célula adiposa. Foi um verdadeiro choque, porque isso sugeria que as células adiposas não eram somente bolhas de gordura, mas órgãos endócrinos como os ovários, testículos e todo o resto.

"Não havíamos compreendido que, além de serem depósitos de energia, elas liberam todo tipo de moléculas", disse Rudy Leibel, professor de pediatria da Columbia University e diretor da Division of Molecular Genetics e do Naomi Berrie Diabetes Center. Liebel trabalhou com Friedman na Rockefeller, desempenhando um papel fundamental nos passos que levaram à clonagem do gene.

Mas foi a descoberta do hormônio – e não de seu habitat adiposo – que impressionou a grande comunidade científica e os praticantes de dieta do mundo inteiro, validando a especulação de que alguns de nós somos gordos por questões químicas, e não por falta de força de vontade. "Não é a gula que engorda, são os genes" foi a manchete do *Independent* de Londres. O *New York Times* encabeçava sua reportagem com: "Surge um poderoso fundamento para a teoria de que as pessoas não se tornam obesas, mas que nascem assim".

Hoje, a leptina é vista pelos médicos como o equivalente hormonal de um sistema de alarme, alertando o corpo quando está faminto. A redução das reservas de energia aciona um interruptor que impulsiona a fome. O consumo de algum alimento aplaca a fome e o alarme de leptina volta ao modo de repouso. Quando nenhum alimento é ingerido, o nível de leptina permanece perigosamente baixo, desestabilizando outros hormônios hipotalâmicos: tornando a reprodução e o metabolismo lentos, e enfraquecendo o sistema imunológico. Todos esses processos biológicos (gestar bebês, combater germes, aquecer o corpo, e assim por diante) consomem energia, explicou Friedman, "então, quando o nível de leptina está baixo, todo um conjunto de reações que aumentam o gasto de energia é desacelerado".

É por isso que mulheres que passam fome param de menstruar, se tornam inférteis e propensas a doenças. Outros hormônios – talvez desencadeados pela leptina – também entram em desequilíbrio, provocando o crescimento excessivo de pelos nos braços e tornando ossos frágeis e quebradiços, problemas comuns entre indivíduos anoréxicos. Há anos os médicos conhecem esses perigos, mas apenas recentemente a leptina foi identificada como a chave que desencadeia a turbulência.

Ela é também o motivo pelo qual muitos de nós têm dificuldade em manter o peso. Essa é a explicação hormonal para a velha teoria dos pontos de ajuste. A maioria das pessoas tende a ter um peso "normal", ou que parece ser o adequado para elas, mesmo que não estejam com o físico da moda. Quando comemos menos e reduzimos nossos estoques de gordura, a leptina também diminui, provocando o desejo de voltar ao ponto inicial mais "curvilíneo". A boa notícia é que isso funciona nos dois sentidos. Quando ficamos entregues a nossos próprios dispositivos químicos internos, a fome tende a diminuir após um ataque de gula, levando-nos facilmente de volta ao ponto de onde começamos. É possível perder peso de forma mais natural com dietas lentas e graduais que se adequam ao ponto de ajuste, talvez com a redefinição dos níveis de leptina.

Diante dessas descobertas, parecia provável – ou desejável – que a leptina pudesse evitar a fome excessiva que os indivíduos sentem ao fazerem dieta, ajudando-os na perda de peso. Infelizmente, para pessoas preocupadas com o peso e laboratórios, esperançosos por um medicamento de sucesso, o consumo de doses de leptina só funciona para aqueles que nasceram sem o hormônio, algo extremamente raro. É provável que a causa do excesso de peso esteja no fato de que comemos por diversos motivos, e com frequência quando não temos fome. Além disso, existem muitos outros hormônios que controlam a fome, a saciedade e a rapidez com que as calorias são queimadas.

O problema de Nate não é ausência de leptina, mas um defeito no receptor do hormônio em seu hipotálamo. O resultado é o mesmo: ele se sente implacavelmente faminto. A diferença é que nem toda a leptina do mundo poderia ajudá-lo. Administrá-la a ele seria como colocar fita adesiva na parte errada de uma mangueira com um furo.

Por causa do defeito em sua cascata de leptina, ele tem uma série de problemas endócrinos. Na época de Blanche Grey, crianças nascidas com o problema de Nate não sobreviviam à infância. Ele toma comprimidos de cortisona três vezes ao dia para as glândulas suprarrenais, e hormônio da tireoide uma vez ao dia para a glândula tireoide. Com o não funcionamento do caminho da leptina, ele não passará pela puberdade sem acompanhamento, por isso vai precisar de hormônios sexuais quando chegar a hora.

Graças a pesquisas em indivíduos como Nate, os cientistas fizeram grandes progressos na fisiologia da fome. Mas estamos apenas no início. Pistas que aparecem agora irão fornecer o apoio necessário para estudos futuros sobre fome e energia. Endocrinologistas estão unindo forças com especialistas em doenças infecciosas, imunologistas, neurocientistas e até com especialistas em meio ambiente. Um exemplo são os trilhões de germes que vivem no trato digestivo – o microbioma. Eles expelem substâncias químicas que podem alterar a maneira como os hormônios influenciam o apetite ou como o corpo queima calorias. Ou seja, alguns germes podem nos dar uma tendência a ganhar peso, enquanto outros podem nos dar uma tendência a perdê-lo. Alguns estudos sugerem que os antibióticos tornam as pessoas mais propensas a ganhar peso porque matam bactérias de uma maneira que promove a obesidade. Outros mostram exatamente o contrário. Ainda é muito cedo para conclusões, por isso não podemos contar com bebidas probióticas para nos reabastecer dos germes "bons". Há uma chance de que as percepções a respeito do intestino estejam ligadas às descobertas sobre a leptina, fornecendo uma compreensão completa sobre a fome. Outros estudos estão voltados para a poluição do ar, produtos químicos e pesticidas industriais que contaminam a água e os alimentos. Algumas dessas toxinas, assim como hackers de computador, podem ativar os hormônios, atrapalhando o funcionamento de todo o organismo. Ainda assim, os cientistas estão longe de confirmar suas suspeitas.

Até mesmo a cirurgia de perda de peso, que antes se acreditava ser bem-sucedida por reduzir o espaço para a comida, hoje se sabe que funciona pela maneira como altera os hormônios da fome. Talvez os cientistas possam inventar um medicamento para perda de peso que seja preferível a uma cirurgia arriscada – mas isso traz a dúvida se os efeitos colaterais seriam mais seguros do que a cirurgia.

Na Universidade de Columbia, o pesquisador Rudy Leibel, pioneiro em obesidade, está tentando entender os sinais de fome em nível celular, conduzindo experimentos para compreender como vários hormônios enviam mensagens de fome entre as células cerebrais. O que é realmente necessário, disse ele, são estudos avançados em seres humanos, com o uso de equipamentos de imagem melhores que os disponíveis hoje. "Nós ainda não chegamos lá em termos de controle de ingestão de alimentos", disse Leibel. "Mas chegaremos, e então teremos uma visão muito mais clara de como esses sistemas endócrinos agem e como atuam no cérebro e no trato [gastrointestinal]."

Embora não possamos fechar os olhos para o fato de que alguns de nós estamos comendo demais, nossos corpos podem estar queimando menos calorias ou agindo como máquinas de comer, por causa do funcionamento de nossos hormônios. Os animais de laboratório estão mais gordos do que costumavam ser e recebem as mesmas rações de antes. Eles estão com mais fome? Não estão mais queimando calorias com tanta facilidade? Ninguém sabe, mas essa é uma pista de que alguma coisa está acontecendo, algo que talvez possa estar alterando hormônios e provocando uma epidemia de obesidade. Ou quem sabe estejamos causando uma desordem hormonal pela forma como temos nos alimentado. Estudar o apetite em humanos é difícil porque os pesquisadores não estão começando do zero. É o velho problema do ovo e da galinha: nascemos com propensão a ganhar peso por causa da mistura química dentro de nós ou desenvolvemos uma fisiologia propensa à gordura por causa de nossa dieta? Os hábitos alimentares das mães durante a gravidez ou a exposição a certos produtos químicos têm influenciado nossa maneira de lidar com calorias extras ou com as tentações das comidas de má qualidade? Estamos nos afogando em um pântano contaminado por obesogênicos? (Essa é uma nova palavra para descrever coisas que nos engordam.) Ou será que a maneira como vivemos – em todos os feriados, nas ocasiões sociais – é centrada demais na comida?

Nate agora tem oito anos. Ele é roliço, com pernas curtas e atarracadas. Seu índice de massa corporal – uma medida do peso em relação a altura – está bem acima do nível de obesidade. Geralmente é uma criança alegre, graças a sua mãe dedicada, que faz de tudo para mantê-lo animado e para distrair sua atenção da comida. É um trabalho de tempo integral – ela precisa ficar tão focada, que o garoto é educado em casa, para que seja possível controlar sua alimentação com refeições frequentes e calorias calculadas com cuidado, e para que ela possa ficar de olho nele o tempo todo e garantir que não trapaceie. Os dois moram em um condomínio fechado em New Smyrna, na Flórida, uma cidade litorânea a cerca de uma hora de Orlando.

Três amigos com problemas semelhantes aos de Nate, que Snizek conheceu no Facebook, estão recebendo um medicamento experimental que ativa o receptor de leptina. Mas Nate ainda está a uma década de se qualificar para o estudo: os voluntários devem ter pelo menos dezoito anos de idade. Um deles contou a Snizek que perdeu 25 quilos em quatro meses e disse que se sente saciado pela primeira vez em sua vida. A comida, disse ele, nunca teve um gosto tão bom.

A mãe de Nate se sente frustrada, é claro. "Me deem logo esse maldito remédio, preciso dele pra ontem", disse ela.

Ela está impaciente – ansiosa – por envolver Nate em qualquer estudo possível, seja o teste de um novo inibidor de apetite ou uma experiência a respeito do conjunto de hormônios alterados do garoto. "Acho que o corpo dele tem as respostas", disse ela. Quando tinha quatro anos, Nate passou uma semana no National Institutes of Health em Bethesda, Maryland. Ela acredita que o garoto forneceu mais informações para os médicos do que eles puderam fornecer para ela, mas sentiu que fez a coisa certa para o futuro da endocrinologia.

A pesquisa sobre obesidade é mais do que apenas um estudo a respeito de ganho de peso. Ela está na linha de frente da endocrinologia porque liga células e comportamento de maneiras que os pioneiros da ciência dos hormônios do século 20 desejavam fazer, mas nunca conseguiram. "Nós, humanos, carregamos conosco o desejo profundo de ter controle", afirmou Friedman, o descobridor do gene da leptina. "Para a obesidade, há uma ilusão de controle, porque é possível perder peso ao parar de comer, mas isso não leva em consideração o fato de que existe um impulso básico que nos leva a comer, assim como há um impulso básico que nos leva a tomar líquidos, fazer sexo ou muitas outras coisas. De forma geral, não acredito que os seres humanos tenham se dado conta de como nossos instintos básicos são poderosos, e de como é difícil usar meios conscientes para controlá-los." São como nossos hormônios, ou seja, controlam quase tudo.

Epílogo

Em 1921, quase vinte anos após começar a pesquisa hormonal e quase cinco anos após a criação da Associação para o Estudo das Secreções Internas, Harvey Cushing, o neurocirurgião coletor de cérebros, achou que era um bom momento para refletir sobre o *status* desse campo rudimentar. Descobertas recentes na hipófise, ele disse, levaram a um "dilúvio de artigos e, logo depois, o endocrinologista passou a ser um ser vivente". Cushing era famoso por muitas coisas, mas a modéstia não estava entre elas. Essa descrição acenou para sua própria pesquisa; já que Cushing considerava-se o pai do campo da endocrinologia. Ou, como ele mesmo disse, o capitão do navio. "Alguns buscam sem questionar a atração da descoberta; alguns são colonizadores sinceros; alguns têm o espírito de missionários e saem espalhando a palavra; alguns são atraídos pelo ganho e estão navegando a toda velocidade atrás do vento comercial", afirmou. "O impulso lançou tantos de nós em várias missões que algum historiador futuro talvez precise contar."

Cushing comemorou os triunfos de seus dedicados colegas, como o uso do hormônio tireoidiano para pessoas com glândulas defeituosas e a descoberta de que glândulas suprarrenais defeituosas estimulam a doença de Addison. Ele aceitou que haveria erros ao longo do caminho. Cushing provavelmente não ficou surpreso que, alguns anos depois de sua palestra, alguns médicos com boas intenções, mas equivocados, testemunharam a favor de dois assassinos, alegando que suas glândulas pineais foram as responsáveis por tamanha barbárie. Cushing não estava por perto, mas poderia ter previsto o zelo quase religioso que iniciou a coleção hipofisária global, consumindo gotículas de hormônio do crescimento para crianças pequenas. Ele era um ferrenho defensor da precisão – o que o tornou um dos melhores cirurgiões cerebrais de sua época – e poderia até ter descoberto a descuidada técnica laboratorial que deu origem aos lotes de hormônios contaminados.

Cushing estava familiarizado e enfurecido com os charlatões que vendiam misturas absurdas, divulgando todos os tipos de remédios hormonais que aumentam a libido e traziam de volta a juventude. Portanto, se seu espírito estivesse flutuando por aí nos dias de hoje, ele não ficaria surpreso ao ver os comerciais divulgando remédios para baixa testosterona ou a ocitocina sendo vendida como a droga do amor. Mas Cushing pode não ter previsto o advento do radioimunoensaio, que transformou a medicina hormonal de uma adivinhação em uma ciência de precisão, medindo hormônios até o bilionésimo de grama. E ele pode não ter previsto que as bactérias no intestino e as células com pouca gordura seriam consideradas produtoras de hormônios, ao lado da estimada hipófise.

A história dos hormônios é a história da interconexão. Tudo começou com o exame das glândulas dentro de nós, concentrando-se apenas nos aglomerados de células dedicados à produção de hormônios. Cushing ficou impressionado com as conexões entre o ventre e o cérebro, os hormônios ricocheteando de um lado para o outro. Hoje, estamos começando a entender que cada um de nós é como um pequeno lago dentro de um vasto oceano de substâncias químicas hormonais.

"Nós nos encontramos navegando em meio ao nebuloso e desconhecido oceano da endocrinologia", disse Cushing a médicos há quase cem anos, em uma reunião da Associação Americana de Médicos em Boston. "É fácil perder a rota, quando a maioria de nós tem pouco conhecimento sobre viagens marítimas e apenas uma vaga ideia de nossos destinos."

Os viajantes do século 21 – os tipos de investigadores que Cushing chamou de "colonizadores sérios" – ganharam uma visão mais nítida. Não completamente nítida, mas ainda assim melhor. Esses pesquisadores estão explorando tecnologias que irão ajudá-los a detectar os genes que produzem hormônios e a visualizar o impacto microscópico dessas substâncias químicas tão minúsculas e ainda assim potentes. Quanto a nós, se a história é o nosso guia, nos tornamos consumidores de medicamentos mais exigentes. Adquirimos um ceticismo saudável que nos ajuda a navegar pela maré alta da esperança e dos modismos, e a entender uma ciência mais rigorosa como a responsável por manter esse navio no curso. À medida que seguimos na aventura, temos a certeza de obter uma melhor apreciação dos rebocadores químicos que nos tornam pessoas ansiosas, mal-humoradas e famintas. Em outras palavras: a química de ser humano.

Agradecimentos

O processo de escrever este livro foi muito parecido com o modo como os hormônios funcionam. Não me refiro a provocar mudanças de humor – os hormônios raramente agem sozinhos. Eles dependem de outros hormônios para guiá-los, cutucá-los, avisar quando é hora de se acalmar. Comigo aconteceu o mesmo. Contei com especialistas, amigos e familiares que me guiaram, me cutucaram e avisaram quando era hora de relaxar.

Muitos especialistas que me forneceram informações estão listados nas notas dos capítulos relevantes. Alguns médicos ficaram à minha disposição 24 horas por dia. Obrigada, Dra. Mary Jane Minkin, professora de clínica em ginecologia e obstetrícia da Universidade de Yale, minha principal referência em menopausa; o Dr. Alexander Pastuszak, professor assistente de medicina reprodutiva masculina e cirurgia na Faculdade Baylor de Medicina, meu cara da testosterona; Leslie Henderson, PhD, professora de fisiologia e neurobiologia da Escola Geisel de Medicina em Dartmouth College; e Dr. Joshua Safer, diretor especialista em medicina transgênero e da equipe de cirurgia do Boston Medical Center, cuja experiência me ajudou a ajustar minhas escolhas de palavras.

Como sempre, obrigada a todos os bibliotecários que localizaram material obscuro: Arlene Shaner, bibliotecária de coleções históricas da Academia de Medicina de Nova York; Melissa Grafe, diretora da biblioteca de história médica da Biblioteca Médica Cushing/Whitney de Yale; e Stephen E. Novak, diretor de arquivos e coleções especiais da Biblioteca de Ciências da Saúde Augustus C. Long no Centro Médico da Universidade Columbia. Walter Linton e Tsz Chen Lee, da Academia de Medicina de Nova York, recuperaram e enviaram artigos científicos não disponíveis *on-line*.

É sempre bom saber que existem pesquisadores e escritores generosos dispostos a compartilhar suas fontes e materiais. Obrigada a John Hoberman, historiador, escritor e professor de estudos germânicos na Universidade do Texas, em Austin; Emily Green, uma intrépida repórter que cobriu a história do hormônio do crescimento quando ele foi divulgado pela primeira vez; e Jonathan Eig, autor de *The Pill* (A pílula), que compartilhou entrevistas gravadas com os descobridores da pílula anticoncepcional.

Os filhos de Howard e Georgeanna Jones, Larry Jones, Dr. Howard Jones III e Dra. Georgeanna Klingensmith, fizeram a gentileza de me convidar para suas casas e compartilhar informações sobre seus pais. Elanna Yalow e Ben Yalow conversaram comigo sobre a mãe deles, Roslyn Yalow.

Agradeço do fundo do coração aos meus amigos maravilhosos que me deram um *feedback* honesto e encontraram tempo para ler e reler (e reler) rascunhos durante seus próprios agitados horários. Minha equipe de New Haven: Anna Reisman, Lisa Sanders, John Dillon e nossa mais nova integrante, Marjorie Rosenthal. Aguardo com expectativa nossa ida de três horas ao Cedarhurst Café. Minha equipe de Nova York: Judith Matloff, Katie Orenstein e Abby Ellin (a rainha do título), pelos comentários detalhados, por responder a meus e-mails a qualquer hora, por apontar erros. Obrigada a Sheri Fink, Elyse Lackie, Annabella Hochschild e Jessica Friedman, pelos comentários sábios que moldaram minhas histórias. Eu sempre gostei das minhas noites no Upper West Side com os escritores Marie Lee, Jon Reiner e Alice Cohen. Também sou grata aos colegas brilhantes e comentores do Projeto OpEd que estão sempre dispostos a compartilhar seus conhecimentos. A Catherine McGeoch e Jessica Pevner, pela leitura e criatividade.

E, claro, o Instituto Invisível, cujos membros cada vez mais visíveis me deram conselhos e incentivos em nossos jantares mensais.

A oportunidade de falar sobre minha pesquisa para o público real me incentivou a aprimorar minhas ideias – e colocar as palavras no papel. Obrigada à Academia de Medicina de Nova York, em particular à Lisa O'Sullivan, vice--presidente e diretora da biblioteca e Centro de História da Medicina e Saúde Pública, e Emily Miranker, coordenadora de eventos e projetos. Agradeço ao Dr.

Jay Baruch por me convidar para falar no Instituto Cogut para as Humanidades da Universidade Brown. Eu era uma estudante de medicina quando o Programa de Humanidades em Medicina da Universidade de Yale foi lançado e agora estou feliz em fazer parte do conselho da diretora Dra. Anna Reisman (a Anna do grupo dos meus escritores). Ela me deu a oportunidade de falar, inclusive uma vez quando pediu que eu falasse sobre um capítulo que mal havia terminado. Nada como prazos apertados para me impulsionar.

Pelo apoio moral e por nunca me dizer para parar de falar sobre a história hormonal e o processo de escrita quando eu sei que é isso que realmente querem: Marguerite Holloway, Cathy Shufro, Harriet Washington, Lauren Sandler, Laurie Niehoff, Lizzie Reis, Joanna Radin, Wendy Paris, Alice Tisch, Tommy Tisch, Doug Kagan, Adina Kagan e Jane Bordiere. Dr. Tom Duffy, professor emérito de medicina da Universidade de Yale, me encantou com histórias de seus dias na Johns Hopkins. O Dr. Manju Prasad, diretor de patologia endócrina, cabeça e pescoço da Universidade de Yale, leu os rascunhos e também forneceu informações sábias sobre a escrita e a medicina. Johanna Ramos-Boyer e Virginia Shurgar Hassell, por me motivarem. Mark Schoenberg e Risa Alberts, por me conduzirem por Baltimore, além de serem ótimos ouvintes. Jessica Baldwin, minha amiga em Londres, correu para o Battersea Park para caçar uma estátua escondida porque eu precisava de mais uma imagem o mais rápido possível. O Dr. Chuck Sklar, endocrinologista pediátrico e diretor do programa de acompanhamento de longo prazo do Memorial e Centro Sloan Kettering, e o Dr. Myron Genel, professor emérito de pediatria da Universidade de Yale, por colocarem em foco grandes questões da endocrinologia.

Eu aprendo muito com meus alunos. Obrigada, Tali Woodward, por me convidar a fazer parte da família da Escola de Jornalismo de Columbia, onde meus alunos continuam sendo uma fonte de inspiração. A Andrew Ehrgood, por me proporcionar a oportunidade de trabalhar com estudantes de graduação; minhas conversas em sala de aula sobre gráficos, omissão, estrutura, ledes e o uso do jargão médico ajudaram muito a desenvolver a minha escrita. O entusiasmo da sala de aula é contagioso. Nossas conversas me energizam.

Sou eternamente grata a Joy Harris, a agente dos sonhos de qualquer escritor. Ela também é uma boa amiga e uma boa pessoa. Minha equipe da W.W.

Norton me apoiou muito nesse processo. Sou muito grata por Jill Bialosky (que também é poeta, romancista e memorialista) ter sido minha editora nos dois livros. Ela me ajudou a desenvolver minha voz e guiou *Excitadx* na direção certa quando comecei a me desviar. Graças a toda a equipe W.W. Norton: Amy Medeiros, editora de projetos; Ingsu Liu, diretor de arte da capa; Lauren Abbate, gerente de produção. Drew Elizabeth Weitman é uma assistente editorial extraordinária. Eu a bombardeei com perguntas e ela respondeu com alegria e rapidez a cada uma delas. À perversamente inteligente revisora Allegra Huston, que ajustou meu manuscrito.

Você realmente não percebe o valor das mães até se tornar uma. Durante o processo de redação deste livro, fui bastante displicente com minha mãe quando ela telefonou enquanto eu escrevia. Mas eu esperava receber toda a atenção dela quando precisei, independentemente de sua agenda lotada. Obrigada, mãe. Meu falecido pai, Dr. Robert V.P. Hutter, se preocupava muito com palavras, dados médicos, verdades científicas e a divulgação da medicina com precisão, honestidade e empatia. Eu gosto de pensar que ele ficaria orgulhoso. Meu irmão Andrew e minha irmã Edie sempre acreditaram em minhas habilidades quando minha confiança diminuiu.

Meus filhos Jack, Joey, Martha e Eliza são tudo para mim. Eles até forneceram conselhos de edição não solicitados, como insistir que meus trocadilhos fossem excluídos desse agradecimento. E, finalmente, é claro, a Stuart – a química.

Notas

Capítulo 1. A Noiva Gorda

Os detalhes sobre a vida e morte de Blanche Grey foram retirados de: "Trying to Steal the Fat Bride: Resurrectionists Twice Baffled in Attempts to Rob The Grave," New York Times, 20 de outubro de 1883; "The Fat Girl's Funeral: Her Remains Deposited in a Capacious Grave at Mt. Olivet," Baltimore Sun, 29 de outubro 1883; "More than a Better Half," New York Times, 26 de setembro de 1883; "The Fattest of Brides Dead," Baltimore Sun, 27 de outubro de 1883 ; "Her Fat Killed Her," Chicago Daily Tribune, 27 de outubro de 1883; "Poor Moses: How the Late Fat Girl's Husband was Scared," San Francisco Chronicle, 19 de novembro de 1883; "Sudden Death of a 'Fat Woman'," Weekly Irish Times, 17 de novembro de 1883; e "A Ponderous Bride," Baltimore Sun, 1º de outubro de 1883. Um apanhado sobre os primeiros anos da endocrinologia é feito por V. C. Medvei em A History of Endocrinology (Lancaster, U.K.: MTP Press), 1984.

1   ladrões de corpos: "Trying to Steal the Fat Bride: Resurrectionists Twice Baffled in Attempts to Rob the Grave," New York Times, 20 de outubro de 1883.
3   shows de exibicionismo: Robert Bogdan, Freak Show: Presenting Human Oddities for Amusement and Profit (Chicago: University of Chicago Press, 1998); Rachel Adams, Sideshow U.S.A.: Freaks and the American Cultural Imagination (Chicago: University of Chicago Press, 2001).
3   alimentou o fascínio de uma multidão eclética: Aimee Medeiros, Heightened Expectations (Tuscaloosa: University of Alabama Press, 2016).
4   uma autópsia revelou um tumor: Fielding H. Garrison, "Ductless Glands, Internal Secretions and Hormonic Equilibrium," Popular Science Monthly 85, n. 36 (Dezembro de 1914): 531–40.
4   Dez anos de idade com atraso no desenvolvimento: J. Lindholm e P. Laurberg, "Hypothyroidism and Thyroid Substitution: Historical Aspects," Journal of Thyroid Research 2011 (Março 2011): 1–10.
4   museu, Hotel Monroe: Steve Cuozzo, "$wells Take Bowery," New York Post, 26 de dezembro de 2012.
4   "monstruosidade adiposa": "More Than a Better Half," New York Times, 26 de setembro de 1883.
5   "pensão dos malucos": "The Fat Bride," Australian Town and Country Journal, 12 de janeiro de 1884.
6   percebeu que ela estava morta: "The Fat Bride," Manawatu Times, 28 de janeiro de 1884, disponível em: http://paperspast.natlib.govt.nz/cgi-bin/paperspast?a= d&d=MT18840128.2.20.
6   "A multidão na calçada": "The Fat Girl's Funeral: Her Remains Deposited in a Capacious Grave at Mt. Olivet," Baltimore Sun, 29 de outubro de 1883.
9   "O médico sem a fisiologia": Roy Porter, The Greatest Benefit to Mankind: A Medical History of Humanity (Nova York: W. W. Norton, 1997), 305.

11 "Eles cantaram lascivamente": Homer P. Rush, "A Biographical Sketch of Arnold Adolf Berthold: An Early Experimenter with Ductless Glands," *Annals of Medical History* 1 (1929): 208-14; Arnold Adolph Berthold, "The Trans- plantation of Testes," traduzido por D. P. Quiring, *Bulletin of the History of Medicine* 16, n. 4 (1944): 399- 401.
11 Ele publicou seus *insight*s: Rush, "A Biographical Sketch."
11 como se Colombo tivesse descoberto a América: Albert Q. Maisel, *The Hormone Quest* (Nova York: Random House, 1965).
12 Thomas Blizard Curling: Lindholm and Laurberg, "Hypothyroidism and Thyroid Substitution."
12 Thomas Addison: Henry Dale, "Thomas Addison: Pioneer of Endocrinology," *British Medical Journal* 2, n. 4623 (1949): 347-52.
12 George Oliver: Ibid.
12 chamada de "adrenalina": Michael J. Aminoff, *Brown-Séquard: An Improbable Genius Who Transformed Medicine* (Nova York: Oxford University Press, 2011); Porter, *The Greatest Gift to Mankind*, 564; John Henderson, *A Life of Ernest Starling* (Nova York: Oxford University Press, 2005).

Capítulo 2. Hormônios.... ou como podemos chamá-los

Detalhes sobre o caso do Cachorro Marrom são extraídos de Peter Mason, *The Brown Dog Affair: The Story of a Monument that Divided a Nation* (Londres: Two Sevens, 1997) e Henderson, *A Life of Ernest Starling*, assim como em Hilda Kean, "An Exploration of the Sculptures of Greyfriars Bobby, Edinburgh, Scotland, e Brown Dog, Battersea, South London, England," *Journal of Human–Animal Studies* 11, n. 4 (2003): 353-73; J. H. Baron, "The Brown Dog of University College," *British Medical Journal* 2, n. 4991 (1956): 547- 48; David Grimm, *Citizen Canine: Our Evolving Relationship with Cats and Dogs* (Nova York: Public Affairs, 2014); e Coral Lansbury, *The Old Brown Dog: Women, Workers, and Vivisectionists in Edwardian England* (Madison: University of Wisconsin Press, 1985). Detalhes sobre a endocrinologia nos primeiros anos do século 20 em Medvei, *A History of Endocrinology*; Merriley Elaine Borell, "Origins of the Hormone Concept: Internal Secretions and the Physiological Research 1895-1905," tese PhD em história da ciência, Universidade de Yale, 1976.
15 "Um lugar a ser evitado": Mason, *The Brown Dog Affair*, 25.
16 "séculos de agonia": Grimm, *Citizen Canine*, 48.
17 "não pode haver um padrão": Mason, *The Brown Dog Affair*, 45.
17 "São apenas os 'cachorros marrons'": Ibid. 48.
18 recusou um convite de ser nomeado cavaleiro da coroa: Diana Long Hall, "The Critic and the Advocate: Contrasting British Views on the State of Endocrinology in the Early 1920s," *Journal of the History of Biology* 9, n. 2 (1976): 269- 85.
18 Bayliss se casou com a irmã de Starling: Henderson, *A Life of Ernest Starling*.
18 Starling se casou com o dinheiro: Rom Harré, *Pavlov's Dogs and Schrödinger's Cat: Scenes from the Living Laboratory* (Oxford: Oxford University Press, 2009).
20 O objetivo era misturar tudo: Ibid.
20 "reflexo químico": Irvin Modlin e Mark Kidd, "Ernest Starling and the Discovery of Secretin," *Journal of Clinical Gastroenterology* 32, n. 3 (2001): 187-92.
20 anunciar as novas ideias: Barry H. Hirst, "Secretin and the Exposition of Hormonal Control," *Journal of Physiology* 560, n. 2 (2004): 339.
21 "de agora em diante menos céticos": W. M. Bayliss e Ernest H. Starling, "Preliminary Communication on the Causation of the So-Called 'Peripheral Reflex Secretion' of the Pancreas," *Lancet* 159, n. 4099 (1902): 813.

21 "Eles estão certos": Modlin e Kidd, "Ernest Starling and the Discovery of Secretin."
21 "A secreção deve então": W. M. Bayliss e Ernest H. Starling, "On the Causation of the so-called 'Peripheral Reflex Secretion' of the Pancreas (Preliminary Communication)," Palestras da Royal Society B69 (1902): 352-53.
22 sugeriu que os declínios pós-menopausa: Jukka H. Meurman, Laura Tark kila, Aila Tiitinen, "The Menopause and Oral Health," *Matiritas* 63, n. 1 (2009): 56-62.
22 criou uma disciplina: Modlin e Kidd, "Ernest Starling and the Discovery of Secretin."
22 Cientistas conhecem a secretina: Hirst, "Secretin and the Exposition of Hor- monal Control."
22 secretina também regula os eletrólitos: Jessica Y. S. Chu et al., "Secretin as a neurohypophysial factor regulating body water homeostasis," *PNAS* 106, n. 37 (2009): 15961- 66.
22 "Uma afinidade química": Bayliss e Starling, "On the Causation."
25 "twofold": Lizzy Lind af Hageby e Leisa Katherina Schartau, *Shambles of Science: Extracts from the Diary of Two Students of Physiology* (London: Ernest Bell, 1903).
25 "Seu mestre pode tê-lo perdido": Ibid.
26 "covarde, imoral e detestável": Mason, *The Brown Dog Affair*, 11.
27 Bayliss, que evitava a publicidade: detalhes do julgamento são retirados de "Bayliss v. Coleridge," *British Medical Journal* 2, n. 2237 (1903): 1298-1300; "Bayliss v. Coleridge (Continued)," *British Medical Journal* 2, n. 2238 (1903): 1361-71; e "Was It Torture? The Ladies and the Dogs, Doctors and the Experiments," *Daily News*, 18 de novembro de 1903.
28 "Existe um animal": "He Liveth Best Who Loveth Best, All Things Both Great and Small," *Daily News*, novembro de 1903.
28 sorrateiro e repreensível: Mason, *The Brown Dog Affair*, 19-20.
28 "trazendo acusações vis": "The Vivisection Case," *Globe and Traveller*, 18 de novembro, 1903.
28 palestras de quatro semanas: Ernest H. Starling, *The Croonian Lectures on the Chemical Correlation of the Functions of the Body*, Royal College of Physicians, 1905, disponível em: https://archive.org/details/b2497626x.
28 "Esses mensageiros químicos": Ibid.
29 viraram-se para dois amigos: Medvei, *A History of Endocrinology*, 27; Hirst, "Secretin and the Exposition of Hormonal Control."
29 "autocoid": Sir Humphry Rolleston, "The History of Endocrinology," *British Medical Journal* 1, n. 3984 (1937): 1033-36.
30 "chalone": Ibid.
30 Ele evitou mencionar os testes: Henderson, *A Life of Ernest Starling*.
31 "Um conhecimento abrangente": Starling, *The Croonian Lectures*, 35.
31 "parece um conto de fadas": Henderson, *A Life of Ernest Starling*, 153.
31 "ultrajante," "testemunho mudo": "Battersea Has a Brown Dog," editorial, *New York Times*, 8 de janeiro, 1908.
32 Dia 10 de março: Marjorie F. M. Martin, "The Brown Dog of University Col lege," *British Medical Journal* 2, n. 4993 (1956): 661.
32 "a estátua ou algo do tipo": "Battersea Loses Famous Dog Statue," *New York Times*, 13 de março, 1910.
32 O segundo memorial do cachorro marrom: Hilda Kean, "The 'Smooth Cool Men of Science': The Feminist and Social Response to Vivisection," *History Workshop Journal*, n. 40 (1995): 16-38.

Capítulo 3. Cérebros em conserva
Detalhes sobre a vida de Harvey Cushing foram retirados do livro de Michael Bliss, *Harvey Cushing: A Life in Surgery* (Nova York: Oxford University Press, 2005), e da obra de Aaron Cohen-Gadol and Dennis D. Spencer, *The Legacy of Harvey Cushing* (Nova York: Thieme Medical Publishers, 2007), que inclui imagens das operações de Cushing (as fotos estão em exibição em Yale). Também vasculhei a correspondência de Cushing, nos Harvey Williams Cushing Papers, MS 160, Manuscripts and Archives, Sterling Memorial Library, Universidade de Yale. Conduzi entrevistas com o Dr. Dennis Spencer, Harvey e Kate Cushing, professor de Neurocirurgia da Universidade de Yale; Dr. Christopher John Wahl, cirurgião ortopédico da Orthopaedic Physicians Associates, Seattle, WA: Dr. Tara Bruce, ginecologista obstetra, Houston, TX; Dr. Gil Solitaire, neuropatologista aposentado; e Terry Dagradi, fotógrafa e coordenadora do Cushing Center, Universidade de Yale.

38 "Na primeira década": Bliss, *Harvey Cushing*, 166.
38 Ele alardeou a taxa de mortalidade, Ibid., 274.
38 "O que aproximar": Dr. Dennis Spencer, entrevista do autor.
40 "O único verdadeiro amor do chefe": Bliss, *Harvey Cushing*, 481.
40 primeiro transplante de hipófise entre humanos: Courtney Pendleton et al., "Harvey Cushing's Attempt at the First Human Pituitary Transplantation," *Nature Reviews Endocrinology* 6, n. 1 (2010): 48–52.
40 Jornais noticiaram como uma grande descoberta: "Part of Brain Replaced: That of Dead Infant Put in Cincinnati Man's Head, First of its Kind," *Baltimore Sun*, 26 de março de 1912; "Given Baby's Brain," *Washington Post*, 26 de março, 1912; "Brain of Still-Born Infant Used to Restore Man's Brain," *Atlanta Constitution*, 27 de março, 1912.
41 deu um pedaço de hipófise aos cachorros: Harvey Cushing, "Medical Classic: The Functions of the Pituitary Body," *American Journal of the Medical Sciences* 281, n. 2 (1981): 70–78.
41 Ele mediu o crânio: Harvey Cushing, "The Basophil Adenomas of the Pituitary Body and Their Clinical Manifestations (Pituitary Basophilism)," *Bulletin of the Johns Hopkins Hospital* 1, n. 3 (1932): 137– 83; Harvey Cushing, *The Pituitary and Its Disorders: Clinical States Produced by Disorders of the Hypophysis Cerebri* (Philadelphia: J. B. Lippincott, 1912).
42 subornou o coveiro com cinquenta dólares: Wouter W. de Herder, "Acromegalic Gigantism, Physicians and Body Snatching. Past or Present?" *Pituitary* 15 (2012): 312–18.
42 caso após caso em homens e mulheres: Cushing, *The Pituitary and Its Disorders*.
44 artigo "Uglies" (Feiosos): "Uglies," *Time*, Mai 2, 1927.
44 "Essa pobre mulher": John F. Fulton, *Harvey Cushing: A Biography* (Springfield, IL: Charles C. Thomas, 1946), 304.
46 Agora sabemos que ele poderia estar certo: "Pituitary Tumors Treatment (PDQ) Patient Version," *National Cancer Institute*, 2016, http://www.cancer.gov/ types/pituitary/patient/pituitary-treatment-pdq.
46 Um médico na Clínica Mayo: V. C. Medvei, "The History of Cushing's Disease: A Controversial Tale," *Journal of the Royal Society of Medicine* 84, n. 6 (1991): 363– 66.
47 Clube Antitumor na hipófise: Ibid.
47 "tentação da especulação impressionista": Cushing, "The Basophil Ade- nomas of the Pituitary Body."
47 10,48 palavras por dia: Fulton, *Harvey Cushing*.
48 confusão de cérebros engarrafados: Dr. Gil Solitaire, entrevista do autor.
49 "Acho que poucas pessoas": Dr. Christopher John Wahl, entrevista do autor.
50 Wahl escrevia uma tese, "The Harvey Cushing Brain Tumor Registry: Changing Scientific and Philosophic Paradigms and the Study of the Preservation of Archives," medical school thesis in neuro-surgery, Universidade de Yale, 1996.

53 No verão de 2017: entrevistas pessoais com Dr. Maya Lodish e Dr. Cynthia Tsay, 1º de março de 2018. Também Cynthia Tsay et al., "Harvey Cushing Treated the First Known Patient with Carney Complex," *Journal of the Endocrine Society* 1, n. 10 (2017): 1312-21.

Capítulo 4. Hormônios assassinos

Detalhes sobre o assassinato e julgamento foram retirados de Simon Baatz, *For the Thrill of It: Leopold, Loeb, and the Murder that Shocked Chicago* (Nova York: Harper, 2008); Hal Higdon, *Leopold e Loeb: The Crime of the Century* (Champaign, IL: University of Illinois Press, 1999), e trechos dos procedimentos de julgamento disponíveis no Famous Trials, um site da Universidade de Missouri-Kansas City School of Law (http://famous-trials.com/leopoldandloeb) e nos arquivos da orthwestern University Library (http://exhibits.library.northwestern.edu/archives/exhibits/leoloeb/index.html). Uma visão geral da endocrinologia na década de 1920 foi fornecida por Julia Ellen Rechter, "The Glands of Destiny: A History of Popular, Medical and Scientific Views of Sex Hormones in 1920s America," PhD thesis, University of California Berkeley, 1997. Para mais informações sobre Louis Berman, contei com o trabalho de Christer Nordlund, "Endocrinology and Expectations in 1930s America," *British Journal for the History of Science* 40, n. 1 (2007): 83-104.
56 inspirou quatro filmes: Kathleen Drowne and Patrick Huber, The 1920s (Westport, CT: Greenwood, 2004), 25.
56 Livros de conselhos divulgando curas endócrinas: "Credulity About Medicines," *Manchester Guardian*, 8 de outubro, 1925; Elizabeth Siegel Watkins, *The Estrogen Elixir: A History of Hormone Replacement Therapy in America* (Baltimore: Johns Hopkins University Press, 2007).
56 A hipófise libera hormônios: H. Maurice Goodman, "Essays on APS Classical Papers: Discovery of Luteinizing Hormone of the Anterior Pituitary Gland," *American Journal of Physiology, Endocrinology and Metabolism* 287 (2004): E818-29.
57 Quando vemos tudo deformado: R. G. Hoskins, "The Functions of the Endocrine Organs," *Scientific Monthly* 18, n. 3 (1924): 257-72.
58 No império Otomano: Richard J. Wassersug e Tucker Lieberman, "Contemporary Castration: Why the Modern Day Eunuch Remains Invisible," *British Medical Journal* 341 (2010): c4509.
58 "Aqui, então... influências nervosas": Walter Cannon, *Bodily Changes in Pain, Hunger, Fear, and Rage* (Charleston, SC: Nabu Press, 2010), 64.
59 "Será possível": Elizabeth M. Heath, "Glands as Cause of Many Crimes," *New York Times*, 4 de dezembro de 1921.
59 "Acumulando informações": Louis Berman, "Psycho-endocrinology," *Sci- ence* 67, n. 1729 (1928): 195.
60 "Meu querido Rabino Ben Ezra": Louis Berman para Ezra Pound, "Ezra Pound Papers 1885-1976," 1925-1926, Yale Collection of American Literature, Beinecke Rare Book e Manuscript Library, YCAL MSS 43.
60 "primordialmente adrenal": Louis Berman, *The Glands Regulating Personality: A Study of Internal Secretion in Relation to the Types of Human Nature*, 2nd ed. (Nova York: Macmillan, 1928), 165.
60 "vai também ser agressivo": Ibid., 171.
61 "ideal normal": Louis Berman, *New Creations in Human Beings* (Nova York: Doubleday, Doran, 1938), 18.
61 "Seremos capazes... 'tipo ideal'": "16-Foot Men Held a Gland Possibility," *New York Times*, 16 de dezembro de 1931.
61 na década de 1920: Drowne e Huber, *The 1920s*, 25.

62   Berman não era o único: Watkins, *The Estrogen Elixir*, 140; G. W. Carn- rick e Co., *Organotherapy in General Practice* (Baltimore: The Lord Baltimore Press, 1924).
62   "Nós somos as criaturas": Chandak Sengoopta, *The Most Secret Quintessence of Life: Sex, Glands, and Hormones 1850 –1950* (Chicago: University of Chicago Press, 2006), 70.
62   "Tiroxina, paratireoide": Louis Berman, "Crime and the Endocrine Glands," *American Journal of Psychiatry* 89, n. 2 (1932): 215–38.
63   "deve tomar uma dose considerável": Francis Birrell, "Book Review: The Glands Regulating Personality by Louis Berman," *International Journal of Ethics* 32, n. 4 (1922): 450–51.
63   "mistura de fatos": Elmer L. Severinghaus, "Review," *American Sociological Review* 4, n. 1 (1939): 144– 45.
63   "Para um relato esclarecedor": Margaret Sanger, *The Pivot of Civilization* (Nova York: Brentano's, 1922), 236.
63   "Toda verdade precisa de homens": H. L. Mencken, "Turning the Leaves with G.S.V.: A Trumpeter of Science," *American Monthly* 17, n. 6 (1925).
63   "fatos misturados a fantasias": Benjamin Harrow, *Glands in Health and Disease* (Nova York: E. P. Dutton, 1922).
63   O segundo Congresso Internacional de Eugenia: Charles Benedict Dav- enport, "Research in Eugenics," em Charles B. Davenport et al., eds., *Scientific Papers of the Second International Congress of Eugenics*, vol. 1: *Eugenics, Genetics, and the Family* (1923): 25.
64   Dr. Sadler disse a seus colegass: William S. Sadler, "Endocrines, Defective Germ-Plasm, and Hereditary Defectiveness," in ibid., 349.
64   Buck *versus* Bell: Buck v. Bell, 274 U.S. 200 (1927), disponível em: https:// supreme.justia.com/cases/federal/us/274/200/case.html.
64   "Agora podemos olhar adiante": Berman, *The Glands Regulating Personality*, 28.
64   "O cristianismo está morto": Louis Berman, *The Religion Called Behaviorism* (Nova York: Boni and Liveright, 1927), 41.
65   três anos de investigação: Berman, "Crime and the Endocrine Glands"; W. H. Howell, "Crime and Disturbed Endocrine Function," *Science* 76, n. 1974 (1932): 8–9.
65   apresentou novos achados: Berman, "Crime and the Endocrine Glands."
65   "Todo criminoso deveria ser examinado": Ibid., 233.
66   metabolímetro: Frank Berry Sanborn, ed., *Basal Metabolism, Its Determination and Application* (Boston: Sanborn, 1922), 104.
67   "Esses são os métodos": Berman, "Crime and the Endocrine Glands," 10.
68   "características emocionais infantis": "Excerpts from the Psychiatric ('Alienist') Testimony in the Leopold Loeb Hearing," http://famoustrials.com/leopoldandloeb/1752-psychiatrictestimony.
68   Harold Hulbert: The trial proceedings can be accessed in the Clarence Darrow Digital Collection, University of Minnesota Law Library, http:// moses.law.umn.edu/darrow/trials.php?tid=1.
69   relatório Bowman–Hulbert: Karl Bowman e Harold S. Hulbert, "Nathan Leopold Psychiatric Statement," disponível em http://exhibits.library.north western.edu/archives/exhibits/leo-loeb/leopold_psych_statement.pdf e em "Loeb–Leopold Case: Psychiatrists' Report for the Defense," *Journal of Criminal Law and Criminology* 15, n. 3 (1925): 360–78. "Loeb–Leopold Murder of Franks in Chicago, 21 de maio de 1924" ibid., 347–59, fornece a cronologia dos eventos.
69   "terceiro olho": Gert-Jan Lokhorst, "Descartes and the Pineal Gland," em *The Stanford Encyclopedia of Philosophy* (2015), https://plato.stanford.edu/ entries/pineal-gland/; Mark S. Morrisson, "'Their Pineal Glands Aglow': Theosophical Physiology in 'Ulysses'," *James Joyce Quarterly* 46, n. 3– 4 (2008), 509–27.

70 "remove as restrições naturais": Edward Tenner, "The Original Natural Born Killers," *Nautilus*, 11 de setembro de 2014.
70 "o famoso julgamento": Higdon, *Leopold and Loeb*, 164.
70 "em sua aplicabilidade": A decisão e a sentença do juiz Caverly está disponível em: http://famous-trials.com/leopoldandloeb/1747-judgedecision.

Capítulo 5. A vasectomia viril

Recorri a Nordlund, "Endocrinology and Expectations in 1930s America," Rechter, "The Glands of Destiny," e Sengoopta, *The Most Secret Quintessence of Life*, para informações sobre os bastidores das pesquisas hormonais nas décadas de 1920 e 1930. Detalhes sobre Steinach foram retirados de Eugen Steinach, *Sex and Life: Forty Years of Biological Experiments* (Nova York: Viking, 1940), e Chandak Sengoopta, "Tales from the Vienna Labs: The Eugen Steinach–Harry Benjamin Correspondence," *Newsletter of the Friends of the Rare Book Room*, New York Academy of Medicine, n. 2 (Spring, 2000): 1–2, 5–9. Maiores informações sobre John Brinkley podem ser encontradas em R. Alton Lee, *The Bizarre Careers of John R. Brinkley* (Lexington: University Press of Kentucky, 2002), e em Pope Brock, *Charlatan: America's Most Dangerous Huckster, the Man Who Pursued Him, and the Age of Flimflam* (Nova York: Broadway Books, 2009). Para mais informações sobre Charles Édouard Brown–Séquard, ver Aminoff, *Brown-Séquard*.
73 sem a presença de Steinach na sala de cirurgia: Michael A. Kozminski e David A. Bloom, "A Brief History of Rejuvenation Operations," *Journal of Urology* 187, n. 3 (2012): 1130–34.
73 procedimentos questionáveis: "Paris Scientist Tells of Gland Experiments," *Los Angeles Times*, 5 de junho de 1923; "New Ponce De Leon Coming," *Baltimore Sun*, 16 de setembro de 1923; "Gland Treatment Spreads in America," *New York Times*, 8 de abril de 1923.
74 "Muito disso é resultado": Hans Lisser para Dr. Cushing, 19 de julho de 1921 nos arquivos da Yale University Medical School, HC Reprints X, n. 156.
74 considerado um verdadeiro cientista: Ver https://www.nobelprize.org/nomina tion/archive/show_people.php?id=8765.
75 teorias que foram cogitadas por séculos: Kozminski e Bloom, "A Brief History of Rejuvenation Operations." A justificativa para o procedimento de Steinach também é fornecida em E. Steinach, "Biological Methods Against the Process of Old Age," *Medical Journal e Record* 125, n. 2345 (1927): 78–81, 161–64.
75 "experimentos fantásticos": Steinach, *Sex and Life*, 49.
75 "deve ser considerado": Ibid., 49–50.
75 o tratamento da moda: "Elixir of Life: The Brown-Sequard Discovery," *Aroha and Ohinemu News and Upper Thames Advocate*, 25 de setembro de 1889.
76 "renovou meu poder criativo": Chandak Sengoopta, "Glandular Politics: Experimental Biology, Clinical Medicine, e Homosexual Emancipation in Fin-de-Siècle Central Europe," *Isis* 89, n. 3 (1998): 445–73; Chandak Sengoopta, "'Dr Steinach coming to make old young!': Sex Glands, Vasectomy and the Quest for Rejuvenation in the Roaring Twenties," *Endeavour* 27, n. 3 (2003): 122–26.
76 "minha memória voltou": Steinach e Loebel, *Sex and Life*, 173.
76 Livros de auto-ajuda vendidos descontroladamente: Drowne e Huber, The 1920s; Michael Pettit, "Becoming Glandular: Endocrinology, Mass Culture, and Experimental Lives in the Interwar Age," *American Historical Review* 118, n. 4 (2013): 1052–76.
77 "tecnologia do self": Pettit, "Becoming Glandular," 5.
77 Steinach não tinha a intenção de criar um sucesso de público: Laura Davidow Hirschbein, "The Glandular Solution: Sex, Masculinity, and Aging in the 1920s," *Journal of the History of Sexuality* 9, n. 3 (2000): 277–304.

77   estudo do sexo dos sapos: Sengoopta, *The Most Secret Quintessence of Life*, 57.
78   "Mas me pareceu", "o que eu realmente vi": Steinach e Loebel, *Sex and Life*, 16.
79   "todo o fenômeno complicado": Ibid., 3.
79   "Todo mundo sabe": Ibid., 39.
80   testículos funcionam, não importa onde eles estejam: Per Södersten et al., "Eugen Steinach: The First Neuroendocrinologist," *Endocrinology* 155, n. 3 (2014): 688-95.
80   "Todos os ratos machos": Steinach e Loebel, *Sex and Life*, 30.
81   "Sem hesitação": Ibid., 32.
82   "Com o mesmo cuidado... definitivamente macho": Ibid., 64.
82   "erotização": Steinach intitula um capítulo de *Sex and Life* "Experiments in Explanation and Erotization," e escreve, "Eu cunhei a expressão 'erotização do sistema nervoso central' ou 'erotização'" (30).
82   "A decisão mais importante": Ibid., 71.
83   Karl Kraus: Christopher Turner, "Vasectomania, and Other Cures for Sloth," *Cabinet*, n. 29: Spring 2008.
83   comportamento pseudo-homossexual: Sengoopta, *The Most Secret Quintessence of Life*, 80.
83   o tecido adjacente compensaria: Kozminski e Bloom, "A Brief History of Rejuvenation Operations."
84   Seu paciente era Anton W.: Stephen Lock, "'O That I Were Young Again': Yeats and the Steinach Operation," *British Medical Journal* (Clinical Research Edition) 287, n. 6409 (1983): 1964- 68.
84   "melhora extraordinária": Steinach e Loebel, *Sex and Life*, 178.
85   Os jornalistas adoraram a história: "Gland Treatment Spreads in America," *New York Times*, 8 de abril de 1923; "New Ponce De Leon Coming," *Baltimore Sun*, 16 de setembro de 1923.
85   "Cirurgia de Voronoff": Van Buren Thorne, "The Craze for Rejuvenation," *New York Times*, 4 de junho de 1922.
85   "*hocus pocus*": Morris Fishbein, *Fads and Quackery in Healing: An Analysis of the Foibles of the Healing Cults, With Essays on Various Other Peculiar Notions in the Health Field* (Nova York: Covici, Friede, 1932).
87   "Como fiquei vinte anos mais novo": Angus McLaren, *Reproduction by Design* (Chicago: University of Chicago Press, 2012), 85-86; Van Buren Thorne, "Dr. Steinach and Rejuvenation," *New York Times*, 26 de junho de 1921.
87   "alguma desarmonia": McLaren, *Reproduction by Design*, 86.
88   criou o mercado de rejuvenescimento hormonal: Södersten et al., "Eugen Steinach."
88   ciência séria: E. C. Hamblen, "Clinical Experience with Follicular and Hypophyseal Hormones," *Endocrinology* 15, n. 3 (1931): 184-94; Michael J. O'Dowd e Elliot E. Phillips, "Hormones and the Menstrual Cycle," *The History of Obstetrics and Gynaecology* (Nova York: Pantheon, 1994), 255-75.

Capítulo 6. Almas gêmeas em hormônios sexuais

Este capítulo é baseado em extensas entrevistas com o Dr. Howard W. Jones Jr., seus filhos e colegas, incluindo a assistente de longa data dos Jones, Nancy Garcia; Mary F. Davies, presidente da Fundação Jones; Dr. Edward Walach, professor emérito de ginecologia e obstetrícia, Faculdade de Medicina da Universidade Johns Hopkins; Dr. Alan DeCherney, pesquisador sênior em endocrinologia e ciência reprodutiva, Institutos Nacionais de Saúde; Dr. Claude Migeon, endocrinologista pediátrico, Faculdade de Medicina da Universidade Johns Hopkins; e Dr. Robert Blizzard, professor emérito de endocrinologia pediátrica, Universidade da Virgínia. Li o arquivo pessoal do Dr. Jones, que inclui fotografias, correspondências, publicações e

memórias não publicadas, e consultei os artigos de Arthur Hertig, professor de patologia de Harvard, cujo laboratório forneceu a placenta que levou à descoberta de Georgeanna Jones (gentilmente disponibilizados por seu filho Andrew Hertig).
90 "Eu claro, pensei": Howard W. Jones, Jr., life story, Jones archive.
92 livros recentemente publicados: Edgar Allen, ed., *Sex and Internal Secretions: A Survey of Recent Research* (Baltimore: Williams and Wilkins, 1932).
94 o teste A–Z: Henry W. Louria and Maxwell Rosenzweig, "The Aschheim–Zondek Hormone Test for Pregnancy," *Journal of the American Medical Association* 91, n. 25 (1928): 1988; "Aschheim and Zondek's Test for Pregnancy," *British Medical Journal* (1929): 232C; "The Zondek-Ascheim Test for Pregnancy," *Canadian Medical Association Journal* 22, n. 2 (1930): 251–53; George H. Morrison, "Zondek and Aschheim Test for Pregnancy," *Lancet* 215, n. 5551 (1930): 161–62.
95 Earl Engle: Howard W. Jones, Jr., "Chorionic Gonadotropin: A Narrative of Its Identification and Origin and the Role of Georgeanna Seeger Jones," *Obstetrical and Gynecological Survey* 62, n. 1 (2007): 1–3.
95 na placenta também: Ibid.
96 uma pessoa do tipo faça-você-mesmo: Michael Rogers, "The Double-Edged Helix," *Rolling Stone*, 25 de março, 1976; Rebecca Skloot, *The Immortal Life of Henrietta Lacks* (Nova York: Crown Publishers, 2010); Jane Maienschein, Marie Glitz, Garland E. Allen, eds., *Centennial History of the Carnegie Institution of Washington*, vol. 5 (Cambridge, UK: Cambridge University Press, 2005), 143.
96 o movimento das células: Andrew Artenstein, ed., *Vaccines: A Biography* (Nova York: Springer, 2010), 152.
96 dióxido de carbono: Duncan Wilson, *Tissue Culture in Science and Society: The Public Life of a Biological Technique in Twentieth-Century Britain* (Londres: Palgrave Macmillan, 2011), 60.
98 não nas hipófises: Jones, "Chorionic Gonadotropin."
98 a carta foi publicada: George Gey, G. Emory Seegar, and Louis M. Hellman, "The Production of a Gonadotrophic Substance (Prolan) by Placental Cells in Tissue Culture," *Science* 88, n. 2283 (1938): 306–7. Para uma história do experimento, consulte Jones, "Chorionic Gonadotropin."
99 "Georgeanna é a mais importante": Dr. Howard W. Jones, Jr., entrevista do autor..
100 Um paciente lembrou dela: Frances Neal to Howard W. Jones, Jr., con- dolence card, 2005, Jones archive.

Capítulo 7. Criando o gênero

Este capítulo se baseia nas extensas entrevistas com Bo Laurent, que compartilhou seus registros médicos comigo e com a Dra. Arlene Baratz, médica e consultora médica do Grupo de Apoio à Insensibilidade ao Androgênio; Dra. Katie Baratz, psiquiatra; Georgiann Davis, professor assistente de sociologia, Universidade de Nevada; e várias outras pessoas que falaram sobre como a intersexualidade afetou suas vidas, bem como com endocrinologistas que cuidavam de pacientes intersexo nos anos 1950 e hoje. Eu tive acesso a registros médicos (com nomes redigidos) desde os cuidados com crianças intersexo na Universidade Columbia nas décadas de 1930 e 1940, aos documentos de John Money no Kinsey Institute e a anotações de reuniões sobre crianças intersexo nos arquivos pessoais de Dr. Howard W. Jones Jr. Entrevistei especialistas, incluindo o Dr. Claude Migeon e o Dr. Howard W. Jones Jr., de Johns Hopkins, e David Sandberg, PhD, psicólogo clínico da Universidade de Michigan; e os historiadores Dra. Sandra Eder, professora assistente da Universidade da Califórnia, Berkeley, Dra. Elizabeth Reis, professora do Macaulay Honors College, City University de Nova York, e Dra. Katrina Karkazis, pesquisadora sênior do Center for Biomedical Ethics, Universidade de Stanford.

Mais informações vêm de: Alice Dreger, *Hermaphrodites and the Medical Invention of Sex* (Cambridge, MA: Harvard University Press: 1998); Alice Dreger, *Intersex in the Age of Ethics* (Hagerstown, MD: University Publishing Group, 1999); Katrina Karkazis, *Fixing Sex: Intersex, Medical Authority, and Lived Experience* (Durham, NC: Duke University Press, 2008); Elizabeth Reis, *Bodies in Doubt: An American History of Intersex* (Baltimore: Johns Hopkins University Press, 2009); Sandra Eder, "The Birth of Gender: Clinical Encounters with Hermaphroditic Children at Johns Hopkins (1940–1956)," PhD thesis in the history of medicine, Johns Hopkins University, 2011; Suzanne J. Kessler, *Lessons from the Intersexed* (New Brunswick, NJ: Rutgers University Press: 2002); Georgiann Davis, *Contesting Intersex: The Dubious Diagnosis* (Nova York: New York University Press, 2015); Hida Viloria, *Born Both: An Intersex Life* (Nova York: Hachette, 2017); Thea Hillman, *Intersex (for lack of a better word)* (San Francisco: Manic D Press, 2008); e Cheryl Chase, "Hermaphrodites with Attitude: Mapping the Emergence of Intersex Political Activism," *GLQ: A Journal of Lesbian and Gay Studies* 4, n. 2 (1998): 189–211.

108 "A última década presenciou": Howard W. Jones, Jr., and Lawson Wilkins, "Gynecological Operations in 94 patients with Intersexuality: Implications Concerning the Endocrine Theory of Sexual Differentiation," *American Journal of Obstetrics and Gynecology* 82, n. 5 (1961): 1142–53.

109 Hermafrodito: Howard W. Jones, Jr., and William Wallace Scott, *Hermaphroditism, Genital Anomalies and Related Endocrine Disorders* (Baltimore: Williams and Wilkins, 1958); Anne Fausto-Sterling, "The Five Sexes," *Sciences* 33, n. 2 (1993): 20–24.

110 Atualmente, a genitália ambígua: M. Blackless et al., "How Sexually Dimorphic Are We? Review and Synthesis," *American Journal of Human Biology* 12, n. 2 (2000): 151–66; Gerald Callahan, *Between XX and XY: Intersexuality and the Myth of Two Sexes* (Chicago: Chicago Review Press, 2009); Diane K. Wherrett, "Approach to the Infant with a Suspected Disorder of Sex Development," *Pediatric Clinics of North America* 62, n. 4 (2015): 983–99.

110 "Todos os zigotos": Edgar Allen, ed., *Sex and Internal Secretions: A Survey of Recent Research* (Baltimore: Williams and Wilkins, 1932), 5.

111 hormônio antimulleriano: N. Josso, "Professor Alfred Jost: The Builder of Modern Sex Differentiation," *Sexual Development* 2, n. 2 (2008): 55–63.

111 o feminino pode não ser o padrão: Rebecca Jordan-Young, *Brain Storm: The Flaws in the Science of Sex Difference* (Cambridge, MA: Harvard University Press, 2010), 25.

111 fêmeas são criadas por um processo passivo: H. H. Yao, "The Pathway to Femaleness: Current Knowledge on Embryonic Development of the Ovary," *Molecular and Cellular Endocrinology* 230, n. 1–2 (2005): 87–93.

112 um estudo mostrando que a cortisona ajudou crianças: Howard W. Jones, Jr., and Georgeanna E. S. Jones, "The Gynecological Aspects of Adrenal Hyperplasia and Allied Disorders," *American Journal of Obstetrics and Gynecology* 68, n. 5 (1954): 1330–65.

113 "Tour de force terapêutico": Paul Gyorgy et al., "Inter-University Round Table Conference by the Medical Faculties of the University of Pennsylvania and Johns Hopkins University: Psychological Aspects of the Sexual Orientation of the Child with Particular Reference to the Problem of Inter- sexuality," *Journal of Pediatrics* 47, n. 6 (1955): 771–90.

113 John Money: Secondary sources include Terry Goldie, *The Man Who Invented Gender: Engaging Ideas of John Money* (Vancouver: UBC Press, 2014); Karkazis, *Fixing Sex*; and John Money, "Intersexual Problems," in Kenneth Ryan and Robert Kistner, eds., *Clinical Obstetrics and Gynecology* (Baltimore: Harper & Row, 1973).

113 "fodalogia": Iain Morland, "Pervert or Sexual Libertarian? Meet John Money, 'the father of f*ology'," *Salon*, 4 de janeiro, 2014; also see Lisa Downing, Iain Morland, and Nikki Sullivan, *Fuckology* (Chicago: Chicago University Press: 2015).

Notas

113 "Houve muitos ilustres": Richard Green and John Money, "Effeminacy in Prepubertal Boys," *Pediatrics* 27, n. 286 (1961): 286-91.
114 caso judicial amplamente divulgado: Testimony of Dr. John William Money in Joseph Acanfora III v. Board of Education of Montgomery County, Montgomery County Public Schools, U.S. District Court for the District of Maryland – 359 F. Supp. 843 (1973).
114 painel sobre sexualidade patrocinado pela Playboy: "New Sexual Lifestyles: A symposium on emerging behavior patterns from open marriage to group sex," *Playboy*, Setembro 1973.
114 sete critérios: Howard W. Jones, Jr., "Hermaphroditism," *Progress in Gyne- cology* 3 (1957): 35– 49; Lawson Wilkins et al., "Masculinization of the Female Fetus Associated with Administration of Oral and Intramuscular Progestins During Gestation: Non-Adrenal Female Pseudohermaphrodism," *Journal of Clinical Endocrinology and Metabolism* 18, n. 6 (1958): 559-85.
115 "papel de gênero": John Money et al., "An Examination of Some Basic Sex- ual Concepts: The Evidence of Human Hermaphroditism," *Bulletin of the Johns Hopkins Hospital* 97, n. 4 (1955): 301-19.
116 importância de como uma criança é criada: Karkazis, *Fixing Sex*.
116 "Não parece haver nenhuma dúvida": Dr. Joan Hampson, minutes from an American Urological Association meeting, 1956, Jones archive.
117 condenar a prática: *Associated Press*, "Pressure Mounts to Curtail Surgery on Intersex Children," *New York Times*, 25 de julho, 2017.
117 "artigos ousados eram raros": Reis, *Bodies in Doubt*, 177.
117 "Pensei que ele fosse inteligente": Dr. Milton Diamond, entrevista do autor.
117 artigo científico contundente: Milton Diamond e H. Keith Sigmundson, "Sex Reassignment at Birth: A Long Term Review and Clinical Implications," *Archives of Pediatrics and Adolescent Medicine* 151, n. 3 (1997): 298-304.
117 uma exposição: John Colapinto, "The true story of John/Joan," *Rolling Stone* 775 (1997): 54-73, 97; John Colapinto, *As Nature Made Him: The Boy who Was Raised as a Girl* (Nova York: Harper Perennial, 2000).
118 "nuances de análise": Karkazis, *Fixing Sex*, 47.
120 leia sobre sexualidade e anatomia de gênero: C. H. Phoenix et al., "Organizing Action of Prenatally Administered Testosterone Propionate on the Tissues Mediating Mating Behavior in the Female Guinea Pig," *Endocrinology* 65, n. 3 (1959): 369– 82.
120 DES: Randi Hutter Epstein, *Get Me Out: A History of Childbirth from the Garden of Eden to the Sperm Bank* (Nova York: W. W. Norton, 2010).
121 Em 1993, Anne Fausto-Sterling: Fausto-Sterling, "The Five Sexes".
121 eliminar o rótulo de hermafrodita: J. M. Morris, "Intersexuality," *Journal of the American Medical Association* 163, n. 7 (1957): 538– 42; Robert B. Edgerton, "Pokot Intersexuality: An East African Example of the Resolution of Sexual Incongruity," *American Anthropologist* 66, n. 6 (1964): 1288-99; John Money, "Psychologic Evaluation of the Child with Intersex Problems," *Pediatrics* 36, n. 1 (1965): 51–55; Cheryl Chase, "Letters from Readers," *The Sciences* 33, n. 3 (1993).
123 médicos são encorajados a falar abertamente: Jennifer E. Dayner et al., "Medical Treatment of Intersex: Parental Perspectives," *Journal of Urology* 172, n. 4 (2004): 1762– 65.
123 em 2013, pesquisadores suíços e alemães: Jürg C. Streuli et al., "Shaping Parents: Impact of Contrasting Professional Counseling on Parents' Decision Making for Children with Disorders of Sex Development," *Journal of Sexual Medicine* 10, n. 8 (2013): 1953– 60.
124 "É verdade que as pessoas": Bo Laurent, entrevista com a autora.

Capítulo 8. Crescendo

Este capítulo foi baseado em extensas entrevistas com o Dr. Al e Barbara Balaban, juntamente com recortes de jornais que eles generosamente compartilharam comigo e entrevistas com o Dr. Robert Blizzard, professor emérito de endocrinologia pediátrica da Universidade da Virgínia; Dr. Albert Parlow, professor de bioquímica hormonal, LA BioMed; Dr. Michael Aminoff, diretor da Clínica de Doenças e Movimentos de Parkinson, Universidade da Califórnia em São Francisco; e Carol Hintz, a viúva do Dr. Raymond Hintz. Uma visão completa da história do tratamento com hormônio do crescimento pode ser encontrada em Stephen Hall, *Size Matters: How Height Affects the Health, Happiness, and Success of Boys—and the Men They Become* (Nova York: Houghton Mifflin Harcourt, 2006), Susan Cohen e Christine Cosgrove, *Normal at Any Cost: Tall Girls, Short Boys, and the Medical Industry's Quest to Manipulate Height* (Nova York: Jeremy P. Tarcher/Penguin, 2009), e em Aimee Medeiros, *Heightened Expectations* (Tuscaloosa: University of Alabama Press, 2016), com base em sua tese de doutorado em história das ciências da saúde, University of California San Francisco, 2012, que eu consultei. Aurelia Minutia e Jennifer Yee compartilharam informações sobre a Dra. Edna Sobel.
128 Antropólogos teorizaram: Ron G. Rosenfeld, "Endocrine Control of Growth," in Noël Cameron and Barry Bogin, eds., *Human Growth and Development*, 2 ed. (New York: Elsevier, 2012).
129 um hormônio poderia "curar" a baixa estatura: Melvin Grumbach, "Herbert McLean Evans, Revolutionary in Modern Endocrinology: A Tale of Great Expectations," *Journal of Clinical Endocrinology and Metabolism* 55, n. 6 (1982): 1240–47.
129 Dr. Oscar Riddle: "Scientist Predicts Pituitary Treatment Will Overcome the 'Inferiority Complex'," *New York Times*, 2 de agosto, 1937.
129 "nanismo": Medeiros, "Heightened Expectations" (PhD thesis), 152.
129 imaturidade e insegurança: Sheila Rothman and David Rothman, *The Pursuit of Perfection: The Promise and Perils of Medical Enhancement* (Nova York: Pantheon, 2003), 173.
129 "a combinação": Ibid., 174.
130 histórias sobre avanços no hormônio do crescimento: "Hormone to Aid Growth Isolated, But It Is Too Costly for Wide Use," *New York Times*, 8 de março, 1944; "What Scientists Are Doing," *New York Herald Tribune*, 19 de março, 1944; Choh Hao Li and Herbert Evans, "The Isolation of Pituitary Growth Hormone," *Science* 99, n. 2566 (1944): 183–84.
130 Em 1958, os jornais escreveram sobre uma cura: Earl Ubell, "Hormone Makes Dwarf Grow: May Also Offer Clues in Cancer, Obesity, Aging," *New York Herald Tribune*, 29 de março de 1958; Earl Ubell, "Hormones Now May Be Tailor-Made," *New York Herald Tribune*, 10 de maio, 1959.
132 testosterona não ajudou no crescimento: Edna Sobel et al., "The Use of Methyltestosterone to Stimulate Growth: Relative Influence on Skeletal Maturation and Linear Growth," *Journal of Clinical Endocrinology and Metabolism* 16, n. 2 (1956): 241–48.
136 O estudo de Evans – Li: Li and Evans, "The Isolation of Pituitary Growth Hormone."
137 Dr. Maurice Raben: M. S. Raben, "Letters to the Editor: Treatment of a Pituitary Dwarf with Human Growth Hormone," *Journal of Clinical Endocrinology and Metabolism* 18, n. 8 (1958): 901–3.
137 "Hormônio faz o anão crescer": Earl Ubell, "Hormone Makes Dwarf Grow," *New York Herald Tribune*, 29 de março, 1958.
137 "não produzirá jogadores de basquete": Alton L. Blakeslee, "Stimulant Found in Pituitary Powder: Growth Hormone Isolated: Found Capable of Inducing Added Height in Children Dwarfed by Natural Causes," *Pittsburgh Post-Gazette*, 29 de março, 1958.
140 recipiente de leite: Dr. Salvatore Raiti, entrevista com o autor.

145 divulgar a causa dela: Rothman and Rothman, *The Pursuit of Perfection*, 171.
145 "caso contrário, teria sido guerra na selva": Podine Schoenberger, "Pilot Honored by Pathologists," *New Orleans Times-Picayune*, 26 de março, 1968.
145 A agência também emitiu diretrizes: Ibid.
145 uma escolha natural e mais segura: Robert Blizzard, "History of Growth Hormone Therapy," *Indian Journal of Pediatrics* 79, n. 1 (2012): 87-91.
146 "Podemos acabar com o nanismo": Medeiros, "Heightened Expectations" (PhD thesis), 166.

Capítulo 9. Medindo o incomensurável

O Dr. Thomas Foley, professor de endocrinologia pediátrica da Universidade de Pittsburgh, forneceu informações sobre a história da tireoide. Detalhes da vida de Rosalyn Yalow são extraídos de *Rosalyn Yalow, Nobel Laureate: Her Life and Work in Medicine* (Nova York: Basic Books, 1998) por um aluno que se tornou um amigo de família, Dr. Eugene Straus. Também entrevistei vários colegas da Dra. Yalow, bem como seus filhos, e assisti a vídeos caseiros de Yalow, eventos em sua homenagem e eventos memoriais.
150 "superar": Straus, Rosalyn Yalow, 46.
150 "Eles precisavam encontrar uma maneira": Ibid., 34.
151 "Ela me pressionou": Mildred Dresselhaus, vídeo caseiro.
152 Laboratório no armário do zelador "Rosalyn Yalowand Solomon Berson," Chemical Heritage Foundation, 13 de agosto, 2015, https://www.sciencehistory.org/historical-profile/rosalyn-yalow-and-solomon-a-berson.
154 O artigo foi publicado em 1956: S. A. Berson and R. S. Yalow et al., "Insulin-I131 Metabolism in Human Subjects: Demonstration of Insulin Binding Globulin in the Circulation of Insulin-Treated Subjects," *Journal of Clinical Investigation* 35 (1956): 170-90.
156 um artigo de 1960: Rosalyn S. Yalow and Solomon A. Berson, "Immunoassay of Endogenous Plasma Insulin in Man," *Journal of Clinical Investigation* 39, n. 7 (1960): 1157-75.
158 "Felizmente, isso não é difícil": Ruth H. Howes, "Rosalyn Sussman Yalow (1921-2011)," American Physical Society Sites: Forum on Physics and Society, 2015.
158 "Inicialmente... novas ideias são rejeitadas": Endocrine Society Staff, "In Memo- riam: Dr. Rosalyn Yalow, PhD, 1921-2011," *Molecular Endocrinology* 26, n. 5 (2012): 713-14.
158 Ela morreu em 30 de maio de 2011: Denise Gellene, "Rosalyn S. Yalow, Nobel Medical Physicist, Dies at 89," *New York Times*, 1º de junho, 2011.

Capítulo 10. Dores de Crescimento

Os detalhes do plano de fundo são extraídos de Jennifer Cooke, *Cannibals, Cows and the CJD Catastrophe* (Sydney: Random House Australia, 1998). Também tive ajuda de Susan Cohen e Christine Cosgrove, *Normal at Any Cost: Tall Girls, Short Boys, and the Medical Industry's Quest to Manipulate Height* (Nova York: Jeremy P. Tarcher/ Penguin, 2009) Este livro aborda o hormônio do crescimento e também fornece um histórico de administração de estrogênio para impedir o crescimento de meninas consideradas muito altas. Realizei muitas entrevistas com pacientes com hormônio do crescimento, funcionários da FDA e médicos familiarizados com a tragédia e a biologia da DCJ, incluindo Carol Hintz (a viúva do Dr. Raymond Hintz); Dr. Michael Aminoff; Dr. Robert Blizzard; Dr. Albert Parlow; Dr. Robert Rohwer, professor associado de neurologia, Universidade de Maryland; Dr. Paul Brown, pesquisador senior, National Institutes of Health; Dr. Alan Dickinson, fundador da unidade neuropatogênica, Universidade de Edimburgo; e Dr. Judith Fradkin, diretor da divisão de diabetes, endocrinologia e doenças metabólicas, National Institutes of Health. A jornalista Emily Green generosamente compartilhou não apenas sua cobertura da história do hormônio do crescimento – CJD no Reino Unido, mas também suas fontes. Nicholas Smith, um ex-aluno meu, traduziu os jornais franceses para o inglês para mim.

160 Joey Rodriguez: Thomas Koch et al., "Creutzfeldt-Jakob Disease in a Young Adult with Idiopathic Hypopituitarism: Possible Relation to the Administration of Cadaveric Human Growth Hormone," *New England Journal of Medicine* 313, n. 12 (1985): 731–33.

161 "não precisava sair...": Cooke, Cannibals, *Cows and the CJD Catastrophe*, 110.

167 "O efeito das novas informações": Paul Brown, "Reflections on a Half-Century in the Field of Transmissible Spongiform Encephalopathy," *Folia Neuropathologica* 47, n. 2 (2009): 95–103.

167 "Apenas a Genentech não está de luto": Paul Brown et al., "Potential Epidemic of Creutzfeldt-Jakob Disease from Human Growth Hormone Therapy," *New England Journal of Medicine* 313, n. 12 (1985): 728–31; Paul Brown, "Human Growth Hormone Therapy and Creutzfeldt-Jakob Disease: A Drama in Three Acts," *Pediatrics* 81 (1988): 85–92; Paul Brown, "Iatrogenic Creutzfeldt-Jakob Disease," *Neurology* 67, n. 3 (2006): 389–93.

170 "Uma vez por ano no máximo": David Davis, "Growing Pains," *LA Weekly*, 21 de março, 1997.

171 pareceu para confirmar os medos de Parlow: Joseph Y. Abrams et al., "Lower Risk of Creutzfeldt-Jakob Disease in Pituitary Growth Hormone Recipients Initiating Treatment after 1977," *Journal of Clinical Endocrinology and Metabolism* 96, n. 10 (2011): E1666–69; Genevra Pittman, "Purified Growth Hormone Not Tied to Brain Disease," *Reuters Health*, 19 de agosto, 2011.

172 33 mortes confirmadas: Dr. Larry Schonberger, Centers for Disease Control, e-mail ao autor, 24 de outubro de 2017, e Christine Pearson, porta-voz do CDC, e-mail ao autor, 5 de outubro de 2017. As 33 mortes incluem um caso relacionado ao hormônio produzido por uma empresa farmacêutica. Outros casos em potencial foram relatados, incluindo a morte de 2013 de uma criança que não recebeu tratamento pelo programa do governo dos Estados Unidos porque ele não atendeu aos critérios de estatura que receberam hormônios da Europa, relatados em Brian S. Appleby et al., "Iatrogenic Creutzfeldt-Jakob Disease from Commercial Cadaveric Human Growth Hormone", *Emerging Infectious Diseases* 19, n. 4 (2013): 682- 84.

172 No Reino Unido, 78 mortes: Dr. Peter Rudge, e-mail ao autor, 4 de outubro, 2017. Ver também P. Rudge et al., "Iatrogenic CJD Due to Pituitary-Derived Growth Hormone with Genetically Determined Incubation Times of Up to 40 Years," *Brain* 138, n. 11 (2015): 3386–99.

172 Tribunais britânicos decidiram: Emily Green, "A Wonder Drug That Carried the Seeds of Death," *Los Angeles Times*, 21 de maio, 2000.

172 um grupo de famílias francesas processou: muitos artigos foram esritos sobre os processos franceses. Ver: Angelique Chrisafis, "French Doctors on Trial for CJD Deaths after Hormone 'Misuse,'" *Guardian*, 6 de fevereiro, 2008; Barbara Casassus, "INSERM Doubts Criminality in Growth Hormone Case," *Science* 307, n. 5716 (2005): 1711, e "Acquittals in CJD Trial Divide French Scientists," *Science* 323, n. 5913 (2009): 446; Pierre-Antoine Souchard and Verena Von Derschau, "6 Acquitted in French Trial over Hormone Deaths," *Associated Press*, em *San Diego Union-Tribune*, 14 de janeiro 2009.

Capítulo 11. Cabeças quentes: os mistérios da menopausa

Mary Jane Minkin, professora clínica de obstetrícia, ginecologia e serviços de reprodução da Universidade de Yale, forneceu conhecimentos profissionais sobre o assunto da menopausa. Também entrevistei vários pesquisadores e clínicos, incluindo a Dra. Lila Nachtigall, professora de obstetrícia e ginecologia da Universidade de Nova York; Dr. Hugh Taylor, chefe de obstetrícia e ginecologia da Universidade de Yale; Dr. Nanette Santoro, professor de obstetrícia e ginecologia, Faculdade de Medicina da Universidade do Colorado; e Cindy Pearson, diretora executiva da Rede de Saúde da Mulher. Várias mulheres na menopausa estavam dispostas a falar abertamente sobre seus sintomas, entre elas uma mulher – apenas uma – disse que nunca se sentiu melhor do que quando a menopausa ocorreu.

174 coautores: Charles B. Hammond et al., *Menopause: Evaluation, Treatment, and Health Concerns—Proceedings of a National Institutes of Health Symposium Held in Bethesda*, Maryland, 21–22 de abril, 1988 (New York: Alan R. Liss, 1989).

176 "mudanças biológicas": Helen E. Fisher, "Mighty Menopause," *New York Times*, 21 de outubro, 1992.

177 sintomas podem durar décadas: F. Kronenberg, "Menopausal Hot Flashes: A Review of Physiology and Biosociocultural Perspective on Methods of Assessment," *Journal of Nutrition* 140, n. 7 (2010): 1380s–85s.

177 foi parar em algumas comédias: Elizabeth Siegel Watkins, *The Estrogen Elixir: A History of Hormone Replacement Therapy in America* (Baltimore: Johns Hopkins University Press, 2007).

177 Alguns estudos do INS: Ibid., 244; Nancy Krieger et al., "Hormone Replacement Therapy, Cancer, Controversies, and Women's Health: Historical, Epidemiological, Biological, Clinical, and Advocacy Perspectives," *Journal of Epidemiology and Community Health* 59, n. 9 (2005): 740–48; Watkins, *The Estrogen Elixir*, 244; A. Heyman et al., "Alzheimer's Disease: A Study of Epidemiological Aspects," *Annals of Neurology* 15, n. 4 (1984): 335–41; M. X. Tang et al., "Effect of Oestrogen During Menopause on Risk and Age at Onset of Alzheimer's Disease," *Lancet* 348, n. 9025 (1996): 429–32.

178 Pistas estavam começando a surgir: Margaret Morganroth Gullette, "What, Menopause Again?" *Ms.*, julho 1993, 34; Nancy Fugate Woods, "Menopause: Models, Medicine, and Midlife," *Frontiers* 19, n. 1 (1998): 5–19.

178 Dr. Robert Freedman: Dr. Robert Freedman, entrevista com o autor; Robert R. Freedman, "Biochemical, Metabolic, and Vascular Mechanisms in Menopausal Hot Flashes," *Fertility and Sterility* 70, n. 2 (1998): 332–37, e "Menopausal Hot Flashes: Mechanisms, Endocrinology, Treatment," *Journal of Steroid Biochemistry and Molecular Biology* 142 (2014): 115–20. Consulte também Denise Grady, "Hot Flashes: Exploring the Mystery of Women's Thermal Chaos," *New York Times*, 3 de setembro, 2002.

180 ainda não se sabe como estão conectados: Kronenberg, "Menopausal Hot Flashes."

180 baleias-assassinas têm ondas de calor: Lauren Brent, entrevista com a autora; Lauren Brent et al., "Ecological Knowledge, Leadership, and the Evolution of Menopause in Killer Whales," comentário editorial, *Obstetrical and Gynecological Survey* 70, n. 11 (2015): 701–2.

182 ela colecionou três cérebros: Naomi Rance, entrevista do autor; Naomi E. Rance et al., "Modulation of Body Temperature and LH Secretion by Hypothalamic KNDy (kisspeptin, neurokinin B and dynorphin) Neurons: A Novel Hypothesis on the Mechanism of Hot Flushes," *Frontiers in Neuroendocrinology* 34, n. 3 (2013): 211–27; N. E. Rance et al., "Postmenopausal Hypertrophy of Neurons Expressing the Estrogen Receptor Gene in the Human Hypothalamus," *Journal of Clinical Endocrinology and Metabolism* 71, n. 1 (1990): 79–85.

182 ela estudou mais seis cérebros: N. E. Rance and W. S. Young III, "Hypertrophy and Increased Gene Expression of Neurons Containing Neurokinin-B and Substance-P Messenger Ribonucleic Acids in the Hypothalami of Postmenopausal Women," *Endocrinology* 128, n. 5 (1991): 2239–47. Para uma análise da pesquisa de Rance, consulte Ty William Abel and Naomi Ellen Rance, "Stereologic Study of the Hypothalamic Infundibular Nucleus in Young and Older Women," *Journal of Comparative Neurology* 424, n. 4 (2000): 679–88.

182 injeções de neurocinina-B: Channa Jayasena et al., "Neurokinin B Adminis- tration Induces Hot Flushes in Women," *Scientific Reports* 5, n. 8466 (2015).
183 um medicamento que bloqueia a neurocinina-B: Julia K. Prague et al., "Neurokinin 3 Receptor Antagonism as a Novel Treatment for Menopausal Hot Flushes: A Phase 2, Randomised, Double-Blind, Placebo-Controlled Trial," *Lancet* 389, n. 10081 (Maio 2017): 1809–20. Os artigos sobre o potencial novo medicamento não hormonal incluem Megan Cully, "Neurokinin 3 Receptor Antagonist Revival Heats Up with Astellas Acquisition," *Nature Reviews Drug Discovery* 16, n. 6 (2017): 377.
183 outro grupo de pesquisadores de hormônios: Heyman et al., "Alzheimer's Dis- ease"; V. W. Henderson et al., "Estrogen Replacement Therapy in Older Women: Comparisons Between Alzheimer's Disease Cases and Nondemented Control Subjects," *Archives of Neurology* 51, n. 9 (1994): 896– 900; Tang et al., "Effect of Oestrogen."
183 brancos de classe alta: Randall S. Stafford et al., "The Declining Impact of Race and Insurance Status on Hormone Replacement Therapy," *Menopause* 5, n. 3 (1998): 140– 44; Watkins, *The Estrogen Elixir*.
183 mulheres negras eram sessenta % menos prováveis: Kate M. Brett and Jennifer H. Madans, "Differences in Use of Postmenopausal Hormone Replacement Therapy by Black and White Women," *Menopause* 4, n. 2 (1997): 66–76.
184 dados de mais de trinta mil: Stafford et al., "The Declining Impact of Race and Insurance Status."
184 uma conferência de dois dias em 2004: Krieger et al., "Hormone Replacement Therapy, Cancer, Controversies, and Women's Health."
184 "Nenhuma mulher pode escapar": Robert Wilson, *Feminine Forever* (Nova York: Pocket Books, 1968), 52.
184 financiado por três empresas farmacêuticas: Krieger et al., "Hormone Replacement Therapy, Cancer, Controversies, and Women's Health"; Judith Houck, *Hot and Bothered: Women, Medicine, and Menopause in Modern America* (Cambridge, MA: Harvard University Press, 2006).
186 Prescrições: Krieger et al., "Hormone Replacement Therapy, Cancer, Controversies, and Women's Health."
187 PEPI: The Writing Group for the PEPI Trial, "Effects of estrogen or estro- gen/proges- tin regimens on heart disease risk factors in postmenopausal women: The Postmenopausal Estrogen/Progestin Interventions (PEPI) Trial," *Journal of the American Medical Association* 273, n. 3 (1995): 199–208.
187 Outro estudo maciço: Meir J. Stampfer et al., "Postmenopausal Estrogen Therapy and Cardiovascular Disease," *New England Journal of Medicine* 325, n. 11 (1991): 756– 62.
187 enterrado entre todas as boas novas: Watkins, *The Estrogen Elixir*.
188 manchetes chocadas, assustadas, enfurecidas: R. D. Langer, "The Evidence Base for HRT: What Can We Believe?" *Climacteric* 20, n. 2 (2017): 91–96.
188 "O objetivo do WHI": Dra. JoAnn Manson, entrevista com a autora.
189 As prescrições caíram quase pela metade: Krieger et al., "Hormone Replacement Therapy, Cancer, Controversies, and Women's Health."
189 nenhuma diferença nas taxas de mortalidade: J. E. Manson et al. for the WHI Investigators, "Menopausal Hormone Therapy and Long-Term All-Cause and Cause-Specific Mortality: The Women's Health Initiative Randomized Trials," *Journal of the American Medical Association* 318, n. 10 (2017): 927–38.
189 Manson falou a *Reuters*: Lisa Rapaport, "Menopause Hormone Not Linked to Premature Death," *Reuters Health*, 12 de setembro, 2017.

190 Em 2010, um hormônio contaminado: Nanette Santoro et al., "Compounded Bioidentical Hormones in Endocrinology Practice: An Endocrine Society Scientific Statement," *Journal of Clinical Endocrinology and Metabolism* 101, n. 4 (2016): 1318-43.
190 um jornalista designado para More: Cathryn Jakobson Ramin, "The Hor- mone Hoax Thousands Fall For," More, outubro 2013, 134-44, 156.
190 Sociedade Norte-Americana de Menopausa: North American Menopause Soci- ety, "The 2017 Hormone Therapy Position Statement of the North Ameri- can Menopause Society," *Menopause* 24, n. 7 (2017): 728–53.

Capítulo 12. Empreendedores de testosterona

John Hoberman, professor da Universidade do Texas e autor de *Testosterone Dreams: Rejuvenation, Aphrodisia, Doping* (California: University of California Press, 2005), foi mais do que útil quando pesquisei este capítulo. Também entrevistei vários especialistas da área que fazem pesquisa básica e também trabalham com pacientes: Dr. Alexander Pastuszak; Dr. Shalender Bhasin, diretor do programa de pesquisa em saúde masculina, Brigham e Women's Hospital; Dr. Joel Finkelstein, professor de medicina do Hospital Geral de Massachusetts e da Harvard Medical School; Dr. Mark Schoenberg, professor e diretor universitário de urologia do Centro Médico de Montreal e da Faculdade de Medicina Albert Einstein; Dra. Elizabeth Barrett-Connor, professora de Medicina de Família e Saúde Pública, Universidade da Califórnia, San Diego; Dr. Frank Lowe, professor de urologia, Albert Einstein College of Medicine; Dr. Martin Miner, codiretor do Men's Health Center, Miriam Hospital, Providence, RI, e professor associado de medicina de família da Brown University; Dr. Michael Werner, diretor médico da Maze Health Clinic; Dr. Thomas Perls, diretor do New England Centenarian Study e professor de medicina da Universidade de Boston; Dr. Paul Turek, urologista e fundador das Clínicas Turek; Hershel Raff, PhD, professor de medicina, cirurgia e fisiologia e diretor de pesquisa endócrina, Medical College of Wisconsin; Dra. Elizabeth Wilson, professora de pediatria, bioquímica e biofísica, Universidade da Carolina do Norte; e Dr. James Dupree, professor assistente de urologia, Universidade de Michigan. O histórico é de Arlene Weintraub, *Selling the Fountain of Youth: How the Anti-Aging Industry Made a Disease Out of Getting Old—And Made Billions* (Nova York: Basic Books: 2010).
194 Os cães copulavam: Frank A. Beach, "Locks and Beagles," *American Psychologist* 24, n. 11 (1969): 971–89; Benjamin D. Sachs, "In Memoriam: Frank Ambrose Beach," *Psychobiology* 16, n. 4 (1988): 312–14.
195 "Sim, a masculinidade é química": Paul de Kruif, *The Male Hormone* (Nova York: Harcourt, Brace, 1945), 107.
195 outros rejeitavam a terapia de testosterona: W. O. Thompson, "Uses and Abuses of the Male Sex Hormone," *Journal of the American Medical Association* 132, n. 4 (1946): 185-88; Blakeslee, "Stimulant Found in Pituitary Powder."
196 "Se a hipótese fosse confirmada": Beach, "Locks and Beagles."
196 o debate continua: Andrea Busnelli et al., "'Forever Young'—Testosterone Replacement Therapy: A Blockbuster Drug Despite Flabby Evidence and Broken Promises," *Human Reproduction* 32, n. 4 (2017): 719–24.
197 Dr. Fred Koch: Alvaro Morales, "The Long and Tortuous History of the Discovery of Testosterone and Its Clinical Application," *Journal of Sexual Medicine* 10, n. 4 (2013): 1178-83.
197 "É nosso sentimento que, até que mais se saiba": T. F. Gallagher and Fred C. Koch, "The Testicular Hormone," *Journal of Biological Chemistry* 84, n. 2 (1929): 495–500.

198 "Então, pensar neles como hormônios do crescimento": Claudia Dreifus, "A Conversation with—Anne Fausto-Sterling; Exploring What Makes Us Male or Female," *New York Times*, 2 de janeiro, 2001; Anne Fausto-Sterling, *Sexing the Body* (Nova York: Basic Books, 2000).
200 O trabalho foi tão inovador: "Science Finds Way to Produce Male Hormone Synthetically," *New York Herald Tribune*, 16 de setembro, 1935; "Chemist Produces Potent Hormone," *New York Times*, 16 de setembro, 1935; "Testosterone," *Time*, 23 de setembro, 1935.
200 "toda a testosterona que o mundo precisa": "Testosterone," *Time*.
201 anúncios de medicamentos diretos ao consumidor: Sarita Metzger and Arthur L. Burnett, "Impact of Recent FDA Ruling on Testosterone Replacement Therapy (TRT)," *Translational Andrology and Urology* 5, n. 6 (2016): 921–26. Para um exemplo das reportagens, consulte Julie Revelant, "10 Warning Signs of Low Testosterone Men Should Never Ignore," *Fox News Health*, 18 de julho, 2016, http://www.foxnews.com/health/2016/07/18/10-warnin-signs-low-testosterone-men-should-never-ignore.html.
202 renomeou a síndrome "Baixa T": August Werner, "The Male Climacteric," *Journal of the American Medical Association* 112, n. 15 (1939): 1441–43.
203 "é um questionário de baixa qualidade": Dr. John Morley, entrevista com o autor.
203 em um ensaio revelador: Stephen R. Braun, "Promoting 'Low T': A Medical Writ- er's Perspective," *JAMA Internal Medicine* 173, n. 15 (2013): 1458– 60.
203 ética começou a chacoalhá-lo: Stephen Braun, entrevista do autor.
203 Todas essas táticas: C. Lee Ventola, "Direct-to-Consumer Pharmaceutical Advertising: Therapeutic or Toxic?" *Pharmacy and Therapeutics* 36, n. 10 (2011): 669– 84; Samantha Huo et al., "Treatment of Men for 'Low Testosterone': A Systematic Review," *PLOS ONE* 11, n. 9 (2016): e0162480.
203 "de repente, parecia que a lei": Hoberman, *Testosterone Dreams*, 120.
204 bulas: Metzger and Burnett, "Impact of Recent FDA Ruling."
204 emitiu diretrizes semelhantes: Shalender Bhasin et al., "Testosterone Therapy in Men with Androgen Deficiency Syndromes: An Endocrine Society Clinical Practice Guideline," *Journal of Clinical Endocrinology and Metabolism* 95, n. 6 (2010): 2536–59; Frederick Wu et al., "Identification of Late-Onset Hypogonadism in Middle-Aged and Elderly Men," *New England Journal of Medicine* 363, n. 2 (2010): 123–35; G. R. Dohle et al., "Guidelines on Male Hypogonadism," *European Association of Urology*, 2014, http://uroweb.org/wp-content/uploads/18-Male-Hypogonadism_ LR1.pdf.
204 Apesar das diretrizes da FDA: Joseph Scott Gabrielsen et al., "Trends in Testosterone Prescription and Public Health Concerns," *Urologic Clinics of North America* 43, n. 2 (2016): 261–71; Katherine Margo and Robert Winn, "Testosterone Treatments: Why, When, and How?" *American Family Physician* 73, n. 9 (2006): 1591–98.
204 "um experimento descontrolado em massa": L. M. Schwartz e S. Woloshin, "Low 'T' as in 'Template': How to Sell Disease," *JAMA Internal Medicine* 173, n. 15 (2013): 1460– 62.
204 Os níveis de testosterona flutuam: W. J. Bremner et al., "Loss of Circadian Rhythmicity in Blood Testosterone Levels with Aging in Normal Men," *Journal of Clinical Endocrinology and Metabolism* 56, n. 6 (1983): 1278– 81.
205 Testosterona aumenta massa muscular: Fred Sattler et al., "Testosterone and Growth Hormone Improve Body Composition and Muscle Performance in Older Men," *Journal of Clinical Endocrinology and Metabolism* 94, n. 6 (2009): 1991–2001.
205 "qualquer testosterona exógena": Dr. Alexander Pastuszak, entrevista com o autor.
205 não é um contraceptivo confiável: A. M. Matsumoto, "Effects of Chronic Testos- terone Administration in Normal Men: Safety and Efficacy of High Dosage Testosterone and Parallel Dose-Dependent Suppression of Luteinizing Hormone, Follicle-Stimulating Hormone, and Sperm Production," *Journal of Clinical Endocrinology and Metabolism* 70, n. 1 (1990): 282– 87.

205 mais propenso a perder gordura da barriga: L. Frederiksen et al., "Testosterone Therapy Decreases Subcutaneous Fat and Adiponectin in Aging Men," *European Journal of Endocrinology* 166, n. 3 (2012): 469–76.
205 problemas cardiovasculares: Shehzad Basaria et al., "Adverse Events Associated with Testosterone Administration," *New England Journal of Medicine* 363, n. 2 (2010): 109–22; Shehzad Basaria et al., "Effects of Testosterone Administration for 3 Years on Subclinical Atherosclerosis Progression in Older Men with Low or Low-Normal Testosterone Levels: A Randomized Clinical Trial," *Journal of the American Medical Association* 314, n. 6 (2015): 570–81.
205 A maioria dos estudos: P. J. Snyder et al., "Effects of Testosterone Treatment in Older Men," *New England Journal of Medicine* 374, n. 7 (2016): 611–24.
205 dar testosterona a homens com níveis normais: Felicitas Buena et al., "Sexual Function Does Not Change when Serum Testosterone Levels Are Pharmacologically Varied within the Normal Male Range," *Fertility and Sterility* 59, n. 5 (1993): 1118–23; Christina Wang et al., "Transdermal Testosterone Gel Improves Sexual Function, Mood, Muscle Strength, and Body Composition Parameters in Hypogonadal Men," *Journal of Clinical Endocrinology and Metabolism* 85, n. 8 (2000): 2839–53.
206 "Você não vê": Dr. Shalender Bhasin, entrevista do autor.
206 não melhoraram suas tendências de busca por mulheres: Darius Paduch et al., "Testosterone Replacement in Androgen-Deficient Men With Ejaculatory Dysfunction: A Randomized Controlled Trial," *Journal of Clinical Endocrinology and Metabolism* 100, n. 8 (2015): 2956–62; Snyder et al., "Effects of Testosterone Treatment in Older Men."
206 não melhor que o placebo: S. M. Resnick et al., "Testosterone Treatment and Cognitive Function in Older Men with Low Testosterone and Age-Associated Memory Impairment," *Journal of the American Medical Association* 317, n. 7 (2017): 717–27.
206 Dr. Joel Finkelstein: Joel S. Finkelstein et al., "Gonadal Steroids and Body Composition, Strength, and Sexual Function in Men," *New England Journal of Medicine* 369, n. 11 (2013): 1011–22.
207 PATH: Partnership for the Accurate Testing of Hormones, "PATH Fact Sheet: The Importance of Accurate Hormone Tests," Endocrine Society, Washington DC, 2017.
207 Isso remete à noção: Eder, "The Birth of Gender," 83.
207 "Por algum motivo": Dr. Mohit Khera, entrevista com o autor. Mohit Khera et al., "Adult-Onset Hypogonadism," *Mayo Clinic Proceedings* 91, n. 7 (2016): 908–26. Mohit Khera, "Male Hormones and Men's Quality of Life," *Current Opinion in Urology* 26, n. 2 (2016): 152–57.
208 artigos criticando a indústria da baixa T: Natasha Singer, "Selling That New-Man Feeling," *New York Times*, 23 de novembro, 2013; Sky Chadde, "How the Low T Industry Is Cashing in on Dubious, and Perhaps Dangerous, Science," *Dallas Observer*, 12 de novembro, 2014; Sarah Varney, "Testosterone, The Biggest Men's Health Craze Since Viagra, May Be Risky," *Shots: Health News from NPR*, 28 de abril, 2014, http://www.npr.org/sections/health-shots/2014/04/28/305658501/prescription-testosterone-the-biggest-men-s-health-craze-since-viagra-may-be-ris.
210 Para se tornar certificado: Rona Schwarzberg, conselheira educacional na American Academy of Anti-Aging Medicine, entrevista com a autora. https://www.a4m.com/certification-in-metabolic-and-nutritional-medicine.html.
210 "esses capitalistas construíram": Weintraub, *Selling the Fountain of Youth*.
211 duas opiniões opostas: Adriane Fugh-Berman, "Should Family Physicians Screen for Testosterone Deficiency in Men? No: Screening May Be Harmful, and Benefits Are Unproven" *American Family Physician* 91, n. 4 (2015): 227–28; J. J. Heidelbaugh, "Should Family Physicians Screen for Testosterone Deficiency in Men? Yes: Screening for Testosterone Deficiency Is Worthwhile for Most Older Men," *American Family Physician* 91, n. 4 (2015): 220–21.

211 mais de cinco mil homens afirmam: Arlene Weintraub, "What's Next for the Thousands of Angry Men Suing Over Testosterone?," *Forbes online*, 6 de abril, 2015, http://www.forbes.com/sites/arleneweintraub/2015/04/06/whats-next-for-the-thousands-of-angry-men-suing-over-testosterone/#7cd2401f4833; Arlene Weintraub, "AbbVie Challenges Fairness of Upcoming Testosterone Trials," *Forbes online*, 17 de agosto, 2015, https://www.forbes.com/sites/arleneweintraub/2015/08/17/abbvie-challenges-fairness-of-upcoming-testosterone-trials/2b39e0113901; Arlene Weintraub, "Testosterone Suits Soar Past 2,500 as Legal Milestone Looms for AbbVie," *Forbes online*, 30 de outubro, 2015, http://www.forbes.com/sites/arleneweintraub/2015/10/30/testosterone-suits-soar-past-2500-as-legal-milestone-looms-for-abbvie/57c9501b1199; Arlene Weintraub, "Why All Those Testosterone Ads Constitute Disease Mongering," *Forbes online*, 24 de março, 2015, http://www.forbes.com/sites/arleneweintraub/2015/03/24/why-all-those-testosterone-ads-constitute-disease-mongering/#629d9d585853.

211 Em 24 de julho, um júri federal: Lisa Schencker, "AbbVie Must Pay $150 Mil- lion over Testosterone Drug, Jury Decides," *Chicago Tribune*, 24 de julho, 2017, http://www.chicagotribune.com/business/ct-abbvie-androgel-decision-0725-biz20170724-story.html.

212 "Eu fiquei chocado": Dr. Peter Klopfer, entrevista do autor.

Capítulo 13. Ocitocina: Aquele sentimento de amor

Este capítulo é baseado em entrevistas com o Dr. Peter Klopfer, professor emérito de biologia da Duke University; Dr. Cort Pedersen, professor de psiquiatria e neurobiologia, Universidade da Carolina do Norte; e o Dr. Robert Froemke, professor associado de neurociência da Universidade de Nova York, cujo laboratório eu visitei. Gideon Nave, PhD, professor assistente de marketing da Wharton School, Universidade da Pensilvânia, me ajudou a analisar as estatísticas. O Dr. Steve Chang, professor assistente de psicologia e neurobiologia da Universidade de Yale, conversou comigo sobre seu trabalho com macacos e ocitocina; a Dra. Jennifer Bartz, professora associada de psicologia da Universidade McGill, falou comigo sobre ocitocina e autismo. Também entrevistei o Dr. Michael Platt, professor de antropologia da Universidade da Pensilvânia, e o Dr. James Higham, pesquisador principal em ecologia e evolução reprodutiva de primatas da Universidade de Nova York.

216 "Eu, francamente não fiquei atraído": John G. Simmons, "Henry Dale: Dis- covering the First Neurotransmitter," capítulo em *Doctors and Discoveries: Lives that Created Today's Medicine* (Boston: Houghton Mifflin Harcourt, 2002), 238–427.

217 e Dale ganhou um Prêmio Nobel: H. O. Schild, "Dale and the Development of Pharmacology: Lecture given at Sir Henry Dale Centennial Symposium, Cambridge, 17–19 September 1975," *British Journal of Pharmacology* 120, Suppl. 1 (1997): 504–8; www.nobelprize.org/nobel_prizes/medicine/laureates/1936/dale-bio.html.

217 "O princípio da pressório": Sir Henry Dale, "On Some Physiological Aspects of Ergot," *Journal of Physiology* 34, n. 3 (1906):163–206.

218 conexão com leite materno: Mavis Gunther, "The Posterior Pituitary and Labour," carta para o editor, *British Medical Journal* 1948, n. 1: 567.

219 estudo das cabras por Peter Klopfer: Peter H. Klopfer, "Mother Love: What Turns It On? Studies of Maternal Arousal and Attachment in Ungulates May Have Implications for Man," *American Scientist* 59, n. 4 (1971): 404–7.

220 expandir seus estudos mãe-recém-nascido: David Gubernick and Peter H. Klop- fer, eds., *Parental Care in Mammals* (Nova York: Plenum Press, 1981).

220 pressão como de um balão: Klopfer, "Mother Love."

220 time da Universidade de Cambridge: E. B. Keverne et al., "Vaginal Stimulation: An Important Determinant of Maternal Bonding in Sheep," *Science* 219, n. 4580 (1983): 81–83.

221 um especialista em ocitocina: M. L. Boccia et al., "Immunohistochemical Localiza- tion of Oxytocin Receptors in Human Brain," *Neuroscience* 253 (2013): 155– 64; Cort Pedersen et al., "Intranasal Oxytocin Blocks Alcohol With-drawal in Human Subjects," *Alcoholism: Clinical and Experimental Research* 37, n. 3 (2013): 484– 89; Cort A. Pedersen, *Oxytocin in Maternal, Sexual and Social Behaviors* (Nova York: New York Academy of Sciences, 1992).
221 como se estivessem tentando amamentar: Dr. Cort Pedersen, entrevista com o autor.
222 Experiências adicionais: C. A. Pedersen et al., "Oxytocin Antiserum Delays Onset of Ovarian Steroid-Induced Maternal Behavior," *Neuropeptides* 6, n. 2 (1985): 175–82; E. van Leengoed, E. Kerker, and H. H. Swanson, "Inhibition of Postpartum Maternal Behavior in the Rat by Injecting an Oxytocin Antagonist into the Cerebral Ventricles," *Journal of Endocrinology* 112, n. 2 (1987): 275–82.
222 permaneceu distante: Pedersen, *Oxytocin in Maternal, Sexual and Social Behaviors*.
222 mas não desempenho sexual real: D. M. Witt et al., "Enhanced Social Interactions in Rats Following Chronic, Centrally Infused Oxytocin," *Pharmacology Biochemistry and Behavior* 43, n. 3 (1992): 855– 61.
223 Sue Carter: C. S. Carter e L. L. Getz, "Monogamy and the Prairie Vole," *Scientific American* 268, n. 6 (1993): 100– 6.
223 Cientistas de Stanford: M. S. Carmichael et al., "Plasma Oxytocin Increases in the Human Sexual Response," *Journal of Clinical Endocrinology and Metabolism* 64, n. 1 (1987): 27–31.
223 ocitocina provocou sentimentos de paz: C. S. Carter, *Hormones and Sexual Behavior* (Stroudsburg, PA: Dowden, Hutchinson & Ross, 1974).
223 Outros estudos sugerem: A. S. McNeilly et al., "Release of Oxytocin and Pro- lactin in Response to Suckling," *British Medical Journal* (Clinical Research Edition) 286, n. 6361 (1983): 257–59.
223 O experimento realmente dramático: M. M. Kosfeld et al., "Oxytocin Increases Trust in Humans," *Nature* 435, n. 7042 (2005): 673–76.
224 "a molécula moral": P. J. Zak, *The Moral Molecule: How Trust Works* (Nova York: Plume, 2013); V. Noot, *35 Tips for a Happy Brain: How to Boost Your Oxytocin, Dopamine, Endorphins, and Serotonin* (CreateSpace, 2015).
225 Zak postou uma vez: Paul. J. Zak, "Why Love Sometimes Sucks," *Huffington Post*, 5 de dezembro, 2012, http://www.huffingtonpost.com/paul-j-zak/why-love-sometimes-sucks_b_1504253.html.
225 "O que nos resta": Ed Yong, "The Weak Science Behind the Wrongly Named Moral Molecule," *Atlantic*, 13 de novembro, 2015.
225 "É uma ótima história": Gideon Nave, entrevista com o autor.
226 "É patético": Hans Lisser to Dr. Cushing, 19 de julho, 1921.
227 estudos cuidadosos de ocitocina: B. J. Marlin et al., "Oxytocin Enables Maternal Behaviour by Balancing Cortical Inhibition," *Nature* 520, n. 7548 (2015): 499–504; Helen Shen, "Neuroscience: The Hard Science of Oxytocin," *Nature* 522, n. 7557 (2015): 410–12; Marina Eliava et al., "A New Population of Parvocellular Oxytocin Neurons Controlling Magnocellular Neuron Activity and Inflammatory Pain Processing," *Neuron* 89, n. 6 (2016): 1291–1304.
227 localização precisa: Michael Numan and Larry J. Young, "Neural Mechanisms of Mother–Infant Bonding and Pair Bonding: Similarities, Differences, and Broader Implications," *Hormones and Behavior* 77 (2016): 98–112; Shen, "Neuroscience: The Hard Science of Oxytocin."
227 trabalho de Froemke: McNeilly et al., "Release of Oxytocin and Prolactin in Response to Suckling."
228 entender seu potencial: Robert C. Liu, "Sensory Systems: The Yin and Yang of Cortical Oxytocin," *Nature* 520, n. 7548 (2015): 444– 45.

Capítulo 14. Transição

Este capítulo é baseado em entrevistas com Mel Wymore e moldado por discussões com outras pessoas na comunidade de transgêneros. Também entrevistei clínicos, incluindo o Dr. Joshua Safer, a Dra. Anisha Patel, a Dra. Susan Boulware, Leslie Henderson, PhD, e o Dr. Jack Turban. O Dr. Howard W. Jones Jr. e Claude Migeon forneceram detalhes sobre os primeiros dias da terapia com transgêneros. Como pano de fundo, consultei Joanne Meyerowitz, *How Sex Changed: A History of Transsexuality in the United States* (Cambridge, MA: Harvard University Press, 2004) e várias memórias: Jenny Boylan, *She's Not There: A Life in Two Genders* (Nova York: Broadway Books, 2013); Amy Ellis Nutt, *Becoming Nicole: The Transformation of an American Family* (Nova York: Random House, 2015); Julia Serrano, *Whipping Girl: A Transsexual Woman on Sexism and the Scapegoating of Femininity* (Berkeley, CA: Seal Press: 2007); Pagan Kennedy, *The First Man-Made Man* (Nova York: Bloomsbury, 2007); Christine Jorgensen, *Christine Jorgensen: A Personal Autobiography* (Nova York: Bantam, 1968), e Andrew Solomon, "Transgender," capítulo 11 em *Far From the Tree* (Nova York: Scribner, 2012), 599– 676.
231 entre 0,3 e 0,6% das pessoas: Sari L. Reisner et al., "Global Health Burden and Needs of Transgender Populations: A Review," *Lancet* 388, n. 10042 (2016): 412–36.
231 1,4 milhão de americanos transgêneros: https://williamsinstitute.law.ucla.edu/wp-content/uploads/How-Many-Adults-Identify-as-Transgender-in-the-United-States.pdf.
231 mídia: assim como os livros mencionados acima: Deirdre W. McCloskey, *Crossing: A Memoir* (Chicago: University of Chicago Press, 1999); Max Wolf Valerio, *The Testosterone Files* (Berkeley, CA: Seal Press: 2006); Jamison Green, *Becoming a Visible Man* (Nashville: Vanderbilt University Press, 2004). Os documentários incluem *Gender Revolution: A Journey with Katie Couric, National Geographic*, 2017. Os artigos incluem Rachel Rabkin Peachman, "Raising a Transgender Child," *New York Times Magazine*, January 31, 2017, e Hannah Rosin, "A Boy's Life," *Atlantic*, novembro 2008. Consulte também a série de televisão de Jill Soloway, *Transparent*.
231 O surgimento da cirurgia plástica no início do século 20: Felix Abraham, "Genitalumwandlungen an zwei männlichen Transvestiten," *Zeitschrift für Sexualwissenschaft und Sexualpolitik* 18 (1931): 223–26, descreve operações realizadas no Instituto de Ciências Sexuais, fundado por Magnus Hirchfield, e descrito no livro de Meyerowitz, How Sex Changed (Como o sexo mudou). A história do pintor dinamarquês Lili Elbe foi retratada no filme A Garota Dinamarquesa lançado em 2015.
231 A grande diferença entre então e agora: Wylie C. Hembree et al., "Endocrine Treatment of Gender-Dysphoric/Gender-Incongruent Persons: An Endocrine Society Clinical Practice Guideline," *Journal of Clinical Endocrinology and Metabolism* 102, n. 11 (2017): 3869–903.
232 "Ex-soldado se torna loira": *New York Daily News*, 1º de dezembro, 1952.
233 "Poderia a transição": Jorgensen, *Christine Jorgensen*, 72.
234 história na primeira página: "Surgery Makes Him a Woman," *Chicago Daily Tribune*, 1º de dezembro de 1952.
234 "Quero dizer, você está interessado": United Press, "My Dear, Did You Hear About My Operation?" *Austin Statesman*, 2 de dezembro, 1952.
234 "De alguma forma eu...": Jorgensen, *Christine Jorgensen*, 218.
234 O fenômeno transexual: Dr. Harry Benjamin, *The Transsexual Phenomenon* (Nova York: Julian Press, 1966).
235 "é uma possibilidade": Harry Benjamin, introdução para Jorgensen, *Christine Jorgensen*, x.
236 princípios centrais de Money: ver capítulo 7.
236 Atualmente, os cientistas: Leslie Henderson, PhD, and Dr. Joshua Safer, entrevista com o autor. Consulte também Margaret M. McCarthy and A. P. Arnold, "Reframing Sexual

Differentiation of the Brain," *Nature Neuroscience* 14, n. 6 (2011): 677- 83; S. A. Berenbaum and A. M. Beltz, "Sexual Differentiation of Human Behavior: Effects of Prenatal and Pubertal Organizational Hormones," *Frontiers in Neuroendocrinology* 32, n. 2 (2011): 183–200; I. Savic, A. Garcia-Falgueras, and D. F. Swaab, "Sexual Differentiation of the Human Brain in Relation to Gender Identity and Sexual Orientation," *Progress in Brain Research* 186 (2010): 41- 62; and Elke Stefanie Smith et al., "The Transsexual Brain—A Review of Findings on the Neural Basis of Transsexualism," *Neuroscience and Biobehavioral Reviews* 59 (2015): 251- 66.
236 estudo de 1959: Charles Phoenix et al., "Organizing Action of Prenatally Administered Testosterone Propionate on the Tissues Mediating Mating Behavior in the Female Guinea Pig," *Endocrinology* 65 (1959): 369- 82, reimpresso em *Hormonal Behavior* 55, n. 5 (2009): 566.
237 "Pessoas, até alguns cientistas": Leslie Henderson, PhD, entrevista com a autora.
237 Estudos adicionais sobre roedores: For a thorough recent review see Margaret M. McCarthy, "Multifaceted Origins of Sex Differences in the Brain," *Philo- sophical Transactions of the Royal Society* B 371, n. 1688 (2016).
238 "Está claro": Dr. Joshua Safer, entrevista com o autor.
242 Médicos ficam de olho em outros efeitos colaterais hormonais: Ibid. Sobre tratamentos hormonais nos receptores de serotonina que podem influenciar os quadros de depressão, ver G. S. Kranz et al., "High-Dose Testosterone Treatment Increases Serotonin Transporter Binding in Transgender People," *Biological Psychiatry* 78, n. 8 (2015): 525–33. Sobre o impacto de terapias hormonais em pacientes transgênero, ver Cécile A. Unger, "Hormone Therapy for Transgender Patients," *Translational Andrology and Urology* 5, n. 6 (2016): 877–84.
242 As diretrizes mais recentes da Sociedade Endócrina: Hembree et al., "Endocrine Treatment of Gender-Dysphoric/Gender-Incongruent Persons."
245 Mais de 40%: Ibid.; Ann P. Haas, PhD, et al., "Suicide Attempts Among Transgender and Gender Non-Conforming Adults," Williams Institute, https://williamsinstitute.law.ucla.edu/wp-content/uploads/AFSP-Williams-Suicide-Report-Final.pdf.

Capítulo 15. Insaciável: O hipotálamo e a obesidade

Este capítulo é baseado em extensas entrevistas com Karen Snizek e entrevistas com o Dr. Rudolph L. Leibel, professor de pediatria e medicina no Instituto de Nutrição Humana, Faculdade de Médicos e Cirurgiões da Universidade Columbia; Dr. Jeffrey M. Friedman, diretor do Centro Starr de Genética Humana, Universidade Rockefeller; e Sir Stephen O'Rahilly, professor de Bioquímica Clínica e Medicina da Universidade de Cambridge, e seu colega I. Sadaf Farooqi, especialista em metabolismo e medicina, que estão na vanguarda da pesquisa de medicamentos. Também entrevistei o Dr. Gerald Schulman, professor de fisiologia celular e molecular da Universidade de Yale; Dr. Frank Greenway, diretor médico do ambulatório, Pennington Biomedical Research, Baton Rouge, LA; e Dra. Jennifer Miller, da Universidade da Flórida.
247 Ratos não vomitam: Ruth B. S. Harris, "Is Leptin the Parabiotic 'Satiety' Fac- tor? Past and Present Interpretations," *Appetite* 61, n. 1 (2013): 111–18. Para maiores informações sobre ratos e vômito, ver Charles C. Horn et al., "Why Can't Rodents Vomit? A Comparative Behavioral, Anatomical, and Physiological Study," *PLOS One*, 10 de abril, 2013.
248 uma experiência incrivelmente simples, mas peculiar: G. R. Hervey, "The Effects of Lesions in the Hypothalamus in Parabiotic Rats," *Journal of Physiology* 145, n. 2 (1959): 336–52; G. R. Hervey, "Control of Appetite: Personal and Departmental Recollections," *Appetite* 61, n. 1 (2013): 100–10.
249 caçar a substância: Ellen Rupel Shell, *The Hungry Gene: The Inside Story of the Obesity Epidemic* (Nova York: Grove Press, 2003); "Douglas Coleman: Obituary," *Daily Telegraph*, 17 de abril, 2014.

249 colecistoquinina: E. Straus and R. S. Yalow, "Cholecystokinin in the Brains of Obese and Nonobese Mice," *Science* 203, n. 4375 (1979): 68– 69.
249 provou que ela estava errada: B. S. Schneider et al., "Brain Cholecystokinin and Nutritional Status in Rats and Mice," *Journal of Clinical Investigation* 64, n. 5 (1979): 1348–56.
250 Em 1994, inspirado no trabalho de Coleman: Y. Zhang et al., "Positional Cloning of the Mouse Obese Gene and Its Human Homologue," *Nature* 372, n. 6505 (1994): 425–32.
251 "Nós não apreciamos": Dr. Rudy Leibel, entrevista com o autor.
251 deu a sensação: Tom Wilkie, "Genes, Not Greed, Make You Fat," *Independent*, 1º de dezembro, 1994; Natalie Angier, "Researchers Link Obesity in Humans to Flaw in a Gene," *New York Times*, 1º de dezembro, 1994.
251 "então, quando a leptina está baixa": Dr. Jeffrey Friedman, entrevista com o autor.
253 Graças a pesquisa: L. G. Hersoug et al., "A Proposed Potential Role for Increasing Atmospheric CO2 as a Promoter of Weight Gain and Obesity," *Nutrition and Diabetes* 2, n. 3 (2012): e31.
253 Endocrinologistas estão unindo forças: Anthony P. Coll et al., "The Hormonal Control of Food Intake," *Cell* 129, n. 2 (2007): 251– 62.
253 germes podem nos dar uma tendência a ganhar peso: Dorien Reijnders et al., "Effects of Gut Microbiota Manipulation by Antibiotics on Host Metabolism in Obese Humans: A Randomized Double-Blind Placebo-Controlled Trial," *Cell Metabolism* 24, n. 1 (2016): 63–74.
253 compreensão completa da fome: Ilseung Cho and Martin J. Blaser, "The Human Microbiome: At the Interface of Health and Disease," *Nature Reviews Genetics* 13, n. 4 (2012): 260–70; Torsten P. M. Scheithauer et al., "Causality of Small and Large Intestinal Microbiota in Weight Regulation and Insulin Resistance," *Molecular Metabolism* 5, n. 9 (2016): 759–70.
253 poluição do ar: Y. Wei et al., "Chronic Exposure to Air Pollution Particles Increases the Risk of Obesity and Metabolic Syndrome: Findings from a Natural Experiment in Beijing," *FASEB Journal* 30, n. 6 (2016): 2115–22.
253 químicas industriais: G. Muscogiuri et al., "Obesogenic Endocrine Dis- ruptors and Obesity: Myths and Truths," *Archives of Toxicology*, 3 de outubro, 2017, https://doi.org/10.1007/s00204-017-2071-1; K. A. Thayer, J. J. Heindel, J. R. Bucher, and M. A. Gallo, "Role of Environmental Chemicals in Diabetes and Obesity: A National Toxicology Program Workshop Review," *Environmental Health Perspectives* 120 (2012): 779– 89.
254 cirurgia para perda de peso: Valentina Tremaroli et al., "Roux-en-Y Gastric Bypass and Vertical Banded Gastroplasty Induce Long-Term Changes on the Human Gut Microbiome Contributing to Fat Mass Regulation," *Cell Metabolism* 22, n. 2 (2015): 228–38.
254 queima de calorias menos eficiente: Wendee Holtcamp, "Obesogens: An Envi- ronmental Link to Obesity," *Environmental Health Perspectives* 120, n. 2 (2012): a62–a68; David Epstein, "Do These Chemicals Make Me Look Fat?" *ProPublica*, 11 de outubro, 2013; Jerrold Heindel, "Endocrine Disruptors and the Obesity Epidemic," *Toxicological Sciences* 76, n. 2 (2003): 247–49.
254 alimentando a epidemia de obesidade: Yann C. Klimentidis et al., "Canaries in the Coal Mine: A Cross-Species Analysis of the Plurality of Obesity Epi- demics," *Proceedings of the Royal Society B: Biological Sciences*, 2010, doi: 10.1098/rspb.2010.1890.

Livros para mudar o mundo. O seu mundo.

Para conhecer os nossos próximos lançamentos
e títulos disponíveis, acesse:

🌐 www.**citadel**.com.br

f /**citadeleditora**

📷 @**citadeleditora**

🐦 @**citadeleditora**

▶ Citadel - Grupo Editorial

Para mais informações ou dúvidas sobre a obra,
entre em contato conosco pelo e-mail:

✉ contato@**citadel**.com.br